2000 EXPRESSIONS FRANÇAISES PRATIQUES ET UTILES

DU MÊME AUTEUR

1001 Traps in French Grammar and Idioms, University of Ottawa Press, 1967 et 1976. *Teacher's Guide*, 1968

Les 1001 pièges de la langue anglaise, Montréal, Guérin, 1976. *Livre du maître*, 1976

...raps   Défense d'afficher   À qui de droit   Deux...

...ot   Être à la page   Pas le moins du monde   À to...

...sse route   Cuire à point   Bon marché   Rire ja...

Faire l'école buissonnière   À qui le dites-vous?...

À portée de main   À tort et à travers   À tou...

...x au chapitre   Bon gré, mal gré   Chemin...

...'hui en huit   L'échapper belle   En venir aux ma...

...le   Faute de   Froncer les sourcils   Hausser les...

...eine   Marcher de long en large   Mettre au co...

...ire   Se tromper de numéro   Savoir s'y prendre...

...ts   Se creuser la cervelle   Faire de l'auto-stop...

...bon compte   Attraper un coup de soleil   À tue-t...

...oix basse   Pleuvoir à verse   Avoir les moyens...

...re à sa guise   Entendre raison   Prendre garde...

...la pointe des pieds   Bras dessus, bras dessous...

...enir tête   En avoir le coeur net   Jeter un coup...

...l'oreille   Ne pas avoir froid aux yeux   Être tir...

Fils à papa   Être dans la fleur de l'âge   Mettre l...

...ir des doigts de fée   Un cordon bleu   Faire bon...

...épingle du jeu   Laisser le champ libre   Frappe...

...nuer ciel et terre   Coucher à la belle étoile   Prend...

...r la paille   Garder son sang-froid   Graisser...

...mouche   Être dans le pétrin   S'en laver les main...

...des doigts   Rendre la pareille   Prendre au dép...

...de champ   Faire grand cas de   Rebrousser...

...on fusil d'épaule   S'en donner à coeur joie   Au...

...la navette entre   Mettre en garde   Avoir la gorg...

...l au coeur   Donner la chair de poule   De pie...

...assaut   Redorer son blason   Faire fureur   En...

...mme si de rien n'était   Venir à bout de   De gue...

...tours   Pousser un soupir   Avoir le diable a...

...partie   Revenir à ses moutons   Un marchand...

...ndre en grippe   Se faire du mauvais sang   Ne...

...eux   Manger de la vache enragée   Avoir la main...

...rdre les doigts   Avoir le coeur gros   N'y voi...

...noir   Le dindon de la farce   Filer à l'anglaise...

La collection *CEGEP DE L'OUTAOUAIS / ÉDUCATION AUX ADULTES* a pour but, essentiellement, de mettre sur le marché des publications de tous genres, accessibles au plus grand nombre de personnes. Les ouvrages publiés sont l'oeuvre de professeurs ou d'étudiants et s'inscrivent dans le prolongement de l'éducation aux adultes, à savoir diffuser des connaissances et des expériences diverses.

Aux milliers
de collègues et d'étudiants
connus au cours
de mes cinquante années
d'enseignement

éditions Asticou *case postale 210, succursale A*
Hull (Québec) J8Y 6M8
(819) 776-5841

PRODUCTION *Graphisme, mise en pages, typographie et con-fection des index:* André Couture
Illustration: François Poirier
Séparation de couleurs: Chromascan, filiale de B & W Graphics, 1501, avenue Carling, Ottawa (Ontario) K1Z 7M1
Impression: Imprimerie Gagné ltée

DISTRIBUTION Diffusion Prologue inc., 2975, rue Sartelon, Ville Saint-Laurent (Québec) H4R 1E6
Au téléphone: (514) 332-5850; de l'extérieur de Montréal: 1-800-361-5751

DÉPÔT LÉGAL Troisième trimestre 1985
Bibliothèque nationale du Québec
Bibliothèque nationale du Canada

ISBN 2-89198-059-X

Collection **CEGEP DE L'OUTAOUAIS**
ÉDUCATION AUX ADULTES

2000
CAMILLE-H. MAILHOT
EXPRESSIONS
FRANÇAISES
PRATIQUES ET UTILES

éditions Asticou

FOREWORD

The publication of **2000 expressions françaises pratiques et utiles** was well acclaimed by both the public and the critics. In a very short time all copies of the first printing were sold. We have received many letters suggesting that certain changes should be made if we were to reprint the book. Taking into consideration some of the comments, we decided to revise different aspects of the text in order to offer a more practical and useful book. In doing so, we think that this revised edition will be of a greater help even to those who already found it an interesting book to work with.

After the publication of his book entitled **1001 Traps in French Grammar and Idioms**, designed to help English-speaking students master the French language more successfully and easily, Professor Mailhot began compiling French expressions that are most commonly used in speech and writing. He was encouraged to gather these in book form because no such book existed and many students were asking for it.

Many people can read French quite easily but they get stumped when they attempt to translate expressions directly from their native tongue. Many know perfectly well, for example, that *prendre* means *to take, to grab, to seize* but when they happen to read or hear *je sais comment m'y prendre* (I know how to manage, to proceed, to go about) or *il s'en prend à moi* (he blames me), the meaning of these expressions eludes them and they misunderstand the meaning of the entire paragraph.

The expressions collected herein are not necessarily taken from old and dusty dictionaries. Most of them are idiomatic expressions, but some are more commonly used expressions in daily speech.

As you will realize this is not only a reference book, but also a drill book designed to teach students and self-taught adults how to use these expressions. At the end of the book there are two indexes (in English and in French) with all the original expressions and all the translations. Thus, when looking for a specific expression, you will find it quickly.

To make the book more practical, more lively and more helpful, all the expressions are followed by one or two translations (or equivalent variations) and by two complete sentences that show how and when each expression or phrase can be used in actual speech.

The 2000 basic expressions are divided into 100 lessons in order to enable the students to study these expressions little by little, because complete control in any language requires study, time and practice. In each lesson the 20 expressions are followed by 20 questions. To answer these questions you must use the corresponding expressions. For example, the answer to question 20 of lesson 2 is *à mesure que l'été avance* (expression 20, lesson 2).

In each lesson there is also a vocabulary comprising the new words and verbs used in it. At the end of each lesson the student is asked to write or compose sentences in order to improve his mastery of the expressions used in the course of the lesson.

Whether it is used as a text-book or as a reference book, **2000 expressions françaises pratiques et utiles** will certainly help a lot of people who want to improve their knowledge of what they hear or read in French.

AVANT-PROPOS

Le public et la critique ont accueilli avec beaucoup d'enthousiasme la parution de **2000 expressions françaises pratiques et utiles**. À un point tel que tous les exemplaires disponibles se sont vendus comme des petits pains chauds. Plusieurs personnes nous ont écrit et nous ont fait part de commentaires très constructifs. Aussi, plutôt que de réimprimer le volume, avons-nous décidé d'en faire une révision en profondeur afin de présenter un ouvrage encore plus pratique et utile qu'à l'origine.

Conçu d'abord et avant tout pour les anglophones qui ont une certaine connaissance de la langue française, ce volume peut néanmoins servir aux francophones qui apprennent l'anglais ou qui veulent rafraîchir leur connaissance des nombreuses expressions qui composent le livre. Les expressions réunies ici ne sont pas toutes des idiotismes. Toutefois, elles sont toutes abondamment utilisées dans la langue parlée et écrite. Certaines présentent des difficultés plus ou moins grandes dans leur application. D'autres sont tout simplement des expressions idiomatiques dont le sens exact échappe parfois aux francophones eux-mêmes. En voici quelques exemples: *renvoyer aux calendes grecques, faire le pied de grue, monter en épingle, payer en monnaie de singe,* etc.

L'auteur a consacré plus d'une dizaine d'années à la compilation et à la rédaction de cet ouvrage qui peut être utile à tout le monde puisque chacune des expressions est suivie de quelques traductions et de deux exemples d'application pratique. La très grande majorité des expressions sont propres à chaque langue, comme l'illustrent les exemples suivants qui, en règle générale, ne se traduisent pas littéralement: *quand les poules auront des dents* (when pigs begin to fly); *aller à pas de tortue* (to go at a snail's pace); *il y a anguille sous roche* (there is a snake in the grass); *rire dans sa barbe* (to laugh up one's sleeve); *boire comme un trou* (to drink like a fish), etc.

Afin de rendre l'ouvrage très pratique, il y a deux index (l'un en français, l'autre en anglais) qui regroupent toutes les expressions originales et toutes les traductions. De cette manière, on peut trouver rapidement une expression dont on cherche le sens.

Qu'on utilise **2000 expressions françaises pratiques et utiles** comme manuel ou comme ouvrage de référence, il va sans dire que chacun y trouvera son compte!

Leçon 1

01 Peu importe   *It matters little, it is of no importance*
Peu importe ce que vous déciderez ce soir. Peu lui importe la place qu'on va lui donner.

02 Passez par ici   *Come this way*
Passez par ici, car il y a un grand détour. Si vous voulez arriver plus tôt, passez par ici.

03 Grâce à lui (elle, vous, eux)   *Thanks to him (her, you, them)*
Grâce à lui, j'ai obtenu un bon billet pour le concert. Si j'ai bien réussi, c'est grâce à vous.

04 Changer d'avis   *To change one's mind*
C'est une personne inconstante, elle change souvent d'avis. Quand je l'ai rencontré hier, il avait déjà changé d'avis.

05 Faire exprès   *To do on purpose (purposely)*
Je crois qu'il a fait exprès pour arriver en retard à la leçon. Elle a cassé le pot, mais elle n'a pas fait exprès.

06 Je pense que oui, je crois que oui   *I think so*
Est-ce qu'il va pleuvoir ce soir? Je pense que oui. Y aura-t-il des élections cette année? Je crois que oui.

07 Il se fait tard   *It is getting late*
Dépêchons-nous, car il se fait tard; il est déjà sept heures. Il se fait tard, et nous n'avons pas fini notre travail.

08 Quel âge a-t-elle? (-il?, avez-vous?, ont-ils?)   *How old is she? (he?, are you?, are they?)*
Quel âge a cette jeune fille? Elle a seize ans. Quel âge avez-vous? J'aurai 22 ans le mois prochain.

09 À la bonne heure!   *Good! Fine! Very well! That's right!*
Vous n'avez pas été puni pour le geste que vous avez fait? À la bonne heure! Personne n'a été blessé dans ce terrible accident? À la bonne heure!

10 Comme vous voudrez, comme il vous plaira   *As you like, as you please*
Vous êtes libre; faites comme vous voudrez. Il n'y a plus rien à écrire; faites comme il vous plaira.

11 **Tant mieux!** *So much the better!*
Vous avez obtenu un bon prix pour votre auto? Tant mieux!
Tant mieux pour vous si vous pouvez la convaincre.

12 **Tant pis!** *Tough luck!*
Tant pis pour lui s'il ne veut pas comprendre! Ayant refusé son
invitation, elle m'a dit: «Tant pis pour vous!»

13 **Cela (il) va sans dire** *It goes without saying, it is understood*
Est-ce qu'il faut apprendre cette expression? Cela va sans dire.
Il va sans dire qu'il faudra arriver à l'heure.

14 **Dépendre de** *To depend on*
Cela ne me regarde pas; tout dépend de vous, et de vous seul.
Tout dépendra du temps qu'il fera demain matin.

15 **Donner sur** *To look out on*
Ma chambre à coucher donne sur le parc. Les deux fenêtres de
mon bureau donnent sur la rue.

16 **Pour de bon** *For good, in earnest, for ever*
Cette fois, elle est revenue au Canada pour de bon. Il pleut pour
de bon aujourd'hui.

17 **Ne pas marcher** *To be out of order, to be broken, not to work*
L'ascenseur ne marche pas aujourd'hui; nous devrons donc emprunter l'escalier. Je n'ai pas apporté ma montre avec moi, car
elle ne marche pas.

18 **Se passer de** *To do without*
Cet homme ne peut pas se passer de fumer. Au bureau, il est difficile de se passer de ce travailleur.

19 **Par-dessus le marché** *Into the bargain, and what is more*
Je n'ai qu'un stylo et, par-dessus le marché, il est brisé. Il ne s'est
pas excusé et, par-dessus le marché, il m'a insulté.

20 **Heures de pointe** *Peak (rush) hours*
La circulation est très lente aux heures de pointe. Soyez prudent
au heures de pointe, ne vous énervez pas.

EXERCICES DE LA LEÇON 1

. . . .

RÉPONDEZ AUX QUESTIONS SUIVANTES
EN EMPLOYANT LES EXPRESSIONS ÉTUDIÉES

1 Voulez-vous votre argent en billets de un ou de deux dollars?
2 Par où dois-je passer pour aller au bureau?
3 Grâce à qui avez-vous obtenu cette bonne place?
4 Quand avez-vous changé d'avis?
5 A-t-il fait exprès de ne pas répondre?
6 Pensez-vous que j'ai la bonne adresse?
7 Pourquoi vous dépêchez-vous ce soir?
8 Quel âge a cette petite fille?
9 Qu'a-t-il dit en apprenant votre victoire?
10 Que vous a-t-il répondu?
11 Qu'a-t-il répondu quand il a appris la bonne nouvelle?
12 Que vous a-t-il dit en partant?
13 Faut-il répondre à la présente question?
14 Irez-vous au concert demain soir?
15 Sur quoi donnent les fenêtres de votre salon?
16 Est-ce que le Ministre a démissionné pour de bon?
17 Prenez-vous l'ascenseur pour monter au troisième étage?
18 Pouvez-vous vous passer de fumer?
19 A-t-il répondu à votre question?
20 À quelle heure la circulation est-elle lente?

VOCABULAIRE SPÉCIAL DE CETTE LEÇON

se dépêcher — to hurry	étage — floor
réussir — to succeed	casser — to break
pleuvoir — to rain	prochain — next
blesser — to wound, to hurt	libre — free
laisser — to let, to leave	prix — price
convaincre — to convince	apprendre — to learn
à l'heure — on time	regarder — to concern
seul — only	temps — weather
ascenseur — (lift) elevator	démissionner — to resign

FAITES DES PHRASES ORALES ET ÉCRITES
AVEC LES EXPRESSIONS SUIVANTES

comme vous voudrez — cela va sans dire — faire exprès — grâce à vous —
changer d'avis — donner sur — pour de bon — ne marche pas

01 Tout à l'heure   *A few minutes ago, in a few minutes*
Je lui ai parlé tout à l'heure au coin de la rue. Je vais lui parler au téléphone tout à l'heure.

02 Tant s'en faut, loin de là   *Far from it*
Je ne suis pas satisfait, tant s'en faut! Il n'est pas un grand artiste, loin de là.

03 Il (en) manque plusieurs   *There are several missing*
La classe est presque pleine, mais il manque plusieurs étudiants. Attendons pour commencer, car il en manque plusieurs.

04 Quant à moi (elle, eux)   *As for me (her, them)*
Quant à moi, ça m'est égal. Quant à elle, elle ne peut se passer de fumer.

05 Faire de son mieux   *To do one's best*
Restez tranquille, car je vais faire de mon mieux. Elle fait de son mieux pour me contenter.

06 Faites-le comme ceci (de cette manière)   *Do it this way*
Faites-le comme ceci, si vous voulez réussir. Il m'a dit: « Faites-le de cette manière ».

07 Combien vaut . . . ?   *How much is . . . worth?*
Combien vaut cette automobile? Je me demande combien vaut cette maison neuve.

08 Depuis lors   *Since then, since that time*
Depuis lors, je ne l'ai pas revu. Il ne m'a plus parlé depuis lors.

09 Ça ne me regarde plus   *It does not concern me any longer*
Demandez à l'autre employé; ça ne me regarde plus. J'ai abandonné cet emploi, et ça ne me regarde plus.

10 Payer comptant   *To pay cash*
C'est un bon acheteur qui paie toujours comptant. D'habitude, elle paie comptant.

11 Que se passe-t-il?   *What is happening? What is the matter?*
Vous êtes bien triste, que se passe-t-il? Il y a beaucoup de monde, que se passe-t-il au coin de la rue?

12 Faire la queue *To line up*
Les enfants font la queue devant le théâtre. Pourquoi font-ils la queue depuis une demi-heure?

13 Aller tout droit devant *To go straight ahead*
Allez tout droit devant vous et puis tournez à gauche. Pour trouver ce magasin, allez tout droit devant vous.

14 Je n'ai plus faim *I am no longer hungry*
J'ai assez mangé, je n'ai plus faim. Je ne prends pas de dessert, je n'ai plus faim.

15 Se mêler de ses affaires *To mind one's own business*
Je lui ai dit de se mêler de ses affaires. Je l'estime beaucoup; il se mêle de ses affaires.

16 Arriver fort à propos *To arrive just at the right time*
Vous arrivez fort à propos, car nous commençons à manger. Cette bonne nouvelle arrive fort à propos.

17 Ma montre retarde *My watch is slow*
Je suis en retard, car ma montre retarde. Ma montre retarde de trois minutes chaque jour.

18 Je l'ai dit pour rire *I said it for fun (jokingly)*
Ne vous fâchez pas car je l'ai dit pour rire. Je l'ai dit pour rire, je n'étais pas vraiment sérieux.

19 Qu'est-ce que vous pariez? *How much do you bet?*
Avant la partie de football, qu'est-ce que vous pariez? Qu'est-ce que vous pariez sur ce cheval de course?

20 À mesure que l'été avance *As summer goes on*
Il fait plus chaud à mesure que l'été avance. À mesure que l'été avance, les illusions tombent.

EXERCICES DE LA LEÇON 2

. . . .

RÉPONDEZ AUX QUESTIONS SUIVANTES
EN EMPLOYANT LES EXPRESSIONS ÉTUDIÉES

1 Quand copierez-vous ce document?
2 Êtes-vous satisfait de ce travail?
3 Manque-t-il plus d'élèves en classe ce matin?
4 Quant à vous, quel âge a-t-elle?
5 A-t-elle bien fait son travail?
6 Comment dois-je faire ce genre de travail?
7 Combien peut valoir ce beau chalet?
8 L'avez-vous revu depuis son départ de Québec?
9 Voulez-vous répondre à cette lettre d'affaires?
10 Payez-vous tout de suite?
11 Quand vous voyez un ami très triste, que lui demandez-vous?
12 Que font les enfants à la porte du cinéma?
13 Où se trouve le bureau de poste dans cette ville?
14 Voulez-vous encore de la soupe?
15 Est-ce qu'il se mêle toujours de ses affaires?
16 Est-ce que ce chèque est arrivé à propos?
17 Pourquoi arrivez-vous à la leçon en retard?
18 Je ne vous crois pas; l'avez-vous dit pour rire?
19 Combien avez-vous gagé sur ce cheval?
20 Fait-il chaud au mois de juillet?

VOCABULAIRE SPÉCIAL DE CETTE LEÇON

presque — almost
je me demande — I wonder
acheteur — buyer
triste — sad
à gauche — to the left
avoir peur — to be afraid
nouvelles — news
cheval de course — race horse
il fait chaud — it is warm

restez tranquille — do not worry
revu — seen again
d'habitude — usually
beaucoup de monde — a lot of people
magasin — store
être en retard — to be late
se fâcher — to get angry
partie — game

FAITES DES PHRASES ORALES ET ÉCRITES
AVEC LES EXPRESSIONS SUIVANTES

tant s'en faut — faire de son mieux — payer comptant — faire la queue —
dire pour rire — arriver à propos — depuis lors — j'ai faim — se mêler de ses
affaires — quant à eux — il en manque encore deux

Leçon 3

01 Avoir peine à le croire   *To scarcely believe it, to believe with difficulty*
C'est si mystérieux que j'ai peine à le croire. Est-ce vrai? J'ai peine à le croire.

02 Petit nom, prénom   *First name, christian name*
Pouvez-vous me dire quel est votre petit nom, s'il vous plaît? Quel est le prénom de votre frère?

03 Il fait un froid de loup   *It is bitterly cold*
Mettez votre manteau de fourrure, car il fait un froid de loup dehors. Je suis rentré, car il fait un froid de loup.

04 Il y a belle lurette   *A long time ago, for a long time*
Il y a belle lurette que je le connais. Il y a belle lurette qu'il demeure dans cette ville.

05 Avoir de la veine   *To be lucky, to have good luck*
C'est une personne qui a de la veine. J'ai encore manqué mon examen, je n'ai vraiment pas de veine.

06 Faites-en l'essai   *Just try it*
C'est un nouveau produit sur le marché; faites-en l'essai. Faites-en l'essai, et vous en serez certainement satisfait.

07 Dans de beaux draps   *In a fine mess, in trouble*
Ils m'ont volé mon argent, et me voilà dans de beaux draps! Il est dans de beaux draps depuis son dernier procès.

08 Défense d'afficher   *No posting, post no bills*
Ne collez rien là, c'est écrit: Défense d'afficher! Défense d'afficher sur les poteaux de téléphone.

09 Qui est à l'appareil?   *Who is on the line? Who is speaking?*
Quand je décroche, je demande: «Qui est à l'appareil?» Qui est à l'appareil? Je ne reconnais pas la voix.

10 À qui de droit   *To whom it may concern*
Mettez au commencement de cette lettre: À qui de droit. Au lieu d'écrire: Monsieur Brisson, écrivez: À qui de droit!

11 **Deux fois autant**   *Twice as much*
Il m'en a donné deux fois autant. Il n'y en a pas assez; mettez-en deux fois autant.

12 **Bail de deux ans**   *Two-year lease*
Il m'a fait signer un bail de deux ans. Votre bail de deux ans se termine le mois prochain.

13 **Au bas mot**   *At the lowest estimate*
Cela vous coûtera au bas mot 100 $. Au bas mot, il y a deux mille personnes.

14 **Sans blague?**   *No kidding? Are you serious?*
Tu parles déjà français, sans blague? Tu vas marier cette belle jeune fille, sans blague?

15 **À quoi bon?**   *Of what use? What is the use of? What is the good of it?*
À quoi bon se plaindre continuellement, rien ne changera. À quoi bon prendre tous ces risques pour rien?

16 **Tant bien que mal**   *Somehow or other, not too well*
J'ai compris votre question tant bien que mal. Elle a fait son travail tant bien que mal.

17 **À la page**   *Up-to-date, well informed, in the know*
Il ne lit pas beaucoup et il n'est pas à la page. Il n'a pas beaucoup étudié, mais il est à la page.

18 **Pas le moins du monde**   *Not in the least*
Je n'ai jamais dit cela; pas le moins du monde! Tout surpris, il m'a répondu: «Pas le moins du monde!»

19 **En gros et au détail**   *Wholesale and retail*
C'est un marchand en gros et au détail. Dans ces magasins, on vend en gros et au détail.

20 **À tout prendre**   *On the whole, considering everything*
À tout prendre, sa réponse me satisfait. À tout prendre, je me contente de sa réponse.

EXERCICES DE LA LEÇON 3

· ·

RÉPONDEZ AUX QUESTIONS SUIVANTES
EN EMPLOYANT LES EXPRESSIONS ÉTUDIÉES

1   Avez-vous peine à croire ce qu'il vous raconte?
2   Lui avez-vous demandé son petit nom?
3   Pourquoi mettez-vous votre manteau de fourrure?
4   Le connaissez-vous depuis longtemps?
5   Vous êtes allé à la chasse. Avez-vous eu de la veine?
6   Quand ferez-vous l'essai de ce nouveau produit?
7   Depuis quand est-il dans de beaux draps?
8   Qu'est-ce que vous lisez sur ce mur?
9   Quand vous répondez au téléphone, que dites-vous?
10 À qui est adressée cette longue lettre?
11 Avez-vous plus de livres que votre voisin?
12 Avez-vous signé un bail?
13 Y avait-il beaucoup de monde au concert?
14 Quand vous ne croyez pas quelqu'un, que lui dites-vous?
15 Quand votre ami risque beaucoup trop, que lui dites-vous?
16 Avez-vous compris ma question?
17 Est-ce que votre collègue est à la page?
18 Avez-vous froid sans pardessus?
19 Chez quel marchand allez-vous habituellement?
20 Est-ce que sa réponse vous donne satisfaction?

VOCABULAIRE SPÉCIAL DE CETTE LEÇON

manteau de fourrure — fur coat
connaître — to know
manquer — to fail
voler — to steal
coller — to stick
décrocher — to lift (receiver)
chasse — hunting
pardessus — overcoat
voisin — neighbour

vraiment — really
procès — trial
poteau — post, pole
au lieu de — instead
raconter — to tell
mur — wall
croire quelqu'un — to believe someone
habituellement — usually

FAITES DE PHRASES ORALES ET ÉCRITES
AVEC LES EXPRESSIONS SUIVANTES

il y a belle lurette — avoir de la veine — au bas mot — à quoi bon? — pas le
moins du monde — être à la page — tant bien que mal — deux fois autant —
défense d'afficher — avoir peine à

Leçon 4

01 En outre *Moreover, besides*
Il m'a dit, en outre, qu'il ne pouvait pas m'accompagner. En outre, j'ai une belle collection de timbres.

02 Faire fausse route *To be on the wrong track, to go astray*
Ne passez pas par là, vous allez faire fausse route. Au point où vous en êtes, si vous changez d'avis, vous pourriez faire fausse route.

03 Le long de *Along*
Il y a plusieurs chalets le long de la rivière. On peut stationner le long de la rue.

04 À côté de, près de *Beside, at the side of, next to*
Il était assis à côté de moi. Il a choisi une bonne place près d'elle.

05 Se servir de *To use, to make use of*
Vous servez-vous de cette plume très souvent? Puis-je me servir de votre crayon?

06 De plus *In addition, besides*
De plus, il m'a acheté un manteau de vison. Que puis-je dire de plus?

07 Roman policier *Detective novel*
Il a fini de lire son nouveau roman policier. Ce gros roman policier de 400 pages est très intéressant.

08 Cuit à point *Done to a turn, well done*
Ce morceau de boeuf est cuit à point. Cette viande est cuite à point.

09 Dans quelle mesure *To what extent*
Dans quelle mesure pourrez-vous m'aider? Je ne sais pas dans quelle mesure je pourrai vous aider.

10 À bon marché *Cheap, not exexpensive*
J'ai acheté cette voiture d'occasion à bon marché. C'est une vraie aubaine! Je l'ai eue à très bon marché.

11 Rire jaune *To give a forced laugh (sickly smile)*
Quand je le ai dit cela, il a ri jaune comme d'habitude. En lisant son nom dans le journal, il a certainement ri jaune.

12 De nos jours   *Nowadays*
De nos jours, il faut se moderniser. La spécialisation est à la mode, de nos jours.

13 Faire flèche de tout bois   *To use every means to attain an end*
Il est très habile et fait flèche de tout bois. Pour parvenir à ses fins, elle ferait flèche de tout bois.

14 Pour ainsi dire   *So to speak*
Pour ainsi dire, il semblait très surpris. Il n'était pas très content de ma décision, pour ainsi dire.

15 Il en est ainsi   *Such is the case, so it is, it's like that*
C'est presque incroyable, mais il en est ainsi. Il en est ainsi chaque fois qu'il travaille avec vous.

16 À qui le dites-vous!   *You're telling me!*
Vous croyez m'apprendre une nouvelle? À qui le dites-vous! À qui le dites-vous, mon cher monsieur? je suis son voisin.

17 Faire l'école buissonnière   *To play hookey (truant)*
Cet enfant est paresseux et il fait souvent l'école buissonnière. Ceux qui font l'école buissonnière n'apprennent rien.

18 Par contre, d'un autre côté, d'autre part   *On the other hand*
Il est très maigre; par contre, il est très fort. Elle est très nerveuse; d'autre part, elle est bien aimable.

19 Faire les yeux doux   *To flirt with, to make eyes at*
Je l'ai regardée, et elle m'a fait les yeux doux. Quand il a peur d'être puni, il me fait les yeux doux.

20 Bien entendu   *Of course, indeed, it is understood*
Vous devez être là à cinq heures, bien entendu. Bien entendu, vous devrez m'accompagner.

· ·

RÉPONDEZ AUX QUESTIONS SUIVANTES
EN EMPLOYANT LES EXPRESSIONS ÉTUDIÉES

1 Que vous a-t-il dit, en outre?
2 Pourquoi a-t-elle fait fausse route?
3 Peut-on stationner le long du trottoir?
4 Qui est à côté de vous, en classe?
5 Vous servez-vous souvent de votre téléphone?
6 De plus, que vous a-t-il dit?
7 Quel genre de roman préférez-vous?
8 Comment aimez-vous votre bifteck?
9 Dans quelle mesure pouvez-vous m'aider?
10 Cet appartement est-il cher?
11 A-t-il ri quand vous lui avez annoncé cela?
12 De nos jours, y a-t-il beaucoup d'inventions?
13 Comment fait-il pour arriver?
14 Quelle heure était-il, pour ainsi dire?
15 Quand en est-il ainsi?
16 Pourquoi a-t-il répondu: À qui le dites-vous?
17 Pourquoi cet élève est-il souvent absent de la classe?
18 Votre voisine est-elle bien nerveuse?
19 Quand fait-il les yeux doux?
20 Pourrez-vous m'accompagner au théâtre?

VOCABULAIRE SPÉCIAL DE CETTE LEÇON

timbre — postage stamp
stationner — to park
crayon — pencil
d'occasion — used
incroyable — incredible, unbelievable
paresseux — lazy
trottoir — sidewalk

chalet — cottage
assis — seated
manteau de vison — mink coat
aubaine — bargain, good deal
trop dur — too hard, too much
maigre — thin, lean, slim
genre — kind, type

FAITES DES PHRASES ORALES ET ÉCRITES
AVEC LES EXPRESSIONS SUIVANTES

faire fausse route — se servir de — bon marché — il en est ainsi — bien entendu! — faire l'école buissonnière — pour ainsi dire — de plus — le long de — cuit à point

Leçon 5

01 **À la longue**   *In the long run*
À la longue, ce travail devient un peu fatigant. Je crois qu'à la longue, il finira par tout comprendre.

02 **Il ne reste que . . .**   *There is only . . . left*
Il ne nous reste qu'un seul jour de vacances. Il ne reste que trois jours avant la fin du mois.

03 **De quoi s'agit-il?**   *What is the question? What is it about?*
De quoi s'agit-il dans cet article du journal? Vous m'avez appelé; de quoi s'agit-il?

04 **À quoi sert . . .?**   *What is the use of . . .?*
À quoi sert cet instrument que vous avez là? Je me demande à quoi sert cette réunion.

05 **Qu'est devenu . . . ?**   *What happened to? What has become of?*
Qu'est devenu votre collègue? je ne le vois plus. Qu'est devenu le livre que je vous avais prêté?

06 **Ça ne vaut pas la peine (le coup)**   *It is not worth while*
Ça ne vaut pas la peine de répondre à cette lettre. Je crois que ça ne vaut pas la coup d'y aller.

07 **À portée de la main**   *Within reach*
Ce calendrier est bien à portée de la main. Ne laissez pas les couteaux à portée de la main des enfants.

08 **À tort et à travers**   *At random, without any reason*
En compagnie, elle parle souvent à tort et à travers. En classe, il pose des questions à tort et à travers.

09 **À tour de rôle**   *By turns, one after another*
Le juge les a interrogés à tour de rôle. Les élèves vont au tableau à tour de rôle.

10 **Aux prises avec**   *At grips with*
Nous sommes aux prises avec un hiver rigoureux. Elle est aux prises avec un mari ivrogne.

11 **Avoir voix au chapitre**   *To have a say in the matter*
Restez assis, car vous n'avez pas encore voix au chapitre. C'est un nouveau membre qui n'a pas voix au chapitre.

12 **Bon gré, mal gré**   *Willingly or not*
Il faudra faire ce travail, bon gré, mal gré. Bon gré, mal gré, vous serez obligé d'y aller seul.

13 **Chemin faisant**   *On the way*
Chemin faisant, j'ai admiré le paysage. Nous avons parlé français, chemin faisant.

14 **Comment se fait-il que?**   *How is it that?*
Comment se fait-il que vous arriviez en retard? Comment se fait-il qu'il ne soit pas encore arrivé?

15 **D'aujourd'hui en huit**   *A week from today*
Votre montre sera prête d'aujourd'hui en huit. Revenez d'aujourd'hui en huit, et vous aurez votre argent.

16 **L'échapper belle**   *To have a narrow escape*
Dans cette collision frontale, le chauffeur l'a échappé belle. Vous l'avez échappé belle; heureusement que vous savez nager.

17 **En venir aux mains**   *To come to blows*
Après une vive discussion, les deux hommes en sont venus aux mains. Ils se sont fâchés, puis ils en sont venus aux mains.

18 **Être d'accord avec**   *To agree with*
Je suis d'accord avec toi sur tous les points de la discussion. Mon épouse n'est pas toujours d'accord avec moi.

19 **Être en train de**   *To be about to (in the act of, in the process of)*
Je suis en train d'apprendre ma leçon de français. Quand je suis arrivé, elle était en train de lire le journal.

20 **Faire semblant de**   *To pretend, to feign*
Cette petite fille fait semblant de pleurer. Il fait semblant d'écouter le professeur, mais il dessine.

EXERCICES DE LA LEÇON 5

· ·

RÉPONDEZ AUX QUESTIONS SUIVANTES
EN EMPLOYANT LES EXPRESSIONS ÉTUDIÉES

1 Est-ce que ce travail est fatigant à la longue?
2 Combien de jours reste-t-il avant la fin du mois?
3 De quoi s'agit-il dans cette circulaire du Ministre?
4 À quoi sert cet instrument que vous avez acheté hier?
5 Que sont devenues vos deux grandes filles?
6 Est-ce que ça vaut la peine d'aller voir cette partie de balle?
7 Est-ce que vous laissez les couteaux à portée de la main des jeunes?
8 Est-ce que cet élève pose souvent des questions à tort et à travers?
9 Les élèves répondent-ils au professeur à tour de rôle?
10 Est-il encore aux prises avec son gros rhume de cerveau?
11 Est-ce que le nouveau conseiller a voix au chapitre?
12 Est-ce que je serai obligé de faire ce travail seul, sans aide?
13 Qu'est-ce que vous avez fait, chemin faisant?
14 Comment se fait-il que vous n'ayez pas vos lunettes ce matin?
15 Quand ma montre sera-t-elle prête?
16 Est-ce que tous les passagers du taxi l'ont échappé belle?
17 Pourquoi ces deux personnes en sont-elles venues aux mains?
18 Êtes-vous toujours d'accord avec votre patron?
19 Qu'est-ce que vous êtes en train de faire en ce moment?
20 Est-ce que ce élève fait semblant de comprendre la question?

VOCABULAIRE SPÉCIAL DE CETTE LEÇON

lunettes — glasses	rhume de cerveau — cold in the head
devenir — to become	fatigant — boring, tiresome
un seul — only one	cendrier — ash tray
poser — to ask (questions)	tableau noir — blackboard
hiver — winter	ivrogne — addicted to drink
rester — to stay, to remain	assis — seated
nouveau-venu — newcomer	paysage — scenery
montre — watch	prêt — ready
frontal — head on	nager — to swim
vif, vive — fast, brisk	se fâcher — to get angry
pleurer — to weep, to cry	dessiner — to draw, to draft
partie de balle — ball game	patron — boss, manager

FAITES DES PHRASES ORALES ET ÉCRITES
AVEC LES EXPRESSIONS SUIVANTES

faire semblant de — être d'accord avec — chemin faisant — à la longue — ça ne vaut pas la peine — à tort et à travers — en train de — de quoi s'agit-il? — il reste encore — à tour de rôle — aux prises avec

Leçon 6

01 Faute de *For lack (want) of*
Faute de mieux, nous nous contenterons de cette réponse. Faute d'argent, je n'ai pas payé cette dette.

02 Froncer les sourcils *To frown*
Il n'était pas content et il a froncé les sourcils. Il m'a lancé un regard furieux en fronçant les sourcils.

03 Hausser les épaules *To shrug one's shoulders*
Il est indifférent; il se contente donc de hausser les épaules. Lorsqu'il ne sait pas la réponse, il hausse les épaules.

04 Hors d'haleine *Out of breath*
J'ai couru pour arriver à temps, je suis hors d'haleine. J'ai nagé trop longtemps, et je suis hors d'haleine.

05 Marcher de long en large *To walk up and down (to and fro)*
Il marche de long en large parce qu'il est inquiet. Pour me reposer la tête, je marche de long en large dans mon bureau.

06 Mettre au courant *To keep informed (up-to-date)*
Mettez-moi au courant de tous vos projets de construction. Il ne veut pas me mettre au courant de ses affaires privées.

07 Prononcer un discours *To make a speech*
Il va prononcer un discours à la réunion demain soir. Quand il prononce un discours, il est toujours un peu nerveux.

08 Prendre une décision *To make a decision, to come to*
Cette personne est incapable de prendre une décision. Il m'a conseillé de prendre une décision finale.

09 S'attendre à ce que *To expect*
Je m'attends à ce qu'elle refuse mon invitation. Nous nous attendons à ce qu'ils reviennent nous visiter.

10 Attendre que *To wait until*
Restez calme et attendez qu'elle téléphone. Allez dans la salle à côté et attendez que le train arrive.

11 Se rendre compte que *To realize that*
Elle se rend compte qu'elle a fait une grave erreur. Je me rends compte que je n'ai pas assez travaillé aujourd'hui.

12 Se tirer d'affaire *To manage, to get out of difficulty*
C'est une personne intelligente qui se tire bien d'affaire. Dans cette difficulté, je me suis tiré d'affaire tout seul.

13 Se tromper d'adresse (de porte) *To go to the wrong door*
Excusez-moi, mais vous vous êtes trompé d'adresse, et la lettre n'est pas encore arrivée. Il s'est trompé de porte, mais il a rencontré une personne intéressante.

14 Savoir s'y prendre *To know how to go about, to manage*
Aidez-moi, je ne sais pas m'y prendre. Il sait très bien s'y prendre, car il a beaucoup d'expérience.

15 Tôt ou tard *Sooner ot later*
Il faudra prendre une décision tôt ou tard. Tôt ou tard, il faudra faire réparer cet instrument.

16 Trempé jusqu'aux os *Soaked to the bone, wet through*
Après cette averse, je suis trempé jusqu'aux os. Elle n'a pas d'imperméable, et elle est trempée jusqu'aux os.

17 Vous feriez mieux de *You had better*
Vous feriez mieux de ne pas trop attendre, c'est urgent. Je crois que vous feriez mieux d'aller voir votre médecin.

18 Tenir à ce que *To insist that, to be anxious that*
Je tiens à ce que vous fassiez ce travail le mieux possible. Elle ne tient pas à ce que vous soyez présent à la réunion.

19 Sous tous les rapports *In all aspects, in every way*
Examinez cette question sous tous les rapports. Cette personne donne satisfaction sous tous les rapports.

20 Se creuser la cervelle (la tête) *To rack one's brains, to try hard*
Vous vous creusez la cervelle pour rien, ce mot n'existe pas. Inutile de vous creuser la tête, c'est une chose bien simple.

EXERCICES DE LA LEÇON 6

. . . .

RÉPONDEZ AUX QUESTIONS SUIVANTES
EN EMPLOYANT LES EXPRESSIONS ÉTUDIÉES

1 Pourquoi n'a-t-il pas payé cette facture?
2 Pourquoi a-t-elle froncé les sourcils quand vous l'avez interrogée?
3 Cet élève hausse-t-il souvent les épaules?
4 Quand êtes-vous hors d'haleine?
5 Pourquoi marche-t-il de long en large dans son jardin?
6 Vous mettra-t-elle au courant de ses projets de vente?
7 Quand va-t-il prononcer son prochain discours électoral?
8 Quand avez-vous l'intention de prendre une décision finale?
9 Vous attendez-vous à ce qu'elle réponde à votre lettre?
10 Attendez-vous qu'elle téléphone avant de partir pour le bureau?
11 Vous rendez-vous compte que vous allez arriver en retard?
12 Serez-vous capable de vous tirer d'affaire toute seule?
13 Est-ce que je me suis trompé d'adresse, par hasard?
14 Est-ce que ce professeur sait s'y prendre avec ses étudiants?
15 Quand ferez-vous réparer cet outil?
16 Pourquoi êtes-vous trempé jusqu'aux os?
17 Est-ce que je ferais mieux d'attendre encore un peu?
18 Tenez-vous à ce que je vous accompagne?
19 Avez-vous examiné ce problème de la circulation?
20 Vous rendez-vous compte que je me creuse souvent la cervelle?

VOCABULAIRE SPÉCIAL DE CETTE LEÇON

regard — look, glance
à temps — on time
se reposer — to rest, to relax
conseiller — to advise
tout seul — by myself
imperméable — raincoat
mot — word
vente — sale
circulation — traffic

courir — to run
inquiet — upset, worried
incapable — unable
salle d'attente — waiting room
averse — shower
médecin — doctor
facture — bill, invoice
par hasard — by chance

FAITES DES PHRASES ORALES ET ÉCRITES
AVEC LES EXPRESSIONS SUIVANTES

tenir à ce que — tôt ou tard — trempé jusqu'aux os — hausser les épaules —
savoir s'y prendre — hors d'haleine — sous tous les rapports — s'attendre à ce
que — se tromper d'adresse — se rendre compte que — vous feriez mieux de
— faute de

Leçon 7

01 Aller à la rencontre de, aller au-devant de *To go to meet*
Je vais aller à sa rencontre à l'aéroport. Viens me voir ce soir, j'irai au-devant de toi.

02 Faire de l'auto-stop *To hitchhike*
Quand je suis allé à Toronto, j'ai fait de l'auto-stop. Comme je n'avais pas assez d'argent, j'ai fait de l'auto-stop.

03 À mon (votre) avis *In my (your) opinion, according to me (you)*
À mon avis, c'est une personne très honnête. À votre avis, quelle est la meilleure marque d'auto?

04 À n'en plus finir *Endless, without end*
C'étaient des questions à n'en plus finir. Devant le guichet, il y avait une queue à n'en plus finir.

05 À quoi vous voulez en venir *What you are driving at, what you are aiming at*
Je ne comprends pas à quoi vous voulez en venir avec tout cela. Pouvez-vous me dire à quoi vous voulez en venir au juste?

06 À si bon compte *So easily*
Vous ne l'obtiendrez pas à si bon compte. Est-ce que vous pourrez vous tirer d'affaire à si bon compte?

07 Attraper un coup de soleil *To get a sunburn*
J'ai attrapé un coup de soleil sur la plage du Mexique. N'attrapez pas de coups de soleil; ils sont dangereux.

08 À tue-tête *At the top of one's voice*
Il chante toujours à tue-tête. Pourquoi criez-vous à tue-tête quand vous jouez?

09 Au beau milieu de *Right in the middle of*
L'électricité a manqué au beau milieu du concert. Le pêcheur s'est noyé au beau milieu de la rivière.

10 Avoir affaire à *To deal with*
C'est un homme qui a affaire à beaucoup de monde chaque jour. Savez-vous à qui vous avez affaire?

11 **J'ai beau essayer**   *Try as I may*
J'ai beau essayer, il ne veut pas accepter. J'ai beau essayer, personne ne comprend.

12 **À voix basse, à haute voix**   *In a low (loud) voice*
Elle parle toujours à voix basse, et personne ne comprend. Il exprime souvent son opinion à haute voix.

13 **C'est plus fort que moi**   *I can't help it*
Le médecin me défend de fumer, mais c'est plus fort que moi. Je bois beaucoup trop, mais c'est plus fort que moi.

14 **Avoir les moyens**   *To afford, to have the money*
Je n'ai pas les moyens de faire un si long voyage. Cette maison coûte cher, mais il a les moyens de l'acheter.

15 **Il n'y a pas lieu de**   *There is no reason to*
Je ne peux pas y aller; il n'y a pas lieu d'insister davantage. Il n'y a pas lieu de lui refuser ce service.

16 **Combien y a-t-il d'ici à . . .?**   *How far is it from here to . . .?*
Combien y a-t-il d'ici à Vancouver? Pouvez-vous me dire combien il y a d'ici à Québec?

17 **Comme d'habitude (d'ordinaire, à l'accoutumée)**   *As usual*
Je prendrai mes vacances au mois de juillet, comme d'habitude. Il ne sait pas sa leçon, comme d'ordinaire. Il est arrivé à midi, comme à l'accoutumée.

18 **Comment se porte . . .?**   *How is . . .?*
Comment se porte votre vieille mère? Comment se porte-t-il depuis sa dernière opération?

19 **D'autant plus que**   *The more so as, all the more because*
Vous devriez voyager, d'autant plus que vous êtes très riche. Je suis d'autant plus surpris que personne ne me l'a dit.

20 **Agir de la sorte (de cette façon)**   *To act in such a way*
Pourquoi agissez-vous de la sorte envers votre père? À votre place, je n'aurais jamais agi de cette façon.

EXERCICES DE LA LEÇON 7

. . . .

RÉPONDEZ AUX QUESTIONS SUIVANTES
EN EMPLOYANT LES EXPRESSIONS ÉTUDIÉES

1   Avez-vous l'intention d'aller à la rencontre de votre ami?
2   Pourquoi fait-il toujours de l'auto-stop?
3   À votre avis, quelle est la plus belle saison de l'année?
4   Vous a-t-il posé plusieurs questions sur la leçon?
5   Savez-vous à quoi je veux en venir?
6   Est-ce qu'il me sera facile de l'obtenir?
7   Où avez-vous attrapé ce coup de soleil?
8   Est-ce que ces enfants-là crient fort quand ils jouent?
9   Quand l'électricité a-t-elle manqué?
10 Est-ce que cet homme est très occupé au bureau?
11 Est-ce que les élèves comprennent tout de suite?
12 La comprenez-vous quand elle parle?
13 Pourquoi vous moquez-vous toujours de cette personne-là?
14 Avez-vous l'intention de faire un voyage l'année prochaine?
15 Est-ce que vous allez lui refuser le service qu'il a demandé?
16 Combien y a-t-il de Montréal à Ottawa?
17 Est-ce que vous savez bien votre leçon?
18 Comment se porte votre soeur qui a été malade?
19 Pourquoi semblez-vous surpris de cette nouvelle?
20 À ma place, qu'est-ce que vous auriez fait?

VOCABULAIRE SPÉCIAL DE CETTE LEÇON

marque — make, type
queue — line
attention — beware, pay attention
pêcheur — fisherman
davantage — more

guichet — wicket
attraper — to catch
crier — to shout
se noyer — to drown
manque — to fail, to go away

FAITES DES PHRASES ORALES ET ÉCRITES
AVEC LES EXPRESSIONS SUIVANTES

au beau milieu de — avoir les moyens de — comme d'habitude — à si bon compte — faire de l'auto-stop — d'autant plus que — avoir beau — il n'y a pas lieu de — à n'en plus finir — à mon avis — à tue-tête — à voix basse — c'est plus fort que moi

33

Leçon 8

01 Il pleut à verse *It is raining cats and dogs*
Prenez votre parapluie, car il pleut à verse. Il pleuvait à verse quand nous sommes descendus du train.

02 S'y connaître en *To be an expert in*
Ce jeune homme s'y connaît en mécanique. Je ne peux guère vous répondre ; je ne m'y connais pas.

03 S'en prendre à *To blame*
Mon patron s'en prend toujours à moi ; je ne sais pas pourquoi. Pourquoi vous en prenez-vous à ce pauvre diable ?

04 Qu'y a-t-il ? (qu'est-ce qu'il y a ?) *What is the matter ?, What is happening ?*
Qu'y a-t-il ? je vous vois toujours triste et pensif. Vous semblez toujours fâché ; qu'est-ce qu'il y a ?

05 Pour ce qui est de *As far as . . . is concerned, as for*
Pour ce qui est de votre devoir de français, il est bien fait. Pour ce qui est de mon projet, n'en parlez à personne.

06 Passer chez *To call on*
Passez chez moi demain, j'ai besoin de vous parler. Je vais passer chez vous à la première occasion.

07 À partir de *From, starting from*
Je serai à mon bureau à partir de midi et demi. Elle m'a dit qu'elle serait prête à partir de six heures.

08 Maigrir (engraisser) de *To put on (lose) weight*
En suivant ce régime à la lettre, elle a maigri de 10 livres. J'ai engraissé de 5 livres au cours de mes vacances.

09 N'importe qui *Anyone, no matter who*
Ce film s'adresse à n'importe qui. N'importe qui peut se présenter et réclamer le prix.

10 Il ne manquait que cela ! *That is the last straw !*
Il a eu une autre collision ; il ne manquait plus que cela ! Vous dites qu'il est malade ; il ne manquait plus que cela !

11 **Fréquenter l'école (l'université)**   *To attend school (University)*
Il est trop jeune pour fréquenter l'école. L'année prochaine, elle va fréquenter l'université.

12 **Fermer le gaz (la radio)**   *To turn off the gas (radio)*
N'oubliez pas de fermer le gaz avant de vous coucher. Fermez la radio, je ne comprends rien au téléphone.

13 **Donner à manger à, soigner**   *To give something to eat, to feed*
Ce matin, j'ai donné à manger à mon gros chien. Avant de partir, il faudra soigner les chats.

14 **Faire la vaisselle**   *To wash the dishes*
Ma soeur m'aide à faire la vaisselle. Il faut faire la vaisselle, mais l'eau n'est pas assez chaude.

15 **Faire un brin de causette**   *To have a little chat*
Passez chez moi et nous ferons un brin de causette ensemble. Je l'ai rencontrée et nous avons fait un brin de causette.

16 **Faire de la peine à**   *To hurt someone's feelings*
Elle a fait de la peine à sa mère. Je ne veux pas vous faire de la peine, mais je dois vous le dire.

17 **Faire venir l'eau à la bouche**   *To make one's mouth water*
Cette fine odeur d'ail me fait venir l'eau à la bouche. La seule pensée d'un bon repas me fait venir l'eau à la bouche.

18 **Être sur le point de**   *To be about to*
Je suis sur le point de commencer mon travail. J'étais sur le point de sortir quand elle m'a téléphoné.

19 **En vouloir à**   *To bear a grudge against*
Elle m'en veut parce que je n'ai pas répondu à sa lettre. Je lui ai demandé pourquoi elle m'en voulait depuis quelque temps.

20 **Entendre raison**   *To listen to reason*
Elle ne veut pas entendre raison quand elle se fâche. Il faut apprendre aux enfants à entendre raison.

EXERCICES DE LA LEÇON 8

. . . .

RÉPONDEZ AUX QUESTIONS SUIVANTES
EN EMPLOYANT LES EXPRESSIONS ÉTUDIÉES

1 Pourquoi prenez-vous votre parapluie, monsieur?
2 Est-ce que vous pouvez me répondre tout de suite?
3 Pourquoi vous en prenez-vous toujours à moi?
4 Qu'est-ce que vous avez demandé à votre ami?
5 Pour ce qui est de mon projet, à qui dois-je parler?
6 Quand avez-vous l'intention de passer chez moi pour parler de cela?
7 Quand serez-vous à votre bureau demain?
8 A-t-elle maigri depuis son opération?
9 Est-ce qu'il en est de même pour tout le monde?
10 Qu'avez-vous dit en apprenant qu'il était encore malade?
11 Quelle école fréquente votre jeune fille?
12 Il y a un beau programme de musique; pourquoi fermez-vous la radio?
13 Qu'est-ce que vous donnez à manger à votre petit chat?
14 Est-ce que votre frère vous aide à faire la vaisselle?
15 Avez-vous le temps de faire un brin de causette avec moi?
16 À qui a-t-elle fait de la peine hier soir?
17 Est-ce que vous aimez le boeuf?
18 Êtes-vous sur le point de commencer ce travail?
19 Est-ce que vous en voulez au professeur? Pourquoi?
20 Qu'est-ce qu'il faut apprendre aux enfants?

VOCABULAIRE SPÉCIAL DE CETTE LEÇON

descendre — to get off
diable — devil, fellow
pensif — thoughtful
régime — diet
conseil — advice
obéir — to obey

ne . . . guère — hardly, scarcely
triste — sad
fâché — angry
se coucher — to go to bed
apprendre — to leach

FAITES DES PHRASES ORALES ET ÉCRITES
AVEC LES EXPRESSIONS SUIVANTES

être sur le point de — donner à manger à — faire la vaisselle — s'en prendre à — à partir de — faire venir l'eau à la bouche — pour ce qui est de — s'y connaître — faire de la peine à — fréquenter un cours — faire un brin de causette — entendre raison

Leçon 9

01 Quel dommage ! *What a pity !*
Quel dommage qu'elle ne soit pas venue avec nous! Il n'a pas
réussi à tous ses examens. Quel dommage!

02 Prendre garde *To be careful, to look out*
Prenez garde quand vous traversez la rue. Il y a un gros chien à
l'entrée, prenez garde.

03 À mi-chemin *Half way*
L'accident est arrivé à mi-chemin entre Ottawa et Dorion. Nous
avons eu une panne d'essence à mi-chemin.

04 À perte de vue *As far as the eye can see*
Il y avait une plaine qui s'étendait à perte de vue. Sur la route, il
y avait des voitures à perte de vue.

05 À l'étranger *Abroad, in a foreign country*
Il travaille à l'étranger depuis trois ans. Je crois que cette jeune
fille est née à l'étranger.

06 Sur la pointe des pieds *On tiptoe*
Je marche sur la pointe des pieds pour ne pas réveiller les autres.
Marchez sur la pointe des pieds; tout le monde dort.

07 Bras dessus, bras dessous *Arm in arm*
Les deux amoureux marchaient bras dessus, bras dessous. Ils se
promenaient dans le parc bras dessus, bras dessous.

08 En un clin d'oeil *In a flash, in the twinkling of an eye*
Il a répondu à cette question en un clin d'oeil. Toute la maison
a brûlé en un clin d'oeil.

09 À mon insu *Without my knowing*
Mon épouse a fait cela à mon insu. Elle a décidé de se marier à
mon insu.

10 Faire des emplettes (des achats, des courses) *To go shopping*
Il fait ses emplettes de la semaine chaque vendredi. Revenez plus
tard, elle est sortie faire des achats. Vous ne le trouverez pas à la
maison, car il est parti faire des courses.

11 **Avoir envie de** *To be anxious, to feel like*
J'ai bien envie d'aller au cinéma ce soir. Je crois qu'elle n'a pas envie de m'y accompagner.

12 **Avoir lieu** *To take place*
Quand cette cérémonie aura-t-elle lieu? Le défilé a eu lieu la semaine passée.

13 **Faire (présenter) ses excuses** *To apologize*
Je vous fais mes excuses pour vous avoir fait attendre. Je lui ai demandé de me présenter ses excuses pour son retard.

14 **Faire mal** *To hurt, to harm*
Cette dent me fait mal depuis hier soir. Attention, docteur, ne me faites pas trop mal.

15 **Faillir (+ infinitif)** *To almost do something*
J'ai failli me casser un bras quand je suis tombé de l'échelle. Elle a failli se tuer quand son auto a capoté.

16 **Jeter un coup d'oeil** *To have a look, to cast a glance, to glance at*
Avez-vous jeté un coup d'oeil à cette nouvelle revue? Je lirai ce document plus tard; j'y ai jeté un coup d'oeil.

17 **Sous peu, dans un moment** *Shortly, soon, later*
Je vais lui téléphoner sous peu pour lui annoncer la nouvelle. Il va nous apporter la traduction de ce document dans un moment.

18 **Ne pas savoir au juste** *Not to know exactly*
Je ne sais pas au juste s'il a décidé de faire ce voyage. Savez-vous au juste s'il a démissionné ou non?

19 **Tenir tête à** *To stand up to someone*
Elle ne veut pas céder, et elle tient tête à sa mère. Elle a la mauvaise habitude de tenir tête à tout le monde.

20 **En avoir le coeur net** *To clear the matter up*
Je veux en avoir le coeur net une fois pour toutes. Dites-moi la raison de ce refus, je veux en avoir le coeur net.

EXCERCICES DE LA LEÇON 9

. . . .

RÉPONDEZ AUX QUESTIONS SUIVANTES
EN EMPLOYANT LES EXPRESSIONS ÉTUDIÉES

1 Est-ce que Thérèse vous a accompagné au pique-nique?
2 Prenez-vous garde quand vous traversez la rue?
3 Où l'accident est-il arrivé?
4 Est-ce qu'il y avait beaucoup d'autos sur la route?
5 Où est née cette jeune fille qui vous accompagne?
6 Pourquoi marchez-vous sur la pointe des pieds?
7 Qui se promènent dans le parc bras dessus, bras dessous?
8 A-t-il répondu tout de suite à votre question?
9 Vous a-t-elle dit qu'elle le faisait?
10 Quand faites-vous vos emplettes de la semaine?
11 Est-ce qu'elle a envie de vous accompagner dans ce long voyage?
12 Savez-vous où aura lieu cette belle cérémonie?
13 Pourquoi lui avez-vous demandé de faire ses excuses?
14 Est-ce que le dentiste vous a fait mal en arrachant cette dent?
15 S'est-elle blessée dans cet accident d'automobile?
16 Avez-vous jeté un coup d'oeil à cet article du journal?
18 Savez-vous ce qui s'est passé au bar?
19 Le régiment a-t-il tenu tête aux troupes ennemies?
20 Pourquoi voulez-vous plus d'explications?

VOCABULAIRE SPÉCIAL DE CETTE LEÇON

réussir — to pass
entrée — entrance
s'étendre — to spread, to stretch
réveiller — to awake
amoureux — lover
se promener — to walk
dent — tooth
échelle — ladder
capoter — to turn over
traduction — translation
céder — to yield

traverser — to cross
panne d'essence — to run out of gas
né (naître) — born
dormir — to sleep
marcher — to walk
brûler — to burn
casser — to break
se tuer — to kill oneself
revue — magazine
démissionner — to resign
refus — denial

FAITES DES PHRASES ORALES ET ÉCRITES
AVEC LES EXPRESSIONS SUIVANTES

sous peu — jeter un coup d'oeil — sur la pointe des pieds — faire ses excuses — faire mal — à l'étranger — à mi-chemin — faillir — à perte de vue — prendre garde

01 Se faire tirer l'oreille *To appear reluctant, to need a lot of coaxing*
Il se fait tirer l'oreille pour payer ses dettes. Quand on lui demande un service, elle se fait toujours tirer l'oreille.

02 Ne pas avoir froid aux yeux *Not to be afraid, to be plucky*
Il est habitué au public et il n'a pas froid aux yeux. Avec un tel individu, il ne faut pas avoir froid aux yeux.

03 Être tiré à quatre épingles *To be immaculate (as neat as a pin)*
Elle est toujours tirée à quatre épingles quand elle sort. Il suit la mode et il est toujours tiré à quatre épingles.

04 C'est un fils à papa *He is a spoiled child*
Ce jeune étudiant a une auto de l'année; c'est un fils à papa. Ce jeune homme réussira dans la vie, car c'est un fils à papa.

05 Petite caisse *Petty cash*
Y a-t-il beaucoup d'argent dans la petite caisse? Mettez de l'argent dans la petite caisse, nous en aurons besoin.

06 Mettre la main à la pâte *To lend a hand*
Je suis très occupé, vous pourriez mettre la main à la pâte. Elle se fait tirer l'oreille pour mettre la main à la pâte.

07 Avoir des doigts de fée *To be clever with one's fingers*
Cette femme travaille très bien; elle a des doigts de fée. Elle m'a fait un beau tricot; elle a des doigts de fée.

08 Un vrai cordon bleu *An excellent cook*
Mon frère est un vrai cordon bleu. Elle n'a pas besoin de recettes, c'est un vrai cordon bleu.

09 Faire bonne chère *To fare well*
Il mange beaucoup, et il fait bonne chère. Il fait bonne chère, même si son médecin lui a dit de maigrir.

10 Sens unique *One-way street*
C'est une rue à sens unique: défense d'entrer. Regardez la flèche; c'est une rue à sens unique.

11 Tirer son épingle du jeu *To turn circumstances to account*
Il est rusé et il tire toujours son épingle du jeu. C'est un cas un peu compliqué, mais je peux tirer mon épingle du jeu.

12 Laisser le champ libre *To leave someone a clear field*
Faites comme vous voudrez, je vous laisse le champ libre. Je lui ai tenu tête et, alors, il m'a laissé le champ libre.

13 À tour de bras *With might and main, with all one's might*
Pauvre enfant! son père l'a frappé à tour de bras. L'âne ne voulait plus avancer, et on le frappait à tour de bras.

14 Remuer ciel et terre *To leave no stone unturned*
Pour en arriver là, il est prêt à remuer ciel et terre. Pour atteindre son but, il remuera ciel et terre.

15 Coucher à la belle étoile *To sleep under the stars (in the open)*
Il n'avait pas d'argent pour aller à l'hôtel; il a couché à la belle étoile. Il fera beaucoup trop froid pour coucher à la belle étoile.

16 Cela me fait ni chaud ni froid *I feel quite indifferent about it*
N'insistez pas trop, car cela me fait ni chaud ni froid. N'essayez pas de m'impressionner, cela me fait ni chaud ni froid.

17 Il fait un vent à décorner (écorner) les boeufs *It is blowing great guns, it is gusting*
Attention à votre parapluie, il fait un vent à écorner les boeufs. N'allez pas sur le lac, car il fait un vent à décorner les boeufs.

18 Prendre le frais *To take a breath of fresh air*
Allons sur la terrasse pour prendre le frais. Je vais prendre le frais, car j'ai sué toute la journée.

19 Être sur la paille *To be in great need, to be penniless*
Il a tout perdu son argent et il est sur la paille. Cette famille est sur la paille depuis cet incendie désastreux.

20 Il ne le fera pas pour des prunes *He won't do it for nothing*
Offrez-lui quelque chose, car il ne le fera pas pour des prunes. Il ne le fera pas pour des prunes; alors, préparez votre argent.

EXERCICES DE LA LEÇON 10

. . . .

RÉPONDEZ AUX QUESTIONS SUIVANTES
EN EMPLOYANT LES EXPRESSIONS ÉTUDIÉES

1   Se fait-il souvent tirer l'oreille?
2   Est-ce que cet individu a froid aux yeux?
3   Est-ce que votre ami Jean suit la mode?
4   Pourquoi ce jeune homme réussit-il si bien dans la vie?
5   Avez-vous besoin d'argent?
6   Est-ce que votre frère vous aide souvent à faire la vaisselle?
7   Votre femme tricote-t-elle bien?
8   Est-ce que vous avez un bon cuisinier à l'hôtel?
9   Votre collègue de bureau mange-t-il beaucoup?
10 Pourquoi y a-t-il une flèche au bout de cette rue?
11 Pourquoi voulez-vous tirer votre épingle du jeu?
12 Est-ce qu'il vous a laissé le champ libre?
13 Pourquoi ce garçon pleure-t-il si fort?
14 Est-ce qu'il veut réellement atteindre son but?
15 Pourquoi a-t-il couché à la belle étoile, hier soir?
16 Est-ce que cette décision vous impressionne?
17 Pourquoi n'allez-vous pas à la pêche sur le lac?
18 Est-ce que vous allez prendre le frais sur le balcon?
19 Depuis quand cette famille est-elle sur la paille?
20 Pourquoi préparez-vous une bonne somme d'argent avant d'aller le voir?

VOCABULAIRE SPÉCIAL DE CETTE LEÇON

habitué — accustomed, used to
avoir besoin — to need
recette — recipe
flèche — arrow
frapper — to hit, to strike
atteindre — to reach
incendie — fire
au bout de — at the end
pêche — fishing

suivre — to follow
tricot — sweater
maigrir — to lose weight
rusé — sly, tricky
âne — donkey
suer — to sweat, to perspire
tricoter — to knit
pleurer — to weep, to cry

FAITES DES PHRASES ORALES ET ÉCRITES
AVEC LES EXPRESSIONS SUIVANTES

c'est un cordon bleu — remuer ciel et terre — avoir froid aux yeux — être sur la paille — prendre le frais — mettre la main à la pâte — frapper à tour de bras — coucher à la belle étoile — avoir des doigts de fée

Leçon 11

01 **Au fur et à mesure que**   *In the proportion as*
Envoyez de l'argent au fur et à mesure que vous l'aurez. On inspecte les articles au fur et à mesure qu'ils sont empaquetés.

02 **Garder son sang-froid**   *To keep one's head, to keep cool*
Il n'est pas nerveux, il garde son toujours son sang-froid. Il garde son sang-froid même quand tout le monde s'énerve.

03 **Graisser la patte**   *To bribe, to grease someone's palm*
Pour avoir cet emploi, ils lui ont graissé la patte. Il ont voulu me graisser la patte, mais j'ai refusé.

04 **Prendre la mouche**   *To take offense, to fly into a temper*
Il prend la mouche très vite quand le taquine. Attention! elle prend la mouche à la moindre allusion.

05 **Être dans le pétrin (dans l'embarras)**   *To be in a fine mess (in trouble)*
Il se trouve dans le pétrin à la suite de cette banqueroute. Il n'a pas été assez prudent, et il est dans l'embarras.

06 **Parler français comme une vache espagnole**   *To talk horridly bad French*
Je ne le comprends pas, il parle français comme une vache espagnole. Il prononce assez mal et il parle français comme une vache espagnole.

07 **S'en laver les mains**   *To wash one's hands of it*
Accusez-moi si vous voulez, je m'en lave les mains. Faites comme vous voudrez, je m'en lave les mains.

08 **Savoir sur le bout des doigts**   *To have at one's fingertips*
Cet étudiant est très appliqué et il sait toujours sa leçon sur le bout des doigts. Elle sait le nom de tous les joueurs de l'équipe sur le bout des doigts.

09 **Joindre les deux bouts**   *To make both ends meet*
Avec ce salaire, la famille ne peut pas joindre les deux bouts. Impossible de joindre les deux bouts avec un tel budget.

10 **Rendre la pareille**   *To get even with, to give tit for tat*
Il était fâché et il a essayé de lui rendre la pareille. Ne me frappez pas, car je vous rendrai la pareille.

11 **Faire des grimaces**   *To make faces*
Pour m'insulter il me fait des grimaces. Il n'est pas poli; il fait des grimaces.

12 **Prendre au dépourvu**   *To take by surprise*
Ils m'ont pris au dépourvu en arrivant à l'heure du souper. Lorsqu'il m'a interrogé, le professeur m'a pris au dépourvu.

13 **Se serrer (donner) la main**   *To shake hands*
En arrivant de son long voyage, il m'a serré la main. Ils se donnent la main comme deux grands amis.

14 **Sur ce**   *On saying that, thereupon*
Sur ce, il est sorti sans rien ajouter. Sur ce, elle a pris la décision de ne plus revenir ici.

15 **Y êtes-vous?**   *Do you follow me? Do you understand what I am saying?*
Y êtes-vous? car vous semblez un peu distrait. Vous me regardez d'une façon curieuse; y êtes-vous?

16 **Et que sais-je, moi?, et quoi encore?**   *And what more?*
Il y avait des Français. des Anglais, des Italiens, et que sais-je, moi? Des chapeaux, des gants, des robes, et quoi encore?

17 **Descendre à l'hôtel**   *To go to the hotel*
À quel hôtel êtes-vous descendu à Paris? Il m'a dit de descendre au meilleur hôtel de la ville.

18 **Voilà tout!**   *That's all!*
Il m'a payé un compte, voilà tout! Nous avons pris un bon repas, et voilà tout!

19 **Tomber d'accord sur**   *To agree upon*
Nous sommes tombés d'accord sur tous les points de discussion. Je crois qu'il sera difficile de tomber d'accord sur ce point.

20 **À plusieurs reprises**   *On several occasions, several times over*
Il est venu me voir à plusieurs reprises à l'hôpital. J'ai eu l'occasion de le rencontrer à plusieurs reprises.

EXERCICES DE LA LEÇON 11

. . . .

RÉPONDEZ AUX QUESTIONS SUIVANTES
EN EMPLOYANT LES EXPRESSIONS ÉTUDIÉES

1 Où dois-je les mettre au fur et à mesure qu'ils arriveront?
2 Est-il capable de garder son sang-froid?
3 Pourquoi lui ont-ils graissé la patte?
4 Est-ce qu'elle prend souvent la mouche?
5 Pourquoi est-il dans le pétrin?
6 Est-ce qu'il parle bien français?
7 Pourquoi veut-il s'en laver les mains?
8 Cet étudiant sait-il bien sa leçon?
9 Peuvent-ils joindre les deux bouts avec un tel salaire?
10 A-t-il essayé de vous rendre la pareille?
11 Pourquoi vous fait-il des grimaces?
12 Est-ce que le professeur vous a pris au dépourvu?
13 Vous a-t-il serré la main en arrivant?
14 Sur ce, qu'a-t-il fait?
15 Y êtes-vous, mon cher ami?
16 Est-ce qu'il y avait beaucoup d'étrangers?
17 À quel hôtel avez-vous l'intention de descendre?
18 Qu'avez-vous fait hier soir?
19 Dans cette longue réunion êtes-vous tombés d'accord?
20 L'avez-vous rencontré à plusieurs reprises?

VOCABULAIRE SPÉCIAL DE CETTE LEÇON

envoyer — to send
emploi — job, position
banqueroute — bankruptcy
joueur — player
essayer — to try
rester tranquille — to keep still
distrait — absent-minded
repas — meal

empaqueter — to pack, to wrap
taquiner — to tease
comme vous voudrez — as you like
fâché — angry, mad
frapper — to hit
ajouter — to add
compte — bill
rencontrer — to meet, to see

FAITES DES PHRASES ORALES ET ÉCRITES
AVEC LES EXPRESSIONS SUIVANTES

joindre les deux bouts — sur ce — tomber d'accord sur — à plusieurs reprises — graisser la patte — au fur et à mesure — garder son sang-froid — prendre au dépourvu — être dans le pétrin

01 À tout bout de champ *At every turn, quite often*
Elle me demande du chocolat à tout bout de champ. Le chien aboie à tout bout de champ.

02 Ne pas faire grand cas de *To take no account of*
Il n'aura pas fait grand cas de ma remarque. Je crois qu'il ne fera pas grand cas de ce changement.

03 Mettre sur le tapis *To bring up for discussion*
Il a voulu mettre cette question sur le tapis. Il a mis la question sur le tapis, mais personne n'a parlé.

04 Faire fi du qu'en dira-t-on *Not to care about what people say*
Il est indifférent et il fait fi du qu'en dira-t-on. Il faut s'accoutumer à faire fi du qu'en dira-t-on.

05 Sur ces entrefaites *In the meanwhile, while this was going on*
Sur ces entrefaites, le téléphone a sonné. Nous étions à discuter, et il est arrivé sur ces entrefaites.

06 À propos *By the way*
À propos, j'ai oublié de vous dire que je partais en voyage. À propos, quand avez-vous décidé de faire cette réparation?

07 Répondre du tac au tac *To give tit for tat*
Quand je l'insulte, il me répond du tac au tac. Elle ne s'est pas gênée et elle lui a répondu du tac au tac.

08 Rebrousser chemin *To turn back, to retrace one's steps*
À cause de la mauvaise route, nous avons dû rebrousser chemin. Il a dû rebrousser chemin parce qu'il y avait trop de neige.

09 Changer son fusil d'épaule *To change one's mind (plans)*
Il n'a pas réussi; alors, il a décidé de changer son fusil d'épaule. C'est une homme inconstant qui change souvent son fusil d'épaule.

10 Au coeur de *In the height of*
Le mois de juin passe vite, nous sommes déjà au coeur de l'été. Il ne fait pas très chaud au coeur de l'hiver.

11 S'en donner à coeur joie   *To enjoy to one's heart content*
Il a neigé cette nuit, et les enfants s'en donnent à coeur joie. Ils aiment beaucoup la nage et s'en donnent à coeur joie.

12 Si le coeur vous en dit   *If you feel like it*
Aller faire su ski si le coeur vous en dit. Si le coeur vous en dit, allez voir le match de hockey.

13 Au vu et au su de   *To the knowledge of*
Tout le village le sait; il l'a fait au vu et au su de tout le monde. Elle a fait cela au vu et au su de ses parents.

14 Faire la navette (le service)   *To run, to ply between, to commute*
C'est un agent de vente qui fait la navette entre Oslo et Pékin. Cet autobus fait le service entre Ottawa et Montréal.

15 Mettre en garde   *To warn*
Je vous mets en garde contre ce danger. Il m'a mis en garde contre les faux billets de banque.

16 La gorge serrée   *Sad at heart*
Elle avait la gorge serrée quand elle a quitté sa mère. Elle est partie pour l'Europe avec la gorge serrée.

17 Raffoler de   *To be fond of, to like very much, to be crazy about*
Je ne raffole pas beaucoup de cette musique moderne. J'aime ce jeu, mais je n'en raffole pas.

18 Donner mal au coeur   *To be nauseating, to turn one's stomach*
Quand je vais sur un bateau, cela me donne mal au coeur. Je ne bois pas cette médecine; elle me donne mal au coeur.

19 Tirer parti de   *To take advantage of, to benefit from*
Il faut tirer parti de toutes les bonnes occasions. Elle n'a pas su tirer parti de son séjour en France.

20 À la ronde   *Within a range (radius) of*
On a vu cet incendie vingt milles à la ronde. On sentait la fumée cent milles à la ronde.

EXERCICES DE LA LEÇON 12

. . . .

RÉPONDEZ AUX QUESTIONS SUIVANTES
EN EMPLOYANT LES EXPRESSIONS ÉTUDIÉES

1 Est-ce que votre ami vous téléphone souvent?
2 Faites-vous grand cas de ses nombreuses lettres?
3 Qui a mis cette question sur le tapis ce soir?
4 Est-ce que c'est un homme indifférent?
5 Sur ces entrefaites, qui est arrivé?
6 Avez-vous oublié quelque chose d'important?
7 Que fait-il quand vous l'insultez?
8 Pourquoi avez-vous rebroussé chemin?
9 Est-ce qu'il change souvent son fusil d'épaule?
10 Quand allez-vous au chalet au bord du lac?
11 Vos enfants aiment-ils beaucoup la nage?
12 Est-ce que je peux aller faire du ski aujourd'hui?
13 Est-ce que tout le monde du village le sait?
14 Est-ce que votre ami voyage souvent?
15 Contre quoi vous a-t-il mis en garde?
16 Pourquoi avait-elle la gorge serrée?
17 Raffolez-vous de ce genre de musique?
18 Est-ce que vous aimez voyager en bateau?
19 Avez-vous tiré parti de vos cours de langue française?
20 Est-ce que vous avez vu l'incendie de lundi dernier?

VOCABULAIRE SPÉCIAL DE CETTE LEÇON

aboyer — to bark	sonner — to ring
gêné — shy, bashful	mauvais — bad
neige — snow	réussir — to succeed
chalet — cottage	nage — swimming
match — game	sait — knows
solde — sale	jeu — game, sport
bateau — boat	boire — to drink
séjour — stay	incendie — fire
fumée — smoke	

FAITES DES PHRASES ORALES ET ÉCRITES
AVEC LES EXPRESSIONS SUIVANTES

rebrousser chemin — mettre en garde — tirer parti de — raffoler de — mettre sur le tapis — faire grand cas de — deux milles à la ronde — si le coeur vous en dit — au coeur de l'été — donner mal au coeur — faire fi de — s'en donner à coeur joie

Leçon 13

01 Chair de poule   *Goose pimples*
Quand je vois un serpent, cela me donne la chair de poule. J'ai la chair de poule, je dois avoir un peu de fièvre.

02 De pied en cap, des pieds à la tête   *From head to foot*
Ce bandit était armé de pied en cap. Cet enfant était sale des pieds à la tête.

03 S'entendre une fois pour toutes   *To agree once and for all*
Je ne discute plus; il faut s'entendre une fois pour toutes. Viens me voir, on s'entendra une bonne fois pour toutes.

04 Prendre d'assaut   *To take by storm*
Ils ont pris d'assaut le dernier fort des ennemis. C'est une position qu'il faut prendre d'assaut.

05 En fin de compte   *After all, all told*
En fin de compte, c'est à peu près la même chose. Je crois que vous avez raison, en fin de compte.

06 Redorer son blason   *To marry into money*
Il a épousé cette princesse pour redorer son blason. Cet héritage lui a permis de redorer son blason.

07 À force de   *By dint of*
À force de répéter, il finira par comprendre. J'ai fini par le convaincre, à force d'insister.

08 Faire fureur   *To be all the rage*
C'est une nouvelle chanson qui fait fureur. Dans la région, c'est un sport qui fait vraiment fureur.

09 En en tour de main, en un tournemain   *In a flick of the wrist*
Il est très habile; il l'a fait en un tour de main. Je vais te montrer qu'on peut le faire en un tournemain.

10 Comme si de rien n'était   *As if nothing had happened*
Il a continué à jouer comme si de rien n'était. Il lui a serré la main comme si de rien n'était.

11 Au ras du sol   *Close to the ground*
Les hirondelles volent au ras du sol quelquefois. Le brouillard était très bas, au ras du sol.

12 Avoir le mal de mer (de l'air, du pays)   *To be sea-sick (air-sick, home-sick)*
Quand elle traverse l'océan, elle a toujours le mal de mer. J'avais le mal du pays quand j'étudiais en Europe.

13 **Connaître à fond**   *To have a thorough knowledge of*
Ce professeur connaît sa matière à fond. C'est un ouvrier qui connaît son métier à fond.

14 **Faire (prendre) un somme**   *To take a nap*
Il fait toujours un petit somme après le repas du midi. Le médecin lui a conseillé de prendre un somme après le déjeuner.

15 **Venir à bout de**   *To succeed in doing, to manage to do*
Continuez, car vous viendrez à bout de sa résistance. Je suis venu à bout de la convaincre à accepter.

16 **De guerre lasse**   *For the sake of peace and quietness*
De guerre lassse, j'ai consenti à lui donner ce qu'il voulait. De guerre lasse, elle a décidé d'accepter le compromis.

17 **Jouer des tours**   *To play tricks*
Il me joue des tours pour essayer de me faire fâcher. Quand j'étais jeune, je jouais souvent des tours aux autres.

18 **Rire aux éclats**   *To burst out laughing*
À la fin de cette farce, elle a ri aux éclats. J'ai ri aux éclats quand il m'a raconté cette aventure.

19 **De plein gré**   *Very willingly*
J'ai accepté ce contrat de mon plein gré. Si je l'ai fait, c'est de mon plein gré.

20 **Pousser un soupir**   *To sigh*
À la fin de son long travail, elle a poussé un soupir. Quand je lui ai dit: Oui!, il a poussé un soupir de soulagement.

EXERCICES DE LA LEÇON 13

. . . .

RÉPONDEZ AUX QUESTIONS SUIVANTES
EN EMPLOYANT LES EXPRESSIONS ÉTUDIÉES

1 Qu'est-ce qui vous donne la chair de poule généralement?
2 Était-il armé de pied en cap quand ils l'ont arrêté?
3 Est-ce qu'il sera possible de nous entendre une fois pour toutes?
4 Qu'est-ce que l'adversaire a pris d'assaut en fin de semaine?
5 En fin de compte, qui a raison?
6 A-t-il été surpris de recevoir cet héritage?
7 Est-ce que vous avez fini par la convaincre?
8 Est-ce que vous aimez cette nouvelle chanson américaine?
9 Est-ce que vous pouvez me montrer à faire cela?
10 Le joueur s'est-il arrêté de jouer après sa blessure?
11 Les hirondelles volent-elles bas quelquefois?
12 Avez-vous le mal de mer quand vous allez en bateau?
13 Est-ce qu'elle connaît bien sa matière?
14 Qu'est-ce que le médecin lui a conseillé de faire?
15 Est-ce que vous pourrez venir à bout de ce problème?
16 Pourquoi a-t-elle décidé d'accepter?
17 Jouez-vous des tours parfois?
18 Pourquoi avez-vous éclaté de rire?
19 Avez-vous accepté de votre plein gré?
20 Pourquoi avez-vous poussé un long soupir?

VOCABULAIRE SPÉCIAL DE CETTE LEÇON

fièvre — fever
avoir raison — to be right
convaincre — to convince
habile — clever, skilled
jouer — to play
hirondelle — swallow
brouillard — fog, mist
ouvrier — worker, laborer
repas — meal
faire fâcher — to make angry
raconter — to tell

sale — dirty
manquer — to lack
chanson — song
montrer — to show
serrer — to shake (hands)
voler — to fly
bas — low
métier — craft, profession
essayer — to try
farce — joke
soulagement — relief

FAITES DES PHRASES ORALES ET ÉCRITES
AVEC LES EXPRESSIONS SUIVANTES

à force de — éclater de rire — jouer des tours — faire fureur — au ras du sol — connaître à fond — venir à bout de — de mon plein gré — faire un somme — pousser un soupir — en fin de compte — en un tour de main

Leçon 14

01 Il a le diable au corps   *The devil is in him*
Ce petit garçon ne reste pas en place; il a le diable au corps. Ce cheval court très vite; il a le diable au corps.

02 Prendre à partie   *To blame, to call to account*
Comme il ne téléphonait pas, je l'ai pris à partie ce matin. Le gouvernement a été pris à partie à cause de cette loi.

03 Revenir à nos moutons   *To get back to the point (subject)*
Après cette explication, revenons à nos moutons. Il faut revenir à nos moutons, car nous sommes loin du sujet.

04 Être en train   *To be in good form, to feel like*
Ce soir, elle danse beaucoup car elle est en train. Je suis fatigué et je ne suis pas en train.

05 Au petit jour   *Before daylight*
Nous nous lèverons au petit jour pour aller au lac. Nous partons de bonne heure; il faudra vous lever au petit jour.

06 À pied d'oeuvre   *On the site, in the neighbourhood*
Voici le coût des matériaux de construction à pied d'oeuvre. Vous pourrez trouver quelques ouvriers à pied d'oeuvre.

07 En être quitte pour   *To come out, to get off, to escape*
Il en a été quitte pour la peur; il n'est pas blessé. Vous en serez quittes à bon marché; il est très généreux.

08 Au détail   *Retail*
C'est un marchand qui vend au détail. J'ai acheté au détail, mais ça coûte beaucoup plus cher.

09 Marchand (boutique) de bric-à-brac   *Curio dealer, old curiosity shop*
J'ai trouvé cela chez le marchand de bric-à-brac. Venez avec moi à la boutique de bric-à-brac.

10 Prendre en grippe   *To take a dislike to*
Le professeur m'a pris en grippe, je ne sais pas pourquoi. Elle prend facilement ses voisines en grippe.

11 Tout compte fait   *All things considered, after all.*
Tout compte fait, je crois bien que vous avez raison. Tout compte fait, je suis très satisfait de votre travail.

12 Se faire du mauvais sang   *To worry unduly*
Elle se faisait du mauvais sang pour rien. Vous vous faites du mauvais sang sans aucune raison.

13 Prendre fin   *To come to an end*
Le président s'est senti malade, et la réunion a pris fin. Dommage que cette expérience ait pris fin subitement.

14 Manger de la vache enragée   *To have a hard time of it*
C'est un employeur exigeant qui fait manger de la vache enragée. Avec moi, il va manger de la vache enragée s'il est paresseux.

15 Avoir la haute main sur   *To have the upper hand over*
Ils ont la haute main sur les finances de notre pays. Ces capitalistes ont la haute main sur nos industries.

16 S'en mordre les doigts   *To kick oneself about it*
Je n'aurais pas dû lui dire cela, car je m'en mords les doigts. Il va certainement s'en mordre les doigts, car il a failli.

17 Le coeur gros   *Sad at heart*
Quand ses parents sont partis, elle avait le coeur gros. J'avais le coeur gros la première fois que j'ai quitté mon pays.

18 Tenir à jour   *To keep up to date*
Il faut tenir les livres de comptabilité à jour. Le secrétaire tient toute la correspondance à jour.

19 N'y voir goutte   *Not to understand at all*
Malgré mes explications, il n'y voit goutte. Je n'y vois goutte lorsqu'arrivent les mathématiques.

20 Broyer du noir   *To be down in the dumps, to have the blues*
Venez vous amuser avec nous, au lieu de broyer du noir. Elle est toujours dans son coin à broyer du noir.

EXERCICES DE LA LEÇON 14

. . . .

RÉPONDEZ AUX QUESTIONS SUIVANTES
EN EMPLOYANT LES EXPRESSIONS ÉTUDIÉES

1 Est-ce qu'il a toujours le diable au corps comme aujourd'hui?
2 Pourquoi le gouvernement a-t-il été pris à partie?
3 Pourquoi dit-il: «Revenons à nos moutons»?
4 Pourquoi ne danse-t-elle pas ce soir?
5 Pour quelle raison voulez-vous partir au petit jour?
6 Combien coûtent les matériaux de construction cette année?
7 A-t-il été blessé dans cet accident d'auto?
8 Vend-il au détail ou en gros?
9 Où avez-vous acheté ce meuble antique?
10 Pourquoi votre voisin vous prend-il souvent en grippe?
11 Tout compte fait, est-ce que vous êtes satisfait?
12 Avez-vous raison de vous faire du mauvais sang?
13 Pourquoi êtes-vous déjà de retour?
14 Avez-vous déjà mangé de la vache enragée avec votre patron?
15 Qui a la haute main sur cette nouvelle industrie?
16 Pourquoi vous en mordrez-vous les doigts?
17 Avez-vous déjà eu le coeur gros?
18 Est-ce que toute votre correspondance est à jour?
19 Après ces explications, comprenez-vous un peu mieux?
20 Savez-vous pourquoi elle broie du noir?

VOCABULAIRE SPÉCIAL DE CETTE LEÇON

rester — to stay, to keep
loi — law
reprendre — begin over
bon marché — cheap, for nothing
voisin(e) — neighbour
faillir — to fail, to flunk
comptabilité — bookkeeping
explication — explanation

tranquille — quiet, still
coût — cost, price
plaisanter — to joke
en gros — wholesale
exigeant — exacting, strict
pays — country
au lieu de — instead of

FAITES DES PHRASES ORALES ET ÉCRITES
AVEC LES EXPRESSIONS SUIVANTES

au détail — être en train — broyer du noir — tenir à jour — avoir le coeur gros — tout compte fait — prendre à partie — avoir la haute main sur — prendre en grippe

Leçon 15

01 Être le dindon de la farce *To be fooled*
Laissez-moi tranquille, je ne veux pas être le dindon de la farce.
Dans toute cette histoire, c'est elle qui sera le dindon de la farce.

02 Histoire sans queue ni tête *Disconnected story, Shaggy dog story*
Je ne vous crois pas, c'est une histoire sans queue ni tête. Vous vous bien que c'est faux ; c'est une histoire sans queue ni tête.

03 Filer à l'anglaise *To take a French leave*
Il a filé à l'anglaise avant la fin de la réunion. Comme d'habitude, il a filé à l'anglaise sans rien dire.

04 Avoir la langue bien pendue *To have a glib tongue, to be talkative*
Elle a la langue bien pendue et, avec elle, on ne peut pas parler. Il a toujours quelque chose à dire ; il a la langue bien pendue.

05 C'est un ours mal léché *He is an unmannerly fellow*
Il n'aime pas la compagnie, c'est un ours mal léché. C'est un ours mal léché qui nous fait honte en compagnie.

06 Se mettre les pieds dans les plats *To put one's foot in one's mouth, to blunder*
Il a trop parlé et il s'est mis les pieds dans les plats. Attention à vos paroles, car vous vous mettrez les pieds dans les plats.

07 Gibier de potence *Jailbird, dishonest fellow*
Attention à cet homme-là, c'est un vrai gibier de potence ! C'est un gibier de potence dont il faut se méfier.

08 En prendre son parti *To resign oneself to, to make the best of*
Il n'y a rien à faire, il faut en prendre son parti. C'est inutile, il est trop tard, et j'en prends mon parti.

09 Séance tenante *Immediately, on the spot*
Ils ont pris une décision finale, séance tenante. La chose s'est décidée séance tenante.

10 Il (elle) n'a pas inventé la poudre *He (she) did not set the Thames on fire, he (she) did not invent gunpowder*
Il se vante beaucoup, mais il n'a pas inventé la poudre. Elle n'a pas inventé la poudre, même si elle se croit bien intelligente.

11 Faire une scène   *To make a scene, to kick up a fuss*
Quand son mari est revenu, elle lui a fait une scène épouvantable.
Il fait souvent des scènes pour rien quand il se fâche.

12 Jouer la comédie   *To act a part, to feign*
Avec toutes ces formalités, il peut jouer la comédie. Ne le croyez
pas, il joue la comédie.

13 Coup de théâtre   *Sudden change, dramatic turn of events*
Pendant cette réunion, on a assisté à un vrai coup de théâtre. Sa
décision inattendue a été un coup de théâtre pour tout le monde.

14 Fait sur mesure   *Made to measure (order)*
C'est un beau costume d'automne qui a été fait sur mesure. Je
préfère les complets faits sur mesure; ils me vont mieux.

15 Marquer les points   *To keep the score*
C'est lui qui marque les points de la partie de balle. Il s'est trompé en marquant les points de la joute.

16 Coup de foudre   *Love at first sight*
Cette rencontre a été un vrai coup de foudre pour la jeune fille.
Cette nouvelle inattendue a été un coup de foudre pour moi.

17 Nature morte   *Still life*
Dans un musée, j'aime bien examiner les natures mortes. Voici la
dernière peinture que j'ai achetée, c'est une nature morte.

18 Revenir à soi   *To recover consciousness*
Elle est revenue à elle après avoir été frappée par l'auto. On le
croyait mort, mais il est revenu à lui.

19 Rat de bibliothèque   *Bookworm, great reader*
Il est toujours à lire: c'est un vrai rat de bibliothèque. Il sait tout;
c'est un rat de bibliothèque.

20 Donner un coup de main   *To give a hand, to help*
Donnez-moi un coup de main, vous voyez que c'est trop lourd. Il
est bien gentil, et il me donne souvent un bon coup de main.

EXERCICES DE LA LEÇON 15

RÉPONDEZ AUX QUESTIONS SUIVANTES
EN EMPLOYANT LES EXPRESSIONS ÉTUDIÉES

1 Qui sera le dindon de la farce dans cette histoire-là?
2 Est-ce que vous croyez l'histoire qu'il raconte?
3 Vous a-t-il dit un mot avant de quitter la salle?
4 Est-ce que cette personne parle beaucoup en compagnie?
5 Est-ce que cette personne est très polie?
6 Pourquoi s'est-il mis les pieds dans les plats?
7 Pourquoi vous défiez-vous de ce commerçant?
8 Avez-vous décidé d'en prendre votre parti?
9 Quand la chose fut-elle décidée?
10 Est-ce que c'est lui qui a fait ce beau travail?
11 Vous fait-il souvent des scènes à la maison?
12 Est-il sérieux quand il parle de ses projets?
13 Avez-vous été témoin du coup de théâtre?
14 Où avez-vous acheté ce beau costume?
15 Qui est ce jeune homme qui écrit là-bas?
16 Quand a-t-elle eu son coup de foudre?
17 Quel genre de peintures préférez-vous?
18 Était-elle morte?
19 Est-ce que votre mari lit beaucoup?
20 Vous donne-t-il un coup de main pour nettoyer le garage?

VOCABULAIRE SPÉCIAL DE CETTE LEÇON

tranquille − quiet, in peace
ours − bear
pendre − to hang
se défier − to distrust
inattendu − unexpected
partie de balle − ball game
rencontre − date, meeting
lourd − heavy
complet − a suit

filer − to go, to leave
comme d'habitude − as usual
honte − shame
se vanter − to boast
aller mieux − to it better
se tromper − to make a mistake
peinture − picture, painting
plats − dishes

FAITES DES PHRASES ORALES ET ÉCRITES
AVEC LES EXPRESSIONS SUIVANTES

séance tenante − donner un coup de main − une nature morte − marquer les points − jouer la comédie à − filer à l'anglaise − mettre les pieds dans les plats − un coup de théâtre

Leçon 16

01 Tout de même, quand même   *All the same, just the same*
Je n'étais pas satisfait, mais j'ai accepté tout de même. Il se sentait assez fatigué ; il est venu quand même.

02 Au sujet de, à propos de, concernant   *With regard to, about, concerning*
Que savez-vous au sujet de cet accident ? Il ne m'a rien dit à propos de sa prochaine promotion.

03 Se faire prier   *To need coaxing*
Elle se fait prier pour chanter en public. Quand on m'a demandé de parler au banquet, je ne me suis pas fait prier.

04 Être en panne   *To have a breakdown, to get stuck*
Quand il m'a rencontré, j'étais en panne sur la route. Êtes-vous bon mécanicien ? Je suis en panne depuis deux heures.

05 Et vous m'en direz des nouvelles !   *You will be delighted with it !*
Essayez ce nouveau produit, et vous m'en direz des nouvelles ! Fais ce beau voyage au Mexique, et puis vous m'en direz des nouvelles !

06 Il y avait un monde fou   *There was a tremendous crowd*
Il y avait un monde fou à la dernière partie de football. Je suis allé au discours de ce candidat, et il y avait un monde fou.

07 Vous allez nous manquer   *We will miss you*
Lorsque vous serez en Angleterre, vous allez nous manquer. Vous allez en France ? Vous allez nous manquer.

08 Par hasard   *By chance*
Je l'ai rencontré par hasard, je ne savais pas qu'il était là. C'est par hasard que je l'ai vue dans le train.

09 Faire la connaissance de   *To make the acquaintance of, to meet*
J'ai fait la connaissance de votre soeur hier soir. Je suis enchanté de faire votre connaissance, madame.

10 Être des nôtres   *To join us*
Nous allons à la chasse demain ; voulez-vous être des nôtres ? Nous faisons un beau pique-nique ; veux-tu être des nôtres ?

11 Du jour au lendemain   *Overnight*
Du jour au lendemain, il a changé d'idée. Il peut vous trouver un emploi du jour au lendemain.

12 Jeter de la poudre aux yeux   *To bluff, to throw dust in someone's eyes*
Il va essayer de vous jeter de la poudre aux yeux. Il se trompe, je ne me laisserai pas jeter de la poudre aux yeux.

13 Où bon il vous semblera   *Wherever you like*
Vous pouvez vous asseoir où bon il vous semblera. J'irai me construire où bon il me semblera.

14 Prendre son courage à deux mains   *To summon up one's courage*
C'était difficile, mais j'ai pris mon courage à deux mains. Dans une telle situation, il faudra que vous preniez votre courage à deux mains.

15 Se donner la peine de   *To take trouble (pains) to*
Elle ne se donne pas la peine de répondre à mes lettres. Je ne me donnerai pas la peine de chercher plus longtemps.

16 Se mettre en grève   *To go on strike*
Les ouvriers vont se mettre en grève demain matin. Ils se sont mis en grève pour obtenir leurs droits.

17 Se mettre en route   *To set (start) out*
Nous nous mettrons en route de bonne heure. Ils se sont mis en route, malgré un épais brouillard.

18 S'en faire accroire   *To fancy (overestimate) oneself*
Elle s'en fait trop accroire pour rien. Ce sont des parvenus qui s'en font un peu trop accroire.

19 À tout jamais   *Once and for all, for ever*
J'ai décidé de ne plus fumer, et c'est à tout jamais. Elle a écrit à son mari qu'elle était partie à tout jamais.

20 Lancer un défi   *To challenge*
Comme je me croyais plus fort que lui, il m'a lancé un défi. Même si vous me lancez un défi, je n'ai pas peur de vous.

. . . .

RÉPONDEZ AUX QUESTIONS SUIVANTES
EN EMPLOYANT LES EXPRESSIONS ÉTUDIÉES

1 Est-ce que votre frère est venu tout de même?
2 Que vous a-t-il dit au sujet de son opération?
3 Est-ce que vous vous faites prier longtemps pour parler?
4 Depuis quand êtes-vous en panne ici, mon cher ami?
5 Ai-je une bonne idée d'aller faire un voyage au Mexique?
6 Y avait-il encore beaucoup de monde à la partie?
7 Est-ce que Marie va nous manquer l'année prochaine?
8 Aviez-vous un rendez-vous avec lui?
9 Avez-vous fait la connaissance de mon nouveau locataire?
10 Serez-vous des nôtres pour le prochain pique-nique?
11 Est-ce qu'il peut changer d'idée, par hasard?
12 Pourquoi vous a-t-il dit cela sur un tel ton?
13 Où avez-vous l'intention d'aller vous construire?
14 Que dois-je faire dans une telle situation?
15 Est-ce qu'elle se donne la peine de vous répondre?
16 Pourquoi se sont-ils mis en grève?
17 À quelle heure vous mettrez-vous en route?
18 Ont-ils raison de s'en faire accroire?
19 Alors, avez-vous cessé de fumer?
20 Pourquoi vous a-t-il lancé un défi?

VOCABULAIRE SPÉCIAL DE CETTE LEÇON

fatigué — tired
discours — speech
chasse — hunting
s'asseoir — to sit
droit — right
brouillard — fog
parvenu — newly rich
locataire — tenant
un tel — such a

essayer — to try
enchanté — delighted
se tromper — to be mistaken
ouvrier — worker
malgré — despite
épais — thick, dense
avoir peur — to be afraid
prochain — next

FAITES DES PHRASES ORALES ET ÉCRITES
AVEC LES EXPRESSIONS SUIVANTES

se mettre en route — être en panne — du jour au lendemain — à tout jamais — au sujet de — tout de même — lancer un défi — se donner la peine de — faire la connaissance de — un monde fou

Leçon 17

01 Entendre parler de *To hear of*
Je n'ai jamais entendu parler de lui. Avez-vous déjà entendu parler de cette aventure?

02 Entendre dire que *To hear that*
Elle a entendu dire qu'il était parti. J'ai entendu dire que vous aviez été bien malade.

03 Traverser la rue en courant *To run across the street*
Elle traversait la rue en courant quand elle fut frappée. Les enfants ont traversé la rue en courant.

04 Tirer au sort *To draw lots, to ballot for*
Le nom du vainqueur sera tiré au sort. Ils ont tiré au sort, et mon nom est sorti.

05 Pleurer comme un veau *To weep copiously, to blubber*
Il est inconsolable et il pleure comme un veau. Pierrot, à ton âge on ne doit pas pleurer comme un veau.

06 À huis clos *Behind closed doors*
On a demandé que le procès se tienne à huis clos. Les journalistes ne sont pas admis, c'est une réunion à huis clos.

07 À l'aveuglette *Blindly, at random*
Parfois, il n'est pas prudent d'agir à l'aveuglette. J'ai mal fait de choisir ces livres à l'aveuglette

08 Il n'y a pas lieu de *There is no reason to*
Il n'y a pas lieu de s'inquiéter; le malade va mieux. C'est une expression plutôt facile; il n'y a pas lieu d'insister.

09 Être du même avis que *To agree with, to have the same opinion*
Nous sommes toujours du même avis sur tous les points. Il est du même avis que sa femme sur ce point-là.

10 À moitié fait *Half done*
C'est un travail à moitié fait; finissez-le. Il n'aime pas beaucoup les choses à moitié faites.

11 Faire part de *To inform, to acquaint with*
Je lui ai fait part de mes projets pour l'avenir. Vous a-t-il fait part de sa dernière décision?

12 Il me tarde de *I long for, I am anxious to*
Il me tarde de revoir mes chers parents, après trois ans. Il me tarde de savoir qui a été nommé à sa place.

13 Aller très bien à *To fit very weel, to be becoming, to suit*
Ce chapeau vous va très bien, mademoiselle. Achetez ce costume qui vous va très bien.

14 Manquer de *To be short of, to lack*
Nous manquons de chaises pour le banquet de demain. Je crois qu'elle va manquer de verres pour le cocktail.

15 Ne manquez pas de me faire savoir *Do not fail to inform me, do not fail to let me know*
Ne manquez pas de me faire savoir la date de votre départ. Ne manquez pas de me faire savoir ce que vous aurez décidé.

16 Je n'en peux plus *I am fed up with it, I cannot stand it any longer*
Ces enfants ne veulent pas m'écouter; je n'en peux plus. Je n'en peux plus de toujours entendre ce bruit de la rue.

17 Par retour du courrier *By return mail*
Je désire une réponse par retour du courrier. Je veux que la marchandise me soit expédiée par retour du courrier.

18 Ça ne presse pas tant que cela *It is not that urgent*
Prenez votre temps, car ça ne presse pas tant que cela. Vous pouvez attendre à demain, car ça ne presse pas tant que cela.

19 De fond en comble *From top to bottom*
À la suite de cet incendie, sa maison a été détruite de fond en comble. Ils ont fouillé sa maison de fond en comble pour trouver le voleur.

20 Le bruit court que *Rumor has it that*
Le bruit court qu'il va démissionner demain. Le bruit a couru que vous vouliez prendre votre retraite.

EXERCICES DE LA LEÇON 17

. . . .

RÉPONDEZ AUX QUESTIONS SUIVANTES
EN EMPLOYANT LES EXPRESSIONS ÉTUDIÉES

1. Avez-vous déjà entendu parler de cette personne?
2. As-tu entendu dire qu'il était revenu de son long voyage?
3. Quand la jeune fille a-t-elle été blessée?
4. Qui sera le vainqueur du gros lot?
5. Est-il de bonne humeur?
6. Est-ce que je pourrai assister au procès?
7. Avez-vous choisi un bon livre à la bibliothèque?
8. Est-ce que le malade va mieux depuis hier?
9. Êtes-vous du même avis que moi sur ce point?
10. Êtes-vous satisfait de mon travail?
11. Lui avez-vous fait part de tous vos projets?
12. Avez-vous hâte de revoir vos chers parents?
13. Est-ce que ce chapeau neuf me va bien?
14. Avons-nous assez de chaises pour la réception?
15. Qu'avez-vous dit à votre ami au sujet de sa décision?
16. Êtes-vous fatigué d'entendre le même bruit tout le temps?
17. Voulez-vous une réponse tout de suite?
18. Est-ce que je peux attendre jusqu'à demain matin?
19. Où ont-ils cherché le voleur?
20. Est-ce que le ministre a l'intention de démissionner?

VOCABULAIRE SPÉCIAL DE CETTE LEÇON

frapper — to hit, to hurt
hiver — winter
durer — to last
agir — to act
à merveille — perfectly
bruit — noise
incendie — fire
voleur — thief, robber
prendre sa retraite — to retire
bibliothèque — library

vainqueur — winner
rhume — cold
procès — trial
s'inquiéter — to worry
verre — glass
expédier — to send, to ship
fouiller — to search
démissionner — to resign
gros lot — jackpot
avoir hâte — to be anxious

FAITES DES PHRASES ORALES ET ÉCRITES
AVEC LES EXPRESSIONS SUIVANTES

de fond en comble — je n'en peux plus — il me tarde de — manquer de — avoir lieu de — à moitié fait — le bruit court que — par retour du courrier — pleurer comme un veau

Leçon 18

01 Payer rubis sur l'ongle *To pay straight away, to pay cash*
Restez bien tranquille, je vais vous payer rubis sur l'ongle. Avec lui, il n'y a pas de crédit; il paie rubis sur l'ongle.

02 Jouer cartes sur table *To act fairly and above-board*
J'accepte à condition que vous jouiez cartes sur table. Il ne trompe personne, car il joue toujours cartes sur table.

03 Avoir trait à *To refer to, to deal with*
Cela n'a pas trait à la question que nous discutons. Je m'occupe de tout ce qui a trait à l'administration.

04 Heures creuses *Slack hours*
Le bar est tranquille pendant les heures creuses. Les gens s'ennuient pendant les heures creuses au bureau.

05 Mêler (embrouiller) les cartes *To make a fine mess*
Avec toutes vos questions, vous avez mêlé les cartes. Les choses ne sont pas assez claires, et vous embrouillez les cartes.

06 Monter en épingle *To spotlight, to make a song and dance about*
C'est une histoire qu'ils ont montée en épingle. Tous les journaux montent en épingle une telle manifestation.

07 Au surplus, en outre, de plus *Besides, after all, furthermore*
Au surplus, ils pourront vous demander vingt dollars. Je crois qu'en outre, ils vont exiger une garantie.

08 Par ailleurs, d'ailleurs *Besides, moreover*
Par ailleurs, je n'y vois aucune objection sérieuse. D'ailleurs, c'est une ligne de conduite que tous suivent.

09 S'en tenir à *To stick to, to be satisfied with*
Il faut s'en tenir au règlement, comme tout le monde. Je sais très bien à quoi m'en tenir sur ce point-là.

10 Je n'ai rien à y voir *I have nothing to do with that*
Inutile de m'accuser, je n'ai rien à y voir. Ne me téléphonez plus, car je n'ai rien à voir à cela.

11 Faire les frais de *To bear the expense of, to pay for*
C'est un travail supplémentaire; qui va en faire les frais? C'est lui qui va faire les frais de cette réception spéciale.

12 Advenir de   *To become, to happen*
Je me demande ce qu'il adviendra de cet accusé. Voici tout ce qui pourrait en advenir, selon moi.

13 Tâter le pouls de   *To examine, to investigate*
Les économistes veulent tâter le pouls de la situation actuelle. Les experts se réunissent pour tâter le pouls de l'économie.

14 Faire en sorte que (de)   *To see to it that, to act in such a way as*
Faites en sorte que ce travail soit prêt pour demain. J'ai fait en sorte d'y arriver un des premiers.

15 Rire dans sa barbe   *To laugh up one's sleeve*
Inutile de rire dans votre barbe, j'ai tout compris. Vous riez dans votre barbe, et c'est vous le coupable!

16 Se faire de la bile   *To worry*
Ne te fais pas de bile pour si peu! Elle se fait de la bile pour la moindre chose.

17 Pour comble de malheur   *To crown it all, as a crowning misfortune*
Pour comble de malheur, j'ai encore manqué un examen. Il est chômeur et, pour comble de malheur, il est toujours malade.

18 Édition augmentée   *Enlarged edition*
Elle a revu son livre et en a fait une édition augmentée. Ce n'est pas le premier tirage de ce volume; il s'agit plutôt d'une édition augmentée.

19 Faire maigre   *To abstain from meat*
Il fait toujours maigre chaque vendredi. Le médecin lui a dit de faire maigre trois fois la semaine.

20 Ne pas tourner rond   *Not to run smoothly, to have something go wrong*
Il y a quelque chose qui ne tourne pas rond dans cette famille. Il est encouragé dans son commerce, même si ça ne tourne pas rond.

EXERCICES DE LA LEÇON 18

. . . .

RÉPONDEZ AUX QUESTIONS SUIVANTES
EN EMPLOYANT LES EXPRESSIONS ÉTUDIÉES

1 A-t-il l'habitude de payer rubis sur l'ongle?
2 Est-ce que vous pensez qu'il vous a trompé?
3 À quoi a trait tout ce que vous me dites?
4 Qu'allez-vous faire tout à l'heure?
5 A-t-il essayé de mêler les cartes?
6 Qui a monté en épingle une telle cérémonie?
7 Au surplus, que demanderont-ils?
8 Savez-vous à quoi vous en tenir?
9 Approuvez-vous cette ligne de conduite?
10 Puis-je vous téléphoner pour avoir des détails?
11 Qui fera les frais de cette soirée?
12 Savez-vous ce qu'il adviendra de lui?
13 Pourquoi les économistes font-ils cette enquête?
14 Est-ce que ce travail est bien urgent?
15 Pourquoi rit-il dans sa barbe?
16 Se fait-elle souvent de la bile?
17 Avez-vous étudié beaucoup à la fin de l'année?
18 Est-ce son dernier livre?
19 Mangez-vous de la viande aujourd'hui?
20 Qu'est-ce qui se passe dans cette famille depuis quelque temps?

VOCABULAIRE SPÉCIAL DE CETTE LEÇON

ongle – nail
épingle – pin
règlement – regulation
suivre – to follow
coupable – guilty
empêcher – to prevent, to hinder
même si – even if

tromper – to cheat
exiger – to demand
ligne de conduite – policy
tâter – to touch, to feel, to test
chômeur – jobless
essayer – to try

FAITES DES PHRASES ORALES ET ÉCRITES
AVEC LES EXPRESSIONS SUIVANTES

faire en sorte que – faire maigre – pour comble de malheur – heures creuses – jouer cartes sur table – s'en tenir à – édition augmentée – rire dans sa barbe

Leçon 19

01 Monter sur ses grands chevaux   *To ride one's high horse*
Elle est détestable, car elle monte souvent sur ses grands chevaux.
Je voulais rire, mais il est monté sur ses grands chevaux.

02 Donner carte blanche   *To give a free hand, to give full powers*
Faites comme vous voudrez, je vous donne carte blanche. Pour
arranger cette affaire, il m'a donné carte blanche.

03 Ne pas mâcher ses mots   *Not to mince one's words*
C'est un homme franc qui ne mâche pas ses mots. Je vous assure
qu'il ne mâche pas ses mots quand il réplique.

04 Avoir l'air   *To seem, to appear, to look like*
Il a l'air fatigué depuis quelque temps. Il avait toujours l'air fâché
quand il revenait à la maison.

05 D'affilée   *At a time, at a stretch*
J'ai conduit huit heures d'affilée et je me sens épuisé. C'est un
travail difficile que j'ai fait d'affilée.

06 À la dérobée   *Secretly, on the sly*
Elle est partie à la dérobée, avant la fin du film. Elle craint sa mère, et elle agit souvent à la dérobée.

07 Pour peu que   *If only, if ever*
Pour peu qu'il étudie, il pourra réussir à ses examens. Il vous sera
facile de comprendre pour peu que vous écoutiez.

08 Ça, c'est le comble!   *That takes the cake!, That's the limit!*
Il a perdu son portefeuille; ça, c'est le comble! Je n'ai jamais entendu une chose pareille; ça, c'est le comble!

09 Vaille que vaille   *For better or worse, come what may*
Il a fait son travail vaille que vaille. Vaille que vaille, j'irai à cette
réunion.

10 En voir de toutes les couleurs   *To be up to the neck in trouble, to have all sorts of experiences*
Dans ma vie, j'en ai vu de toutes les couleurs. Si elle marie cet
homme, elle en verra de toutes les couleurs.

11 **Se monter la tête**   *To get excited, to get worked up*
Elle se monte facilement la tête quand on la contrarie. Restez calme et ne vous montez pas trop la tête.

12 **Conter fleurette**   *To flirt with, to say sweet things*
Je crois que vous voulez me conter fleurette. Louis m'a conté fleurette, hier soir pendant la danse.

13 **À juste titre**   *Fairly, rightly*
C'est à juste titre qu'on lui a donné ce premier prix. Il a obtenu une belle récompense, et c'est à juste titre.

14 **Être sur la paille**   *To be reduced to poverty*
Depuis sa faillite, il est sur la paille. Économisez si vous ne voulez pas être sur la paille.

15 **Avoir du cran**   *To have guts, to be plucky*
Il faut avoir du cran pour résister à cet adversaire. Il ne se décourage jamais, car il a beaucoup de cran.

16 **Trié sur le volet**   *Carefully chosen (selected)*
C'est un excellent employé qui a été trié sur le volet. Nous les avons triés sur le volet, et ils sont garantis.

17 **À contrecoeur**   *Unwillingly, reluctantly*
J'ai accepté de le faire, mais à contrecoeur. Ne le faites pas si vous le faites à contrecoeur.

18 **En mesure de**   *In a position to, able to*
Je ne suis pas en mesure de vous le dire tout de suite. Êtes-vous en mesure de lui répondre?

19 **En voir bien d'autres**   *To have seen worse*
Vous ne me surprenez pas, car j'en ai vu bien d'autres. Si vous vivez vieux, vous en verrez bien d'autres.

20 **Dur à avaler**   *Hard to swallow, bitter pill*
C'est une vérité qui semble dure à avaler. Même si c'est lui qui le dit, c'est bien dur à avaler.

EXERCICES DE LA LEÇON 19

. . . .

RÉPONDEZ AUX QUESTIONS SUIVANTES
EN EMPLOYANT LES EXPRESSIONS ÉTUDIÉES

1 Pourquoi détestez-vous cette personne?
2 Avez-vous carte blanche pour arranger cette affaire?
3 Est-il éloquent dans ses répliques?
4 Pourquoi vous sentez-vous épuisé après ce long voyage?
5 A-t-il l'air fatigué à la fin de la semaine?
6 L'avez-vous vu sortir avant la fin du film?
7 Pourra-t-il réussir à faire ce travail?
8 Est-il vrai qu'il a perdu son portefeuille?
9 Est-ce que l'élève a bien fait ses devoirs?
10 Avez-vous une grande expérience dans ce domaine?
11 Que fait-elle quand on la contrarie?
12 Vous a-t-il parlé pendant la danse?
13 A-t-il mérité le premier prix?
14 Depuis quand a-t-il le derrière sur la paille?
15 Est-ce qu'il pourra résister à ses adversaires?
16 Approuvez-vous le choix des candidats?
17 Avez-vous accepté de faire ce travail?
18 Êtes-vous en mesure de lui répondre tout de suite?
19 Êtes-vous surpris de cette décision inattendue?
20 Acceptez-vous la remarque qu'il vous a faite?

VOCABULAIRE SPÉCIAL DE CETTE LEÇON

mâcher — to chew
fâché — angry
épuisé — exhausted
agir — to act
portefeuille — wallet
contrarier — to oppose, to vex
faillite — bankruptcy
détester — to hate

répliquer — to retort, to reply
conduire — to drive
craindre — to fear
échouer — to fail, to miss
pareil — similar, such
récompense — reward, prize
avaler — to swallow
inattendu — unexpected

FAITES DE PHRASES ORALES ET ÉCRITES
AVEC LES EXPRESSIONS SUIVANTES

vaille que vaille — être en mesure de — à contre-coeur — avoir du cran — à la dérobée — avoir l'air — donner carte blanche — se monter la tête — à juste titre

Leçon 20

01 Une fois pour toutes   *Once and for all*
Je vous le dis une fois pour toutes. Je vais vous le répéter une bonne fois pour toutes.

02 Les bras m'en tombent   *I am dumbfounded, really surprised*
Chaque fois que j'entends ça, les bras m'en tombent. Quand il m'a dit cela, les bras m'en sont tombés.

03 Renvoyer aux calendes grecques   *To put off indefinitely*
On a renvoyé ce grand projet aux calendes grecques. Après une autre tentative, il faudra renvoyé ça aux calendes grecques.

04 En prendre pour son rhume   *To get hauled over the coals*
Comme j'ai manqué de prudence, j'en ai pris pour mon rhume. Ne faites pas cela si vous ne voulez pas en prendre pour votre rhume.

05 Être à la hauteur   *To be equal to, to be thoroughly efficient*
Ce président est à la hauteur de la situation. Dans cette circonstance, il s'est montré à la hauteur.

06 À savoir   *To wit, namely*
Il y a trois catégories d'hommes, à savoir les . . . Il y a trois immeubles à vendre, à savoir une maison, une grange et un hangar.

07 D'ores et déjà   *Here and now, now and henceforth*
D'ores et déjà, on connaît le champion de la course. Il est clair, d'ores et déjà, qu'il n'acceptera pas la mission.

08 Pris sur le vif   *Taken from life*
C'est un tableau bien réel, pris sur le vif. Dans cette pièce, chaque personnage est pris sur le vif.

09 Tour de force   *Feat of strength*
S'il a réussi à le convaincre, c'est un vrai tour de force. Il faudra un tour de force pour surmonter une telle difficulté.

10 Avoir plus d'un tour dans son sac   *To have more than one trick up one's sleeve*
Il est difficile de le battre, car il a plus d'un tour dans son sac. Faites attention à elle, car elle a plus d'un tour dans son sac.

11 **Il n'en est rien** *Such is not the case*
On vous a dit cela, mais il n'en est rien. Vous pensiez que j'étais responsable; il n'en est rien.

12 **À la queue leu leu** *In Indian (single) file*
Tous les moutons marchaient à la queue leu leu. Dans le sentier du bois, nous marchions à la queue leu leu.

13 **Filer doux** *To obey without a word, to sing small*
Quand le père entre, tous les enfants filent doux. Ils ont tous filé doux pendant votre absence.

14 **Tomber de sa hauteur** *To be dumbfounded*
Il est tombé de sa hauteur quand il a appris la nouvelle. Cela le fera sûrement tomber de sa hauteur.

15 **Chercher la bête noire (petite bête)** *To be fussy, to see spot in the sun*
C'est une personne exigeante qui cherche toujours la bête noire. Quand il lit un article, il cherche la petite bête.

16 **Damer le pion** *To outwit, to outdo, to arrive before*
Encore une fois, je me suis fait damer le pion. J'ai obtenu l'emploi avant lui; je lui ai damé le pion.

17 **Faire peau neuve** *To turn over a new leaf, to change, to improve*
Cette revue a fait peau neuve au début de l'année. Notre magasin est trop vieux, il faudra faire peau neuve.

18 **Être dans le vent** *To be up to date (modern)*
Cette nouvelle chanson est dans le vent. Tous les jeunes veulent être dans le vent.

19 **Être en passe de** *To be on the way (about) to*
Il est en passe de devenir riche avec son commerce. Cette tribu est en passe de disparaître complètement.

20 **Ne faire que** *To have just*
Il est là, mais il ne fait que rentrer de son travail. Je suis hors d'haleine, je ne fais qu'arriver.

EXERCICES DE LA LEÇON 20

. . . .

RÉPONDEZ AUX QUESTIONS SUIVANTES
EN EMPLOYANT LES EXPRESSIONS ÉTUDIÉES

1   A-t-il répété son avertissement?
2   Êtes-vous vraiment surpris de cette décision?
3   Est-ce que ce projet a été remis à plus tard?
4   Pourquoi en avez-vous eu pour votre rhume?
5   Est-il à la hauteur de sa nouvelle tâche?
6   Combien de rayons y a-t-il dans ce grand magasin?
7   Va-t-il accepter sa nouvelle mission?
8   Aimez-vous les tableaux de ce jeune peintre?
9   Pourrez-vous surmonter une telle difficulté?
10 Sera-t-il facile de le battre?
11 Dois-je croire tout ce qu'il m'a dit de vous?
12 Le sentier dans le bois était-il large?
13 Leur père est-il sévère?
14 Pensez-vous que cela l'affectera beaucoup?
15 Pourquoi n'est-il jamais satisfait?
16 Qui a obtenu l'emploi qu'on annonçait dans les journaux?
17 Trouvez-vous que cette revue se présente mieux qu'auparavant?
18 Aimez-vous cette nouvelle chanson américaine?
19 Cette tribu est-elle encore nombreuse?
20 Votre père est-il revenu du bureau?

VOCABULAIRE SPÉCIAL DE CETTE LEÇON

tentative — attempt, trial
immeuble — building, real estate
hangar — shed
pièce — play, drama
mouton — sheep
boue — mud
exigeant — strict, exacting
magasin — store
hors d'haleine — out of breath

manquer — to lack
grange — barn
course — race
personnage — character
surmonter — to overcome
sentier — path, lane
tapis — carpet, rug
revue — magazine
chanson — song

FAITES DES PHRASES ORALES ET ÉCRITES
AVEC LES EXPRESSIONS SUIVANTES

à la queue leu leu — être en passe de — faire peau neuve — être dans le vent — être la hauteur de — pris sur le vif — tomber de sa hauteur — un tour de force — filer doux

Leçon 21

01 Mettre à l'envers   *To put on inside out*
Je crois que tu as mis ton veston à l'envers. Par distraction, elle met quelquefois sa robe à l'envers.

02 Faire faire   *To have made (done)*
Elle a fait faire son jardin par le voisin. Je vais lui faire faire mes devoirs, ce soir.

03 À malin, malin et demi   *Diamond cut diamond*
Il a été plus futé que moi: à malin, malin et demi. J'ai eu ma revanche; à malin, malin et demi.

04 La tête me tourne   *I feel giddy (dizzy)*
J'ai trop dansé, la tête me tourne. La tête me tourne quand je monte sur un toit.

05 Vivre au jour le jour   *To live from hand to mouth*
C'est une famille pauvre qui vit au jour le jour. Je ne fais pas de plans pour l'avenir; je vis au jour le jour.

06 Aller bon train   *To go at a good pace*
Les travaux de construction vont bon train cet été. Le travail va bon train, et le pont est presque fini.

07 Mettre la charrue devant les boeufs   *To put the cart before the horse*
N'allez pas trop vite; ne mettez pas la charrue devant les boeufs. Si vous mettez la charrue devant les boeufs vous serez déçus.

08 Chercher midi à quatorze heures   *To look for difficulties where there are none, to be over-subtle*
Vous perdez votre temps; vous cherchez midi à quatorze heures. Il cherchait midi à quatorze heures; il n'y trouvera rien.

09 Répondre de   *To guarantee, to vouch for something to someone, to answer for*
Écoutez-le, je réponds de son honnêteté. Achetez cet instrument, je peux répondre de sa qualité.

10 Se faire valoir   *To boast oneself, to push oneself forward*
Cet homme se fait trop valoir en compagnie. Tu es trop modeste; tu ne te fais pas assez valoir.

11 Il s'en faut de beaucoup *Far from it*
Il n'y a pas deux mille personnes, il s'en faut de beaucoup. Il ne gagne pas un tel salaire, il s'en faut de beaucoup.

12 Tenir lieu de *To serve for, to take the place of*
Il me tient lieu de père depuis que le mien est mort. Prenez cet imperméable, il vous tiendra lieu de pardessus.

13 Passer par là *To go through it*
C'est dur, mais il faudra passer par là. Il faut passer par là, c'est la loi.

14 Au pis aller *If the worst comes*
Au pis aller, nous nous contenterons de ce salaire. Nous prendrons une barque au lieu d'un yacht, au pis aller.

15 N'y pas regarder de si près *Not to be particular*
Servez-vous encore de ma tondeuse, je n'y regarde pas de si près. Vous lui demanderez plus tard, il n'y regarde pas de si près.

16 Mettre à même de *To enable, to give the possibility to*
Cela vous mettra à même de mieux parler français. Cela me met à même de lui donner une réponse satisfaisante.

17 Avoir l'heur de *To have the pleasure of*
Il ont l'heur de faire une excellent voyage. Je n'ai pas l'heur de vous connaître encore.

18 Être tout en eau *To perspire profusely, to be in a sweat*
Quand je finis ma partie de tennis, je suis tout en eau. Elle est tout en eau chaque fois qu'elle enlève la neige.

19 Être en voie de *To be in the process of (on the way to)*
Après son opération, il est en voie de guérison. Son nouveau commerce est en voie d'expansion.

20 Le jeu n'en vaut pas la chandelle *The game is not worth the candle*
Il y a un risque, mais le jeu en vaut la chandelle. Ne prenez pas de risque, car le jeu n'en vaut pas la chandelle.

EXERCICES DE LA LEÇON 21

. . . .

RÉPONDEZ AUX QUESTIONS SUIVANTES
EN EMPLOYANT LES EXPRESSIONS ÉTUDIÉES

1 A-t-elle mis sa robe à l'envers ce matin?
2 Avez-vous fait faire votre sous-sol par votre voisin?
3 Pourrez-vous lui donner une leçon?
4 Est-ce que la tête vous tourne quelquefois?
5 Est-ce que vous aimez vivre au jour le jour?
6 Quand les travaux de construction finiront-ils?
7 Est-il prudent de mettre la charrue devant les boeufs?
8 Est-ce que je vais trouver un emploi à cet endroit?
9 Est-ce que ce projecteur est garanti?
10 Est-ce que cet artiste se fait assez valoir?
11 Est-il vrai qu'il y a deux mille personnes à cette réunion?
12 Pourquoi demeurez-vous chez votre oncle Antoine?
13 Est-ce qu'il faut absolument signer ce contrat?
14 Que ferez-vous si tous les yachts sont déjà loués?
15 Dois-je lui demander la permission tout de suite?
16 Est-ce que je dois apprendre ces belles expressions?
17 Avez-vous l'heur de les connaître?
18 Pourquoi êtes-vous tout en eau?
19 Est-ce que son commerce va bien?
20 Dois-je prendre ce grand risque ou non?

VOCABULAIRE SPÉCIAL DE CETTE LEÇON

veston — coat, jacket
devoirs — homework
toit — roof
charrue — plough
gagner — to earn
loi — law
tondeuse — lawn-mower
enlever — to remove
sous-sol — basement
louer — to rent, to hire

voisin — neighbour
pardessus — overcoat
avenir — future
déçu — disappointed
imperméable — raincoat
barque — rowing-boat
partie — game
neige — snow
endroit — place
demeurer — to live, to stay

FAITES DES PHRASES ORALES ET ÉCRITES
AVEC LES EXPRESSIONS SUIVANTES

en passer par là — aller bon train — mettre à même de — au pis aller — la tête me tourne — mettre à l'envers — être en eau — tenir lieu de — se faire valoir

01 Une affaire de gros bon sens   *A matter of plain common sense*
Moi, je le crois, car c'est une affaire de gros bon sens. Ne soyez pas si surpris, car c'est une affaire de gros bon sens.

02 Au fil des jours   *Day after day*
Lisez-vous l'article intitulé: Au fil des jours? Il se laisse vivre au fil des jours.

03 De vive voix   *By word of mouth*
Je ne lui écris pas, je le lui dirai de vive voix. Il me l'a dit de vive voix au lieu de me l'écrire.

04 Bête à manger du foin   *Downright fool*
Ne soyez pas surpris, il est bête à manger du foin. Elle est bête à manger du foin quand elle se fâche.

05 Entrer en coup de vent   *To dash in, to rush into*
Il est entré en coup de vent en battant la porte. Il est entré en coup de vent, car son compagnon le menaçait.

06 C'en est fait pour toujours   *There is no more hope*
Vous ne reverrez plus votre adversaire, c'en est fait pour toujours. Après cette discussion, c'en est fait pour toujours de l'amitié.

07 N'avoir rien à cacher   *To have no secrets*
Vous pouvez consulter tous les dossiers, il n'y a rien à cacher. Sa conduite est irréprochable; elle n'a rien à cacher.

08 Mettre à la poste, poster   *To mail*
Va mettre ces lettres à la poste. J'ai oublié de poster ces lettres.

09 Plusieurs d'entre nous   *Many of us*
Plusieurs d'entre nous apprennent le français. Je l'ai dit à plusieurs d'entre nous.

10 De quoi vivre   *Enough to live on*
Ce père de famille gagne tout juste de quoi vivre. Ils sont pauvres; ils n'ont pas de quoi vivre.

11 Être aux trousses de   *To be after, to look for, to run after*
Maman est toujours à mes trousses; je ne suis pas libre. Les policiers sont aux trousses de trois bandits.

12 Ne pas y aller par quatre chemins *Not to beat about the bush*
C'est un homme énergique qui n'y va pas par quatre chemins. Il n'y va pas par quatre chemins; il faut obéir sans répliquer.

13 Faire le point *To determine the position, the examine the situation*
Après toutes ces recherches, il est temps de faire le point. Vous avez discuté assez longtemps, faisons le point.

14 Faire la pluie et le beau temps *To lay down the law, to rule the roost*
C'est une femme énergique qui fait la pluie et le beau temps. C'est lui qui fait la pluie et le beau temps dans cette compagnie.

15 Avoir du pain sur la planche *To have work to do*
J'ai du pain sur la planche pour deux semaines au moins. Il a travaillé toute sa vie, mais il a encore du pain sur la planche.

16 Mettre la puce à l'oreille *To awaken someone's suspicions*
Cette nouvelle du journal m'a mis la puce à l'oreille. Qui vous a mis la puce à l'oreille?

17 Mettre au pied du mur *To demand a yes or no, to drive into a corner*
Il ne voulait pas parler, et ils m'ont mis au pied du mur. Je l'ai mis au pied du mur pour qu'il dise la vérité.

18 Sans tambour ni trompette *Quietly, without fanfare*
Il entre sur la pointe des pieds, sans tambour ni trompette. Ils sont revenus sans tambour ni trompette, après leur défaite.

19 Mettre de l'eau dans son vin *To be less demanding, to draw in one's horns*
À la fin, il a préféré mettre de l'eau dans son vin. Il faudra mettre de l'eau dans votre vin pour vous accorder.

20 Se mettre sur son trente et un *To put on one's Sunday's best rags, to tog oneself up*
Il s'est mis sur son trente et un pour aller au mariage. Il va se mettre sur son trente et un pour ce grand bal.

. . . .

RÉPONDEZ AUX QUESTIONS SUIVANTES
EN EMPLOYANT LES EXPRESSIONS ÉTUDIÉES

1 Croyez-vous ce qu'il a dit hier?
2 Quel article lisez-vous en ce moment?
3 Avez-vous le courage de le lui dire de vive voix?
4 Est-ce qu'il est si bête que cela?
5 Pourquoi est-il entré en coup de vent?
6 Allez-vous conserver son amitié?
7 Pensez-vous qu'elle vous répondra franchement?
8 Les lettres sont-elles encore sur la table?
9 À qui l'avez-vous dit?
10 Est-ce que ce jeune père de famille gagne assez?
11 Cette jeune fille se sent-elle libre?
12 Est-ce que votre professeur est un homme sévère?
13 Est-ce que les discussions sont finies?
14 Qui commande dans cette compagnie?
15 Avez-vous beaucoup de travail à faire cette semaine?
16 Qui vous a mis au pied du mur?
18 A-t-il fait du bruit quand il est entré à minuit?
19 Est-ce que vous pourrez vous accorder sur ce point?
20 A-t-il un habit neuf pour aller à ce bal?

VOCABULAIRE SPÉCIAL DE CETTE LEÇON

intitulé – entitled
bête – silly, stupid
batttre – to slam
gagner – to earn
planche – plank, board
pointe des pieds – tiptoe
accorder – to agree
habit – suit

vivre – to live
se fâcher – to get angry
menacer – to threaten
répliquer – to reply
puce – flea
défaite – defeat, failure
conserver – to keep

FAITES DES PHRASES ORALES ET ÉCRITES
AVEC LES EXPRESSIONS SUIVANTES

faire le point — mettre de l'eau dans son vin — de quoi vivre — mettre au pied du mur — mettre à la poste — au fil des jours — avoir du pain sur la planche — n'avoir rien à cacher — de vive voix — entrer en coup de vent — faire la pluie et le beau temps

01 Battre son plein *To be at its height*
Je suis parti alors que la fête battait son plein. Le concert des fan-
fares battra son plein samedi prochain.

02 Se fendre (mettre) en quatre pour *To do one's utmost for*
Je suis prêt à me fendre en quatre pour leur venir en aide. Je me
suis mis en quatre pour eux, et ils m'insultent.

03 Tomber dans le panneau *To fall into a trap, to be cheated*
J'étais averti, mais je suis tombé dans le panneau quand même. Il
est tombé dans le panneau en dépit de sa prudence.

04 Mener par le bout du nez *To lead by the nose, to dominate*
Il est sans caractère; on peut le mener par le bout du nez. Il ne se
laisse pas mener par le bout du nez.

05 Tirer les vers du nez *To pump someone, to worm secrets out*
Il est très discret, et il faut lui tirer les vers du nez. Il a essayé de
me tirer les vers du nez, mais je me suis tu.

06 Se la couler douce *To take life easily, to enjoy life*
Il se la coule douce depuis qu'il a pris sa retraite. Il retire sa pension de vieillesse et il se la coule douce.

07 Être tout feu tout flammes *To be very enthusiastic*
Au début de l'année, il était tout feu tout flammes. Il était tout
feu tout flammes quand il a commencé à apprendre le français.

08 Donner du fil à retordre *To give a lot of trouble to, to have*
one's work cut out
C'est une classe difficile qui lui donne du fil à retordre. J'ai eu du
fil à retordre avec ces ouvriers-là.

09 À la bonne franquette *Without ceremony, simply*
Il nous a reçus à la bonne franquette. Venez chez moi, nous mangerons à la bonne franquette.

10 Branler dans le manche *To hesitate, to have an insecure position*
Il branle dans le manche; il va changer d'idée. Elle n'est jamais décidée et elle branle dans le manche.

11 Avoir sa marotte *To have a bee in one's bonnet*
Il est très vieux et il a sa marotte. N'essayez pas de lui faire changer d'idée; elle a sa marotte.

12 **Tirer les marrons du feu** *To do the work for someone, to pull the chestnuts out of the fire*
Il est parfois difficile de tirer les marrons du feu pour son ami. Il voudrait que je lui tire les marrons du feu.

13 **Ne pas être dans son assiette** *To be out of sorts, to be in a bad mood*
Ne le taquinez pas, il n'est pas dans son assiette. Elle n'est pas dans son assiette et elle ne parle pas.

14 **Mettre des bâtons dans les roues** *To put a spoke on one's wheel, to throw a monkey-wrench in the works*
Il travaille contre moi et il me met des bâtons dans les roues. Il lui met des bâtons dans les roues, car il est très jaloux.

15 **Avoir le cafard** *To have the blues, to be in the dumps*
Depuis que je demeure ici, j'ai souvent le cafard. Il pleut depuis trois jours, et j'ai le cafard.

16 **Prendre la clef des champs** *To run away, to take to the open, to slip the collar*
Le chien a été battu et il a pris la clef des champs. Le prisonnier s'est évadé; il a pris la clef des champs.

17 **Ménager la chèvre et le chou** *To run with the hare and hunt with the hounds*
Dans une telle circonstance, il faut ménager la chèvre et le chou. Il a voulu ménager la chèvre et le chou en disant cela.

18 **Faire la barbe à** *To put someone in his place, to outwit, to win*
Il est arrivé le premier et il vous fait la barbe encore. Je ne veux pas me faire faire la barbe par ce jeune employé.

19 **Couper la parole** *To interrupt someone*
Il n'est pas poli de couper la parole en compagnie. Elle me coupe toujours la parole; je ne peux rien dire.

20 **Être aux abois** *To be hard pressed (with one's back to the wall)*
Depuis cette failiite, les créanciers sont aux abois. Les employés n'ont pas eu d'augmentation et ils sont aux abois.

RÉPONDEZ AUX QUESTIONS SUIVANTES
EN EMPLOYANT LES EXPRESSIONS ÉTUDIÉES

1 Êtes-vous resté jusqu'à la fin de la cérémonie?
2 Êtes-vous prêt à vous fendre en quatre pour eux?
3 Est-ce qu'il s'est montré très prudent?
4 Est-il facile de le mener par le bout du nez?
5 A-t-il essayé de vous tirer les vers du nez?
6 Que fait-il depuis qu'il est à sa retraite?
7 Était-il enthousiaste au début de son cours de français?
8 Est-ce qu'il a une classe difficile cette année?
9 Vous a-t-il reçus avec beaucoup de cérémonie?
10 A-t-il pris une décision finale?
11 A-t-il une marotte bien spéciale?
12 Êtes-vous prêt à lui tirer les marrons du feu?
13 Votre soeur est-elle dans son assiette ce matin?
14 Pourquoi lui met-il des bâtons dans les roues?
15 Je crois que vous avez le cafard. Pourquoi?
16 Où est le chien, on ne le voit pas?
17 Pourquoi a-t-il parlé ainsi à ses partenaires?
18 A-t-il essayé de vous faire la barbe? Comment?
19 Avez-vous dit ce que vous vouliez dire?
20 Pourquoi les employés sont-ils aux abois?

VOCABULAIRE SPÉCIAL DE CETTE LEÇON

fanfare — band
avertir — to warn
se taire — to keep silent
début — beginning
manche — handle
demeurer — to live
s'évader — to escape
créancier — creditor

fendre — to split
quand même — all the same
vieillesse — old age
fil — thread
taquiner — to tease
battre — to hit, to beat
faillite — bankruptcy
augmentation — increase

FAITES DES PHRASES ORALES ET ÉCRITES
AVEC LES EXPRESSIONS SUIVANTES

à la bonne franquette — avoir le cafard — être aux abois — se la couler douce — battre son plein — branler dans le manche — faire la barbe à — couper la parole — tirer les vers du nez

Leçon 24

01 Faire amende honorable *To make amends, to apologize*
Il est venu s'excuser et faire amende honorable. Elle a refusé de faire amende honorable à sa voisine.

02 Manger son blé en herbe *To spend before getting, to anticipate one's income*
Il ne pense pas assez à son avenir; il mange son blé en herbe. Il n'a plus rien, car il a toujours mangé son blé en herbe.

03 Revenir bredouille *To come home empty-handed*
Je suis allé à la chasse, mais je suis revenu bredouille. Je voulais la convaincre, mais je suis revenu bredouille.

04 De but en blanc *Point-blank, directly*
Sans même regarder, il a tiré de but en blanc. Je suis resté surpris, car il m'a fait une offre de but en blanc.

05 Rabattre le caquet *To shut someone up, to make someone sing small*
Il est un peu effronté, il faut lui rabattre le caquet. Comme il voulait m'insulter, je lui ai rabattu le caquet.

06 Prendre la poudre d'escampette *To take a powder, to escape*
Quand il a vu son père avec un bâton, il a pris la poudre d'escampette. Il est très peureux, et il prend facilement la poudre d'escampette.

07 Faire (bâtir) des châteaux en Espagne *To build castles in the air*
Il est toujours à faire des châteaux en Espagne. Il bâtit des châteaux en Espagne, puis il est déçu.

08 Être en quête de *To be looking for, to fish for*
Elle est souvent en quête de compliments. Je suis en quête de pétitions pour cette organisation.

09 Avoir l'étoffe de *To have the makings of, to be cut out for*
Il y a en lui l'étoffe d'un bon romancier. Je n'ai pas l'étoffe d'un pilote d'avion.

10 Tourner autour du pot *To beat about the bush, to hesitate*
Décidez-vous; vous tournez toujours autour du pot. Elle tourne autour du pot et ne se décide jamais.

11 Pousser à bout   *To drive to extremities, to exasperate*
Poussé à bout, le peuple se révolte contre le régime. Je me suis fâché parce qu'il m'a poussé à bout.

12 Faire à dessein   *To do intentionally (on purpose)*
Je l'ai peut-être insulté, mais je ne l'ai pas fait à dessein. Je ne crois pas qu'elle l'ait fait à dessein.

13 Piquer au vif   *To cut to the quick*
Avec cette remarque il l'a piquée au vif. Il est piqué au vif dès qu'on parle de son gros nez.

14 Au demeurant   *After all, on the whole*
Au demeurant, on pourrait prendre une autre décision. Je crois que c'est une excellente idée, au demeurant.

15 Au premier (de prime) abord   *At first sight, to begin with*
Au premier abord, c'est une personne un peu froide. Il ne faut pas la juger de prime abord.

16 À la barbe de   *Under the nose of, in the face of*
Il a décidé de le faire à la barbe de tout le monde. Elle a fait cela à la barbe du professeur.

17 Cela me dépasse!   *That's beyond me!*
J'ai vu bien des choses, mais cela me dépasse!   Je l'ai lu dans les journaux, et cela me dépasse!

18 Être bien mis   *To be well dressed*
Avez-vous remarqué? elle est toujours bien mise. Ce jeune homme est toujours bien mis pour venir à l'école.

19 Faire de la réclame   *To advertise*
Ils ont fait beaucoup de réclame pour ce nouveau produit. On fait beaucoup de réclame dans tous les journaux.

20 Fichez-moi la paix!   *Leave me in peace!, go away!*
Fichez-moi la paix avec toutes vos histoires! Je lui ai dit de me ficher la paix une fois pour toutes.

RÉPONDEZ AUX QUESTIONS SUIVANTES
EN EMPLOYANT LES EXPRESSIONS ÉTUDIÉES

1   Est-il venu s'excuser?
2   Comment se fait-il? Il n'a jamais d'argent?
3   Êtes-vous allé à la chasse cette semaine?
4   Vous a-t-il fait une offre raisonnable?
5   Trouvez-vous qu'il est un peu effronté?
6   Pourquoi a-t-il pris la poudre d'escampette?
7   Pourquoi est-il si souvent déçu?
8   Êtes-vous en quête de quelque chose?
9   A-t-il l'étoffe nécessaire pour faire un bon ministre?
10   Pourquoi tournez-vous toujours autour du pot?
11   Pourquoi vous êtes-vous fâché?
12   Est-ce que vous l'avez vraiment insulté?
13   Elle semble être piquée au vif. Savez-vous pourquoi?
14   Est-ce que c'est une bonne idée?
15   Est-ce qu'il faut la juger au premier abord?
16   L'a-t-elle fait à la barbe du professeur?
17   Êtes-vous surpris de cette nouvelle?
18   Est-ce que le patron est toujours bien mis?
19   Ont-ils fait de la réclame pour votre livre?
20   Qu'avez-vous dit à cet importun?

VOCABULAIRE SPÉCIAL DE CETTE LEÇON

voisin – neighbour
avenir – future
convaincre – to convince
effronté – shameless, impudent
déçu – disappointed
prendre – to take
importun – intruder, dun, bore

blé – wheat
chasse – hunting
tirer – to shoot, to fire
peureux – fearful
romancier – novelist
patron – boss, manager

FAITES DES PHRASES ORALES ET ÉCRITES
AVEC LES EXPRESSIONS SUIVANTES

faire de la réclame – être bien mis – être piqué au vif – de but en blanc –
revenir bredouille – être en quête de – avoir l'étoffe de – pousser à bout –
faire à dessein

Leçon 25

01 Mettre au ban *To banish, to expel*
Après sa révolte, il a été mis au ban de la société. Ce ministre a été mis au ban par le Premier Ministre.

02 Être sur le tas *To be at work*
Il est très zélé et il est toujours sur le tas. Les employés sont sur le tas; ils ne chôment pas.

03 Montrer patte blanche *To show one's credentials, to give some guarantees*
Avant d'être accepté, il a dû montrer patte blanche. J'ai montré patte blanche, et l'on m'a accepté au sein du groupe.

04 À brûle-pourpoint *Point-blank, directly*
Il m'a posé une question à brûle-pourpoint. Il a tiré à brûle-pourpoint, sans même réfléchir.

05 Poule mouillée *Softy, milksop, chicken*
Il ne prend aucun risque, car c'est une poule mouillée. C'est une poule mouillée qui a peur de son ombre.

06 Dur à cuire *Hardened sinner, tough guy*
C'est un dur à cuire que la police surveille de près. Il s'est évadé de la prison, c'est un dur à cuire.

07 Suer sang et eau *To sweat blood, to toil and moil*
C'était trop difficile, j'ai sué sang et eau. Si vous acceptez de le faire, il faudra suer sang et eau.

08 Se remettre au beau *To be clearing up again*
Après une semaine de pluie, le temps se remet au beau. Le temps va se remettre au beau pour le week-end.

09 En dernier ressort *As a last resort, without appeal*
Ils ont prononcé un jugement en dernier ressort. En dernier ressort, ils ont décidé d'attendre un mois.

10 Fausser compagnie *To give someone the slip, to leave*
Pendant la réunion, elle m'a faussé compagnie. Il m'a faussé compagnie, et puis il est disparu pour la journée.

11 **Faire trop d'histoires** *To make too much fuss, to raise difficulties*
Vous faites trop d'histoires pour rien. Elle fait trop d'histoires quand on lui demande un service.

12 **Ne savoir où donner de la tête** *Not to know where to begin, not to know what to do*
Aujourd'hui, je ne sais où donner de la tête. Elle est si occupée qu'elle ne sait où donner de la tête.

13 **Mettre le couvert** *To set (lay) the table*
C'est ma soeur qui a mis le couvert ce midi. Il n'a pas eu le temps de mettre le couvert.

14 **Vieux garçon** *Bachelor*
À 35 ans, il est encore vieux garçon. C'est un vieux garçon qui a beaucoup d'argent.

15 **C'est à mourir de rire** *It's simply killing*
Quand il raconte des farces, c'est à mourir de rire. C'est un homme bien drôle; avec lui, c'est à mourir de rire.

16 **Se piquer de** *To pride oneself*
Elle se pique de bien parler quand elle est en compagnie. Il se pique de bien prononcer quand il parle à la radio.

17 **Se faire un devoir de** *To make it a point to*
Je me ferai un devoir de vous le dire à temps. Elle s'est fait un devoir de venir me visiter à l'hôpital.

18 **En prendre et en laisser** *To take with a grain of salt*
Il n'est pas très appliqué; il en prend et en laisse. Il faut en prendre et en laisser, car ce n'est pas sérieux.

19 **N'avoir que faire de** *To have no need of, not to need*
Je n'ai que faire de vos conseils. Nous n'avons que faire de tous ces cadeaux d'anniversaire.

20 **Qu'est-ce qui vous prend?** *What is matter with you?*
Vous semblez fâché contre moi; qu'est-ce qui vous prend? Vous êtes triste; qu'est-ce qui vous prend?

EXERCICES DE LA LEÇON 25

RÉPONDEZ AUX QUESTIONS SUIVANTES EN EMPLOYANT LES EXPRESSIONS ÉTUDIÉES

1 Pourquoi le Premier Ministre l'a-t-il mis au ban?
2 Où est-il en ce moment?
3 Êtes-vous devenu membre de cette organisation?
4 Pourquoi n'avez-vous pas répondu à sa question?
5 Est-ce qu'il prend souvent des risques?
6 Pourquoi est-il surveillé par la police?
7 Est-ce que je dois accepter de faire ce travail?
8 Fera-t-il beau demain?
9 En dernier ressort, qu'ont-ils décidé de faire?
10 Quand vous a-t-il faussé compagnie?
11 Lui demandez-vous souvent des services?
12 Avez-vous beaucoup de travail à faire cette semaine?
13 Qui va mettre le couvert pour le banquet?
14 Cet homme-là est-il très riche?
15 Est-ce que vous aimez la compagnie de cet homme-là?
16 Est-ce qu'on la comprend quand elle parle français?
17 Vous a-t-elle rendu visite quand vous étiez à l'hôpital?
18 Est-ce une personne très consciencieuse?
19 Puis-je vous donner un bon conseil?
20 Qu'est-ce qui vous a pris hier soir, pendant la réunion?

VOCABULAIRE SPÉCIAL DE CETTE LEÇON

comme d'habitude — as usual
selon moi — according to me
tirer — to fire, to shoot
cuire — to cook
de près — closely
suer — to sweat
farce — joke
conseil — advice

anguille — eel
poser — to ask
ombre — shade
surveiller — to watch
s'évader — to escape
pluie — rain
drôle — funny
cadeau — gift

FAITES DES PHRASES ORALES ET ÉCRITES AVEC LES EXPRESSIONS SUIVANTES

suer sang et eau — se faire un devoir de — mettre le couvert — c'est un dur à cuire — fausser compagnie — c'est à mourir de rire — à brûle-pourpoint — en dernier ressort — faire trop d'histoires

01 Être au bout du fil   *To be on the phone (line)*
Qui est au bout du fil, s'il vous plaît? Il y a toujours quelqu'un
au bout du fil.

02 Mettre à jour   *To bring to light, to discover*
Ils ont mis à jour un important complot. C'est un scandale qu'ils
ont réussi à mettre à jour.

03 Faire son affaire   *To suit oneself*
Je vais acheter celui-ci; cela fera mon affaire. Si cela fait votre affaire, je vais vous le prêter.

04 Se faire à   *To get used to*
Le climat est dur, mais vous vous y ferez avec le temps. Il est difficile de se faire à cette nouvelle méthode.

05 À la pointe du jour   *At daybreak*
Nous nous sommes levés à la pointe du jour pour aller à la pêche.
À la pointe du jour, je fais parfois une courte promenade.

06 Pousser une pointe jusqu'à   *To go to (as far as)*
Nous avons poussé une pointe jusqu'à Maniwaki. En visitant la
Gaspésie, nous avons poussé une pointe jusqu'au Nouveau-
Brunswick.

07 Tout contre   *Close by*
Voyez, sa maison est située tout contre. Ce n'est pas tellement
loin; c'est tout contre.

08 Faire un pied de nez à   *To thumb one's nose at*
Il était fâché et il m'a fait un pied de nez. Elle me fait des pieds
de nez pour m'agacer.

09 Prendre du ventre   *To grow stout*
Avec l'âge, il prend du ventre. Comme il prend du ventre, le médecin lui a conseillé la marche.

10 Couler à pic   *To sink like a stone*
Après cette collision, le navire a coulé à pic. Leur barque a chavi-
ré, et les trois jeunes ont coulé à pic.

11 **Faire mourir à petit feu** *To kill someone by inches, to keep someone on tenter-hooks*
Avec vos scandales, vous allez me faire mourir à petit feu. Vous me faites mourir à petit feu; ayez pitié de moi.

12 **Être dans la manche de quelqu'un** *To enjoy the protection of someone*
Cet employé est dans la manche du patron. Je crois qu'elle est dans la manche du vice-président.

13 **Prendre feu** *To catch fire*
Elle s'est approchée du brasier, et sa robe a pris feu. Ses cheveux ont pris feu quand elle s'est penchée sur la chandelle.

14 **À bâtons rompus** *Without method, by fits and starts*
C'est un inconstant qui travaille à bâtons rompus. C'est un discours préparé à bâtons rompus, comme d'habitude.

15 **Monter un bateau à** *To pull someone's leg*
Elle a essayé de me monter un bateau pour me convaincre. Je vais lui monter un bateau, si elle vient me voir.

16 **Tout un chacun** *Anybody and everybody*
Elle se laisse courtiser par tout un chacun. Tout un chacun peut y mettre son mot.

17 **Se prendre aux cheveux** *To come to blows*
À la fin de la discussion, elles se sont prises aux cheveux. Elles se sont fâchées, et puis elles se sont prises aux cheveux.

18 **Avoir mal aux cheveux** *To have a hangover*
J'ai trop bu hier soir; j'ai mal aux cheveux ce matin. Je sais pourquoi vous avez mal aux cheveux chaque lundi matin.

19 **Quelle barbe!** *What a nuisance!*
Encore une leçon à étudier? Quelle barbe! Je dois recommencer ce travail; quelle barbe!

20 **Prendre la parole** *To speak, to say a few words*
Il a pris la parole à la fin de la réunion. Elle a l'intention de prendre la parole pendant le banquet.

EXERCICES DE LA LEÇON 26

. . . .

RÉPONDEZ AUX QUESTIONS SUIVANTES
EN EMPLOYANT LES EXPRESSIONS ÉTUDIÉES

1 Qui était au bout du fil quand j'ai appelé?
2 Qu'est-ce que les policiers ont mis à jour?
3 Est-ce que cet appareil de télévision fera votre affaire?
4 Est-ce que vous aimez cette nouvelle méthode de français?
5 Quand vous êtes-vous levés hier matin?
6 Avez-vous visité la Gaspésie?
7 Où est cette maison?
8 Pourquoi vous a-t-il fait un pied de nez?
9 Pourquoi suit-il un régime assez sévère?
10 Quand le bateau a-t-il coulé à pic?
11 Comment l'ont-ils fait mourir à petit feu?
12 Pourquoi a-t-il obtenu cet emploi de confiance?
13 Quand le feu a-t-il pris à ses cheveux?
14 Avez-vous aimé le discours de ce candidat?
15 A-t-il essayé de vous monter un bateau?
16 Qui a le droit de parler dans ces réunions?
17 Comment cette vive discussion a-t-elle fini?
18 Pourquoi a-t-il mal aux cheveux ce matin?
19 Est-ce que vous aimez recommencer ce travail?
20 Qui a pris la parole pendant cette réunion du comité?

VOCABULAIRE SPÉCIAL DE CETTE LEÇON

fil — thread, wire
réussir — to succeed
pêche — fishing
salut — salvation
ventre — belly, stomach, abdomen
marche — walking
barque — rowing-boat
manche — sleeve
pencher — to lean
appareil — set

complot — plot
prêter — to lend
parfois — sometimes
agacer — to tease, to irritate
conseiller — to advise
navire — boat, steamer
chavirer — to capsize
brasier — fire
suivre un régime — to be on a diet
vif — alive, violent

FAITES DES PHRASES ORALES ET ÉCRITES
AVEC LES EXPRESSIONS SUIVANTES

prendre la parole — monter un bateau à — prendre du ventre — être au bout
du fil — faire un pied de nez à — couler à pic — pousser une pointe jusqu'à —
à la pointe du jour — mettre à jour

Leçon 27

01 Faire un bleu   *To bruise*
Il m'a serré si fort qu'il m'a fait un bleu sur le bras. Il m'a fait un bleu sur la joue lorsqu'il m'a frappé avec le coude.

02 Brasser des affaires   *To handle a lot of business*
C'est un jeune homme qui brasse beaucoup d'affaires. Il brasse des affaires et fait beaucoup d'argent.

03 Espèce d'idiot (d'imbécile)!   *You idiot (fool)!*
Tu aurais pu me le dire plus tôt, espèce d'idiot! Quelle espèce d'imbécile! il n'a pas accepté mes excuses.

04 Respirer à pleins poumons   *To draw a deep breath, to breathe deeply*
Le médecin m'a dit de respirer à pleins poumons. Quand l'air est frais, je respire à pleins poumons.

05 Être à bout de   *To be exhausted, to have no more patience*
Après cette longue course, je suis à bout de souffle. J'ai trop travaillé cette semaine, je suis rendu à bout.

06 Il vous en cuira   *You will be sorry, you will regret it*
Si vous n'acceptez pas cette offre, il vous en cuira! Je crois qu'il vous en cuira, si vous attendez trop pour le faire.

07 Entrer dans le vif de la question   *To get to the heart of the matter*
Après ces explications, entrons dans le vif de la question. J'entre dans le vif de la question, car nous avons assez discuté.

08 De bout en bout   *From end to end, throughout*
J'ai visité le pays de bout en bout. Le clou a traversé la planche de bout en bout.

09 Pas piqué des vers   *First-rate, first-class*
Votre réponse n'est pas piquée des vers. C'est une invention qui n'est pas piquée des vers.

10 Bon sang de bon sang!   *My word!, you don't say, is it possible?*
Je n'ai jamais rien vu de pareil, bon sang de bon sang! Bon sang de bon sang! allez-vous finir par comprendre?

11 **Être du ressort de**   *To be within the competence of*
Cela n'est pas du ressort du gouvernement fédéral. Je ne peux rien y faire, ce n'est pas de mon ressort.

12 **Avoir des histoires avec**   *To have trouble with*
J'ai eu bien des histoires avec ce vendeur. Évitez sa compagnie, si vous ne voulez pas avoir des histoires.

13 **Faire des façons**   *To stand on ceremony, to make a fuss*
Elle en fait des façons pour une si petite affaire! Il fait des façons pour tout et pour rien.

14 **Histoire de**   *Just, only*
Il est sorti un peu, histoire de prendre l'air frais du matin. Je vous en dis un mot, histoire de vous raconter ce qui s'est passé.

15 **Mener une vie de galérien (de chien)**   *To lead a dog's life*
Depuis qu'il travaille là, il mène une vraie vie de galérien. Avec une telle femme, cet homme mène une vie de chien.

16 **Faire des fredaines**   *To sow one's wild oats*
Dans sa jeunesse, il a fait bien des fredaines. Il regrette beaucoup toutes les fredaines qu'il a faites pendant sa jeunesse.

17 **À peu de frais**   *At little cost, cheaply*
Vous pourrez l'avoir à peu de frais; c'est une aubaine! Il a eu un accident, mais il s'en est tiré à peu de frais.

18 **Frais et dispos**   *Hale and hearty, as fresh as a daisy*
Ce matin, je me sens frais et dispos pour mon travail. Je suis revenu de mes vacances frais et dispos.

19 **Faire piètre figure**   *To cut a sorry figure, to do very poorly*
Elle a fait bien piètre figure aux examens finals. Au concert de piano, elle a fait piètre figure.

20 **Faire un peu d'extra**   *To do things better than usual*
Pour ton anniversaire, nous ferons un peu d'extra. Lors du prochain voyage, nous ferons un peu d'extra.

EXERCICES DE LA LEÇON 27

. . . .

RÉPONDEZ AUX QUESTIONS SUIVANTES
EN EMPLOYANT LES EXPRESSIONS ÉTUDIÉES

1 Qui vous a fait ce bleu sur le bras gauche?
2 Est-ce que ce jeune homme fait beaucoup d'argent?
3 A-t-il accepté vos excuses? Que lui avez-vous dit alors?
4 Que faites-vous, le matin, quand l'air est frais?
5 Pourquoi semblez-vous rendu à bout de force?
6 Est-ce que je dois accepter son offre?
7 Qu'est-ce qu'ils attendent pour entrer dans le vif de la question?
8 Avez-vous visité tout le Canada?
9 Êtes-vous satisfait de sa réponse?
10 Avez-vous déjà vu une chose pareille?
11 Est-ce que cela est de votre ressort, mon cher monsieur?
12 Avez-vous déjà eu des histoires avec cet individu?
13 Est-ce que cela lui plaira?
14 Pouvez-vous me dire ce qui s'est passé là hier soir?
15 Est-ce que cet homme est heureux avec sa nouvelle femme?
16 Pourquoi cet homme est-il devenu plus sérieux?
17 Est-ce que cet accident lui a coûté cher?
18 Comment vous sentez-vous après vos vacances annuelles?
19 Est-ce qu'elle a fait une bonne figure aux examens de fin d'année?
20 Qu'est-ce qu'il y aura de spécial pour votre anniversaire?

VOCABULAIRE SPÉCIAL DE CETTE LEÇON

serrer — to squeeze
coude — elbow
plus tôt — sooner
course — race
planche — board, plank
pareil — similar, like that
frais — expense
se tirer de — to get out of
bras gauche — left arm
heureux — happy

frapper — to hit, to strike
brasser — to stir, to brew
poumon — lung
clou — nail
ver — worm
jeunesse — youth
aubaine — bargain
piètre — poor, pitiful
se passer — to happen, to occur
devenir — to become

FAITES DES PHRASES ORALES ET ÉCRITES
AVEC LES EXPRESSIONS SUIVANTES

frais et dispos — à peu de frais — être à bout — histoire de — de bout en bout — pas piqué des vers — brasser des affaires — être du ressort de — respirer à pleins poumons

01 En dernière analyse *To sum up, all things considered*
En dernière analyse, je crois que le patron a raison. Il faudra approuver ces plans, en dernière analyse.

02 Abonder dans le sens de *To agree with*
Vous avez très bien parlé, et j'abonde dans votre sens. Il a bien exposé le cas, et j'abonde dans son sens.

03 Comment vont les affaires? *How is business?*
En me voyant, il m'a demandé: «Comment vont les affaires?» Il m'a demandé comment allaient mes affaires.

04 Qu'est-ce que vous chantez là? *What are you talking about?*
Qu'est-ce que vous chantez là? Je n'y comprends rien. Je n'entends pas bien; qu'est-ce que vous chantez là?

05 Bon débarras! *Good riddance! Finally!*
Cette famille a laissé notre quartier; bon débarras! Quand j'ai vu qu'il était parti, j'ai dit: Bon débarras!

06 Avoir le mot pour rire *To be a cheerful soul, to have a good sense of humour*
Sa compagnie est agréable; il a toujours le mot pour rire. Vous avez toujours le mot pour rire.

07 À deux doigts de la mort *On the verge of death*
Dans cet accident, elle a passé à deux doigts de la mort. J'ai été à deux doigts de la mort lors de cette opération grave.

08 Se mettre le doigt dans l'oeil *To be entirely mistaken*
Je regrette, mais vous vous êtes mis le doigt dans l'oeil. Je me suis mis le doigt dans l'oeil sans trop m'en apercevoir.

09 Un bon bout de chemin *A good way, a long way*
Depuis ce matin, nous avons parcouru un bon bout de chemin. Depuis sa sortie du collège, il a fait un bon bout de chemin.

10 Perdre la boussole *To lose one's head*
Quand il s'énerve, il perd la boussole. Dans cette discussion, il a complètement perdu la boussole.

11 Sans coup férir *Without striking a blow, without firing a shot*
Ils ont occupé le fort, sans coup férir. Sans coup férir, les troupes ont pris la ville.

12 Attendre de pied ferme   *To wait resolutely for*
S'il vient me voir pour cela, je l'attendrai de pied ferme. La police l'attend de pied ferme à la frontière.

13 Ce n'est pas fameux   *It is not up to much, it is disappointing*
Je suis allé voir cette pièce, mais ce n'est pas fameux! Ce n'est pas fameux comme la chanson de nouvelle vague.

14 Gagner haut la main   *To win easily (hands down)*
Dans cette joute, les Canadiens ont gagné haut la main. Lors des Jeux olympiques, l'équipe russe a gagné haut la main.

15 À la légère   *Without due consideration, lightly*
Comme d'habitude, elle a pris une décision à la légère. Dans cette situation, il s'est conduit à la légère.

16 Tenir compte de   *To take into account, to consider*
Il a tenu compte de tous les détails. Il faut tenir compte de la situation présente.

17 Jusqu'à concurrence de   *To the amount of, not exceeding*
Je lui ferai un prêt jusqu'à concurrence de mille dollars. Jusqu'à concurrence de cent personnes, ce sera raisonnable.

18 Pour copie conforme   *Certified true copy*
Je vous envoie ce duplicata pour copie conforme. À la fin du document, j'ai écrit: Pour copie conforme.

19 En connaissance de cause   *Advisedly, with full knowledge of the facts*
Je sais qu'il a agi en connaissance de cause. Il a pris cette décision en connaissance de cause.

20 Par le temps qui court   *Nowadays, as things are at present*
Par le temps qui court, il y a beaucoup de chômeurs. Le coût de la vie augmente par le temps qui court.

. . . .

RÉPONDEZ AUX QUESTIONS SUIVANTES
EN EMPLOYANT LES EXPRESSIONS ÉTUDIÉES

1   En dernière analyse, qui a raison?
2   Est-ce que vous abondez dans son sens?
3   Que vous a-t-il demandé en vous voyant?
4   Que lui avez-vous dit?
5   Avez-vous regretté son départ?
6   Aimez-vous la compagnie de cet homme?
7   A-t-elle été blessée dans cet accident?
8   Pourquoi vous êtes-vous mis le doigt dans l'oeil?
9   Combien de milles avons-nous parcouru depuis ce matin?
10 Votre ami a-t-il pris part à la discussion?
11 Ont-ils eu de la difficulté à occuper le fort ennemi?
12 Est-ce que la police l'attend de pied ferme?
13 Êtes-vous allé voir cette nouvelle pièce de théâtre?
14 Qui a gagné cette partie de hockey?
15 A-t-elle bien réfléchi avant de prendre sa décision?
16 De quoi faut-il tenir compte?
17 Avez-vous l'intention de lui accorder un prêt?
18 Qu'avez-vous écrit à la fin du document?
19 A-t-il pris cette décision à la légère?
20 Est-ce que le coût de la vie augmente au Canada?

VOCABULAIRE SPÉCIAL DE CETTE LEÇON

patron — manager, boss
laisser — to quit, to leave
oeil — eye
bout — piece
parcourir — to travel, to cover
boussole — compass
pièce — play, drama
joute — game
équipe — team
prêt — loan
agir — to act
coût — price, cost

entendre — to hear
quartier — district, area
s'apercevoir — to realize
sortie — departure, exit
s'énerver — to get excited, upset
frontière — border
chanson — song
lors de — at the time of
se conduire — to behave
envoyer — to send
chômeur — jobless
augmenter — to increase, to go up

FAITES DES PHRASES ORALES ET ÉCRITES
AVEC LES EXPRESSIONS SUIVANTES

tenir compte de — en connaissance de cause — à la légère — bon débarras! —
ce n'est pas fameux! — gagner haut la main — pour copie conforme — perdre
la boussole — un bon bout de chemin

Leçon 29

01 Serrer une question de près   *To examine a question closely*
Dans cette discussion, ils ont serré la question de près. Ne perdons pas temps, serrons la question de près.

02 Se mouiller la luette   *To wet one's whistle*
Il fait très chaud, et je veux me mouiller la luette. Avez-vous un bon verre d'eau pour me mouiller la luette?

03 Une vraie pétaudière   *Ill-kept house (class), bear-garden*
Avec ce jeune professeur, cette classe est une vraie pétaudière. Le directeur visite souvent cette classe, car c'est une vraie pétaudière.

04 Se payer une pinte de bon sang   *To have a good time*
Pendant ce beau film, je me suis payé une pinte de bon sang. En son agréable compagnie, vous vous paierez une pinte de bon sang.

05 Drôle de pistolet   *Queer fish, strange type*
Je ne comprends pas cet individu; c'est un drôle de pistolet! C'est un élève très intelligent, mais c'est un drôle de pistolet!

06 Défense de passer sous peine d'amende   *Trespassers will be prosecuted*
C'est une propriété privée, c'est écrit: Défense de passer sous peine d'amende! Mettez un avis: Défense de passer sous peine d'amende.

07 Tu parles d'une chance!   *Talk about luck!*
J'ai gagné la maison modèle; tu parles d'une chance! Elle a gagné le gros lot; tu parles d'une chance!

08 Prêcher d'exemple   *To set example*
Quand on occupe un poste de commande, il faut prêcher d'exemple. Il prêche toujours d'exemple, et on le respecte.

09 Au préalable   *First of all, to begin with, beforehand*
Il faudra, au préalable, établir toutes vos conditions. Au préalable, nous devons fixer l'endroit de la réunion.

10 Advienne que pourra   *Come what may*
Je vais faire mon possible et puis, advienne que pourra! Advienne que pourra, je lui cède ma place.

11 **Sauve qui peut!** *Every man for himself!*
Notre barque va chavirer: sauve qui peut! Le capitaine du bateau a crié: «Sauve qui peut!»

12 **Je n'y puis rien** *I cannot help it, nothing can be done about it*
Vous me demandez conseil, mais je n'y puis rien. Je regrette beaucoup, mais je n'y puis rien.

13 **Dans la mesure du possible** *As far as possible*
Je vous aiderai dans la mesure du possible. Allez la voir; elle vous aidera dans la mesure du possible.

14 **Se porter somme un charme** *To enjoy the best of health, to be as fit as a fiddle*
Elle est très vieille, mais elle se porte comme un charme. Il se porte comme un charme, et je le croyais très malade.

15 **La nuit porte conseil** *Seek counsel from your pillow*
Attendez à demain, car la nuit porte conseil. La nuit porte conseil; vous me donnerez une réponse demain.

16 **Être bien portant** *To be in good health*
Il est bien portant depuis sa crise cardiaque. Elle a subi une opération; maintenant, elle est bien portante.

17 **Poisson d'avril!** *April fools' day*
Elle m'a téléphoné le 1er avril, et je lui ai dit: Poisson d'avril! Connaissez-vous la tradition du poisson d'avril?

18 **La Fête du Travail** *Labour Day*
C'est aujourd'hui la Fête du Travail au Canada. La Fête du Travail est toujours le premier lundi de septembre.

19 **Jour d'action de grâce** *Thanksgiving Day*
Nous avons congé le Jour d'action de grâce. Le Jour d'action de grâce tombe toujours le deuxième lundi d'octobre.

20 **Faire une mise au point** *To make a rectification*
Il faut faire une mise au point avant de commencer la réunion. J'ai fait une mise au point, et puis nous avons discuté.

. . . .

RÉPONDEZ AUX QUESTIONS SUIVANTES
EN EMPLOYANT LES EXPRESSIONS ÉTUDIÉES

1 Est-ce qu'ils ont serré la question de près?
2 Pourquoi voulez-vous un bon verre de bière?
3 Est-ce que ce jeune professeur a beaucoup de discipline?
4 Avez-vous aimé votre soirée chez lui?
5 Comprenez-vous cet individu qui parle toujours?
6 Que dit cet avis écrit en français?
7 Qui a gagné la maison modèle à l'Exposition?
8 Est-ce que le patron prêche toujours d'exemple?
9 Au préalable, qu'est-ce qu'il faut fixer?
10 Qui va prendre votre place?
11 Qu'est-ce que le capitaine du bateau a dit?
12 Est-ce que vous pouvez m'aider un peu?
13 Pensez-vous qu'elle pourra m'aider, si je vais la voir?
14 Comment se porte votre vieille mère?
15 Vous a-t-il dit d'attendre à demain?
16 Comment va-t-il depuis sa crise cardiaque?
17 Que lui avez-vous dit au téléphone, le 1er avril?
18 Quand est la Fête du Travail en Amérique du Nord?
19 Avez-vous travaillé le jour d'Action de grâce?
20 Avez-vous l'intention de faire une mise au point?

VOCABULAIRE SPÉCIAL DE CETTE LEÇON

serrer — to squeeze
luette — uvula
sang — blood
amende — fine, penalty
gagner — to win
endroit — place, spot
barque — rowing-boat
conseil — advice
crise cardiaque — heart attack
congé — holiday, a day off

mouiller — to wet
cour — court
drôle — strange
avis — notice
gros lot — jackpot
céder — to give, to yield
chavirer — to capsize, to turn over
vieille — old
suivre un régime — to be on a diet
réunion — meeting

FAITES DES PHRASES ORALES ET ÉCRITES
AVEC LES EXPRESSIONS SUIVANTES

être bien portant — faire une mise au point — au préalable — la nuit porte conseil — je n'y puis rien — se mouiller la luette — se porter comme un charme — advienne que pourra

Leçon 30

01 Être en butte à   *To be exposed to, to be the object of*
Elle est en butte à beaucoup de difficultés comme veuve. Depuis ce scandale, il est en butte au ridicule de ses collègues.

02 Passer un mauvais quart d'heure   *To have a trying moment*
Cette panne de moteur m'a fait passer un mauvais quart d'heure. J'ai passé un mauvais quart d'heure au bureau du patron.

03 En qualité de   *In the capacity of*
Il a accompagné le président en qualité de conseiller technique. Il est membre de la délégation en sa qualité de conseiller.

04 N'avoir rien en propre   *To possess nothing of one's own*
Quand il est mort, il n'avait rien en propre. C'est un pauvre diable qui n'a rien en propre.

05 Envoyer quelqu'un se promener   *To send someone on his way*
Comme il m'ennuyait, je l'ai envoyé promener. Comme j'insistais beaucoup, il m'a envoyé promener.

06 Couper l'herbe sous les pieds   *To cut the ground from under one's feet*
Comme il est jaloux, il essaie de me couper l'herbe sous les pieds. Elle m'a coupé l'herbe sous les pieds, mais elle le regrettera.

07 Prendre un mauvais pli   *To form a bad habit*
Je suis inquiète, car cet enfant prend un mauvais pli. Les enfants prennent un mauvais pli, car le père est toujours malade.

08 Battre à plate couture   *To beat hollow*
Mon équipe a été battue à plate couture, hier soir. Je me suis fait battre à plate couture, malgré mes efforts.

09 Tenir le haut du pavé   *To be the big man, to be one of the upper crust, to dominate*
Dans la discussion, c'est lui qui tient le haut du pavé. Il aime beaucoup tenir le haut du pavé dans les réunions.

10 Avoir maille à partir   *To have a bone to pick with, to have a hard time to*
J'ai eu maille à partir avec mon patron. Soyez prudent, car vous aurez maille à partir avec le gérant.

11 C'est de l'or en barre   *It is as good as ready money*
Acceptez cette offre, c'est de l'or en barre. N'ayez crainte de vous tromper, c'est de l'or en barre.

12 Ne pas faire vieux os   *Not to live long, not to make old bones*
Le médecin m'a dit qu'il ne ferait pas vieux os. Après cette rechute, elle ne fera pas vieux os.

13 Passer une nuit blanche   *To have a sleepless night*
Avec ce gros mal de dents, j'ai passé une autre nuit blanche. Le bébé était malade, et il m'a fait passer une nuit blanche.

14 Écrire en lettres moulées   *To write in block letters*
Écrivez en lettres moulées sur cette formule officielle. Comme mon écriture est illisible, j'écris en lettres moulées.

15 Se donner le mot   *To pass the word on, to act in collusion*
Ils se sont donné le mot pour essayer de me tromper. Ils se sont donné le mot pour déclencher cette grève.

16 Coup monté   *Plot*
C'est un autre coup monté contre le roi de ce pays. C'est un coup monté contre moi par les étudiants.

17 Avoir mauvaise (bonne) mine   *To look ill (well)*
Elle devrait aller voir un médecin, elle a mauvaise mine. Vous allez mieux, il me semble, car vous avez bonne mine.

18 Le diable s'en mêle!   *The devil is in it, it goes sour*
Tout va mal aujourd'hui; le diable s'en mêle! Quand le diable s'en mêle, il n'y a rien à faire.

19 Cheveux taillés en brosse   *Hair cut short, crew cut*
Il est arrivé à la soirée avec les cheveux taillés en brosse. Les cheveux taillés en brosse semblent revenir à la mode.

20 Prendre le mors aux dents   *To get excited, to take the bit in one's teeth*
Attention à ce jeune cheval, il prend le mors aux dents. Il prend le mors aux dents quand on lui demande un travail d'extra.

EXERCICES DE LA LEÇON 30

. . . .

RÉPONDEZ AUX QUESTIONS SUIVANTES
EN EMPLOYANT LES EXPRESSIONS ÉTUDIÉES

1 Comment s'arrange-t-elle depuis qu'elle est veuve?
2 Êtes-vous allé voir le patron ce matin?
3 Pourquoi a-t-il accompagné le président de la compagnie?
4 Est-ce qu'il a laissé beaucoup de choses à sa mort?
5 En insistant, avez-vous réussi à le convaincre?
6 Pourquoi essaie-t-il de vous couper l'herbe sous les pieds?
7 Pourquoi êtes-vous inquiète au sujet du petit Paul?
8 Votre équipe a-t-elle gagné, hier soir?
9 Dans vos discussions, qui tient le haut du pavé?
10 Le patron a-t-il accepté votre proposition?
11 Est-ce qu'il acceptera ce poste?
12 Pensez-vous qu'elle va vivre encore longtemps?
13 Et alors, vous avez passé une autre nuit blanche?
14 Pourquoi écrivez-vous toujours en lettres moulées?
15 Qui a essayé de vous tromper, mon cher monsieur?
16 Contre qui ce coup est-il monté?
17 Pourquoi lui conseillez-vous d'aller voir son médecin?
18 Est-ce que les choses vont bien cette semaine?
19 Comment s'est-il fait couper les cheveux?
20 Lui avez-vous demandé de faire du travail supplémentaire?

VOCABULAIRE SPÉCIAL DE CETTE LEÇON

veuve – widow
patron – boss, manager
diable – devil, fellow
pli – fold
équipe – team
maille – mesh
os – bone
écriture – handwriting
tromper – to cheat, to trick
mets – food, dish

panne de moteur – engine breakdown
conseiller – adviser
ennuyer – to bother, to disturb
inquiète – worried, upset
malgré – despite
gérant – manager
rechute – second fail, relapse
essayer – to try
déclencher la grève – to go on strike
mors – bit (bridle)

FAITES DES PHRASES ORALES ET ÉCRITES
AVEC LES EXPRESSIONS SUIVANTES

avoir bonne mine – cheveux taillés en brosse – se donner le mot – prendre un mauvais pli – passer une nuit blanche – être en butte à – écrire en lettres moulées – tenir le haut du pavé

Leçon 31

01 Proprement dit   *Real, true*
Ce sont des pierres précieuses proprement dites. C'est ce qu'on appelle un tabouret proprement dit.

02 Pour l'heure   *For the time being, for the moment*
Pour l'heure, ce n'est pas une chose urgente. Il n'y a rien qui presse, pour l'heure.

03 Présenter ses hommages à   *To pay one's respects to*
Je suis allé lui présenter mes hommages. Ils veulent présenter leurs hommages au Premier Ministre.

04 Suivre une fausse piste   *To bark up the wrong tree, to be on the wrong trail*
Vous ne le trouverez pas, car vous suivez une fausse piste. Vous suivez une fausse piste; l'orignal n'a pas passé par là.

05 Plût à Dieu (au ciel) que   *Would to God (heaven) that*
Plût à Dieu qu'aucun passager ne soit blessé! Plût au ciel que tous soient satisfaits.

06 Sous pli séparé   *Under separate cover*
Vous trouverez une liste d'articles sous pli séparé. Sous pli séparé, veuillez trouver les noms que vous demandiez.

07 Une affaire d'or   *An excellent bargain*
En achetant cela, j'ai fait une affaire d'or. Vous ferez une affaire d'or si vous ne la payez pas davantage.

08 Faire hommage de   *To offer something as a token of esteem*
Je vous fais hommage de mon dernier livre. Il m'a fait hommage du premier numéro de sa nouvelle revue.

09 Planter là quelqu'un   *To desert someone, to jilt*
Elle m'a planté là, sans rien dire en partant. Je ne vous planterai pas là comme ça; je vous aiderai.

10 Devoir cracher   *To have to give, to fork out*
Je ne voulais pas payer, mais j'ai dû cracher dix beaux dollars. Il doit cracher cinq dollars pour payer sa part.

11 Dans mes moments perdus *In my spare time*
Dans mes moments perdus, je collectionne les timbres. Je fais un peu de dessin dans mes quelques moments perdus.

12 Jeter sur le pavé *To make someone homeless, to throw out on to the streets*
L'incendie de cette nuit a jeté deux familles sur le pavé. Comme il ne payait pas son loyer, on l'a jeté sur le pavé.

13 À Dieu ne plaise que *God forbid that*
À Dieu ne plaise que je me permette de critiquer votre livre. À Dieu ne plaise qu'une telle aventure leur soit arrivée.

14 Cousu d'or *Very rich, rolling in money*
De père en fils, ils sont tous cousus d'or. Elle veut marier un jeune qui soit tout cousu d'or.

15 Un os bien dur à ronger *A hard nut to crack*
On m'a donné ce travail; c'est un os bien dur à ronger. C'est un os bien dur à ronger, mais il faut bien le faire.

16 Regarder dans le blanc des yeux *To look square in the face*
J'ai presque honte; vous me regardez dans le blanc des yeux. Elle n'aime pas qu'on la regarde dans le blanc des yeux.

17 Faire venir l'eau à son moulin *To take advantage of everything, to ask for compliments*
Ah! je comprends! il veut faire venir l'eau à son moulin. Chacun essaie de faire venir l'eau à son moulin en se vantant.

18 Entendre voler les mouches *To hear a pin drop*
Tous les élèves écrivaient; on aurait entendu voler les mouches. Personne ne disait mot; on entendait voler les mouches.

19 Tenir le coup *To resist, to withstand the blow*
Il est déjà fatigué; je ne sais pas s'il pourra tenir le coup. C'est un travail trop dur pour lui; il ne pourra pas tenir le coup.

20 C'est une fine mouche *He is a sly minx, he is cunning*
N'essayez pas de le tromper, c'est une fine mouche. C'est une fine mouche qui se laisse difficilement prendre.

EXERCICES DE LA LEÇON 31

. . . .

RÉPONDEZ AUX QUESTIONS SUIVANTES
EN EMPLOYANT LES EXPRESSIONS ÉTUDIÉES

1 Est-ce que ce sont de vraies pierres précieuses?
2 Qu'est-ce qui presse en ce moment?
3 Pourquoi vont-ils chez le Premier Ministre?
4 Est-ce que je vais le trouver en allant dans cette direction?
5 Est-ce que les élèves sont satisfaits de leurs résultats?
6 Où est la liste d'articles que j'avais demandés?
7 Est-ce que j'ai trop payé cette voiture d'occasion?
8 Qui vous a fait hommage de ces beaux volumes?
9 Est-ce que vous avez l'intention de me planter là comme ça?
10 Est-ce que vous avez été obligé de payer cette amende?
11 Faites-vous un peu de dessin quelquefois?
12 Combien de familles ont été jetées sur le pavé?
13 Est-il possible qu'une telle aventure lui soit arrivée?
14 Est-il vrai que cette famille est très riche?
15 Ce travail est-il trop dur pour vous?
16 Pourquoi me regardez-vous dans le blanc des yeux?
17 Pourquoi parle-t-il de cette façon?
18 Est-ce qu'on entendait du bruit dans la salle de classe?
19 Pensez-vous que cet élève pourra tenir le coup?
20 Avez-vous déjà essayé de le tromper?

VOCABULAIRE SPÉCIAL DE CETTE LEÇON

pierre — stone
presser — to be urgent
orignal — moose
pli — fold
revue — magazine
cracher — to spit
dessin — drawing
loyer — rent, rental
ronger — to crunch, to gnaw
moulin — mill
voler — to fly
tromper — to cheat

tabouret — footstool
suivre — to follow
blessé — hurt, wounded
davantage — more
comme ça — like that, that way
timbre — postage stamp
incendie — fire
cousu — sewn, stitched
avoir honte — to be ashamed
se vanter — to boast, to exalt
mouche — fly
prendre — to take in

FAITES DES PHRASES ORALES ET ÉCRITES
AVEC LES EXPRESSIONS SUIVANTES

tenir le coup — être tout cousu d'or — sous pli séparé — pour l'heure — faire hommage à — jeter sur le pavé — c'est une fine mouche — suivre une fausse piste — une affaire d'or

Leçon 32

01 C'est peine perdue   *It is labour (time) lost*
N'essayez pas de le convaincre, car c'est peine perdue. Sa mère lui donne de bons conseils, mais c'est peine perdue.

02 À titre de   *By right of, as, on the score of*
Je vous offre cette somme d'argent à titre de prêt. C'est seulement à titre de renseignement que je vous dis cela.

03 C'est à faire pitié   *It is lamentable, it is pitiful*
Je suis allé voir la zone dévastée; c'est à faire pitié. J'ai visité le centre de l'Inde, et c'est à faire pitié.

04 Avoir toutes les peines du monde à   *To have the utmost difficulty in*
J'ai eu toutes les peines du monde à l'empêcher de partir. Essayez si vous voulez, mais vous aurez toutes les peines du monde.

05 Ne pas avoir son pareil   *Not to have one's equal, to be unbeatable*
C'est un orateur qui n'a pas son pareil dans la région. Ce secrétaire n'a pas son pareil pour son travail.

06 Parler du nez   *To speak through one's nose*
On le comprend difficilement; il parle du nez. Les élèves rient parce que le professeur parle du nez.

07 Faire de l'esprit   *To try to be witty*
Il fait souvent de l'esprit, mais ce n'est pas très drôle. En compagnie, il passe son temps à faire de l'esprit.

08 À l'endroit de, envers   *Towards, regarding*
Nous n'avons jamais manqué de respect à son endroit. Nous avons été généreux envers notre collègue.

09 Se lever du pied gauche   *To get up on the wrong side of the bed*
Il est de mauvaise humeur; il s'est levé du pied gauche. Ne me dérangez pas, car je me suis levé du pied gauche.

10 Au plus fort de   *In the thick of, at the height of*
Nous sommes revenus au plus fort de l'orage. Il fut tué au plus fort du bombardement.

11 **Faire le levé du terrain**   *To survey a piece of land*
Ils font le levé du terrain et, ensuite, ils construiront. Ils vont faire des lots après avoir fait le levé du terrain.

12 **Monter en flèche**   *To zoom, to go up quickly*
Les prix de ces actions en Bourse montent en flèche. Ce sont de jeunes députés dont l'étoile monte en flèche.

13 **Ne pas faire long feu**   *To fizzle out, to misfire*
Il a un cancer et il ne fera pas long feu. Elle ne fera pas long feu, après une telle opération.

14 **Fer forgé**   *Wrought-iron*
Il a orné son escalier d'une belle rampe en fer forgé. Elle aime beaucoup les objets en fer forgé.

15 **Esprit de corps**   *Team spirit*
Dans cette famille, ils ont un admirable esprit de corps. C'est l'esprit de corps qui leur aide à gagner.

16 **Du premier jet (coup)**   *At first try (attempt)*
Il a composé cette longue poésie du premier jet. C'est une belle chanson qu'il a écrite du premier coup.

17 **En revanche**   *On the other hand, in return*
Il a un visage sévère; en revanche, il a un très bon coeur. Il m'aime pas les sciences mais, en revanche, il est fort en français.

18 **À l'égard de**   *Towards*
Il ont manqué de respect à son égard. Il est très aimable à l'égard de tous ses collègues.

19 **Avoir l'esprit de suite**   *To be consistent*
Je vous assure qu'il a l'esprit de suite dans son travail. Elle n'a aucun esprit de suite dans ce qu'elle fait.

20 **Coquille**   *Misprint, error in printing*
Il y a beaucoup de coquilles dans cet ouvrage. Le correcteur d'épreuves a bien fait son travail; il n'y a pas de coquilles.

RÉPONDEZ AUX QUESTIONS SUIVANTES
EN EMPLOYANT LES EXPRESSIONS ÉTUDIÉES

1 Est-ce que je vais essayer de le convaincre?
2 Pourquoi me dites-vous tout cela?
3 Avez-vous déjà voyagé en Inde?
4 Comment l'avez-vous empêché de partir seul?
5 Est-ce que vous aimez votre nouveau secrétaire?
6 Pourquoi le comprend-on difficilement quand il parle au microphone?
7 Est-ce qu'il a l'habitude de faire de l'esprit?
8 Avez-vous été très généreux à son endroit?
9 Pourquoi est-il de mauvaise humeur aujourd'hui?
10 À quel moment fut-il tué?
11 Quand vont-ils faire des lots pour la construction?
12 Est-ce que le prix de vos actions a augmenté?
13 Pensez-vous qu'il va faire long feu avec une telle maladie?
14 Comment a-t-il orné son nouvel escalier?
15 Pourquoi cette équipe gagne-t-elle toujours?
16 Comment a-t-il écrit cette nouvelle chanson?
17 Est-ce que cet élève aime les sciences?
18 Est-ce que c'est un homme très aimable?
19 Est-ce une femme qui a beaucoup d'esprit de suite?
20 Est-ce que ce livre se lit bien?

VOCABULAIRE SPÉCIAL DE CETTE LEÇON

essayer — to try
conseil — advice
empêcher — to prevent, to hinder
manquer — to lack, to miss
orage — storm
actions — shares
député — member of Parliament
gagner — to win
augmenter — to rise, to increase

convaincre — to convince
renseignement — information
rire — to laugh
déranger, to disturb
tuer — to kill
Bourse — Stock Exchange
escalier — stairs
échouer — to fail
équipe — team

FAITES DES PHRASES ORALES ET ÉCRITES
AVEC LES EXPRESSIONS SUIVANTES

à l'égard de — monter en flèche — au plus fort de — faire long feu — à titre de — parler du nez — à l'endroit de — du premier jet — faire de l'esprit

Leçon 33

01 Refuser net   *To give a flat refusal*
Je lui ai demandé un permis, mais il a refusé tout net. Elle a refusé tout net quand je lui ai demandé de m'accompagner.

02 Mettre en état de   *To enable*
Lisez ce livre; cela vous mettra en état de bien discuter. Ces leçons m'ont mis en état de réussir aux examens.

03 Les parties en cause   *Those who are concerned*
Le président veut qu'on interroge les parties en cause. Toutes les parties en cause ont été consultées.

04 S'y mettre   *To set to it, to begin*
C'est un travail difficile, mais je vais m'y mettre sans retard. Je m'y suis mis de tout coeur, car c'est un travail que j'aime.

05 En prévision de   *In anticipation of*
J'achète de l'antigel en prévision de l'hiver. Je parle à mes électeurs en prévision des élections.

06 Boire à petites gorgées   *To sip*
Elle boit son verre de vin à petites gorgées. Il faut boire cette liqueur à petites gorgées.

07 Sortir de ses gonds   *To fly into a rage, to lose one's temper*
Quand je lui ai dit cela, elle est sortie de ses gonds. Attention, si vous ne voulez pas qu'il sorte de ses gonds!

08 Faire ses preuves   *To prove oneself, to show one's ability*
C'est une méthode qui a fait ses preuves. C'est un système que j'aime parce qu'il a fait ses preuves.

09 Faire une mise en pli   *To have one's hair set*
La coiffeuse m'a fait une mise en pli que j'aime beaucoup. Je ne veux pas une permanente, mais seulement une mise en pli.

10 S'adresser au policier   *To ask a policeman*
Dans ce cas, veuillez vous adresser au gardien de la paix. Je me suis adressé au gardien de la paix pour le dénoncer.

11 Matières premières   *Raw materials*
Le Canada importe beaucoup de matières premières. Nous avons beaucoup de matières premières pour nos industries.

12 Mettre au point *To perfect, to adjust*
C'est une invention qu'il faudra mettre au point. Ils veulent tout mettre au point avant de lancer la fusée.

13 Mourir de sa belle mort *To die a natural death, to die of natural causes*
Il est mort de sa belle mort à 90 ans. Il n'a pas été tué; il est mort de sa belle mort.

14 Avancer à pas de loup *To advance stealthily (slowly)*
Le chien de chasse avançait à pas de loup. Le policier a arrêté les voleurs qui avançaient à pas de loup.

15 À fleur d'eau (de peau) *At water level, skin-deep*
Les hirondelles volaient à fleur d'eau. Cette balle de fusil m'est passée à fleur de peau.

16 Par monts et par vaux *Up hill and down dale*
J'ai parcouru cette région par monts et par vaux. Nous avons visité toute la région, par monts et par vaux.

17 Sous peine de *Under the penalty of*
Défense d'écrire sur les murs, sous peine d'amende. Il faut observer les règlements, sous peine d'être renvoyé.

18 Prêter serment *To be sworn in, to take an oath*
Le nouveau ministre a prêté serment. J'ai prêté serment quand je suis allé au tribunal.

19 De premier ordre *First-class, very good*
C'est un nouveau produit de premier ordre. Je suis très satisfait de cette réponse; c'est de premier ordre.

20 Se frayer un passage (chemin) à travers *To break (elbow) one's way through*
Je me suis frayé un passage à travers la foule. Il faut se frayer un chemin à travers la forêt.

. . . .

RÉPONDEZ AUX QUESTIONS SUIVANTES
EN EMPLOYANT LES EXPRESSIONS ÉTUDIÉES

1 A-t-elle accepté de vous accompagner?
2 Est-ce que ces leçons vous ont été utiles?
3 Qu'est-ce que le président a dit avant la réunion?
4 Est-ce que vous trouvez ce travail difficile?
5 Pourquoi achetez-vous de l'antigel?
6 Est-ce que cette liqueur est très forte?
7 Pourquoi est-elle sortie de ses gonds?
8 Est-ce que vous aimez cette nouvelle méthode?
9 À qui l'avez-vous dénoncé?
10 Voulez-vous une permanente aujourd'hui?
11 Est-ce que le Canada a beaucoup de matières premières?
12 Que font les techniciens au Cap Kennedy?
13 Est-ce que ce vieillard est mort dans un accident?
14 Pourquoi le policier a-t-il arrêté les voleurs?
15 Est-ce que les hirondelles volent bas aujourd'hui?
16 Connaissez-vous bien toute la région?
17 Est-ce que je dois observer les règlements de la compagnie?
18 Quand avez-vous prêté serment?
19 Êtes-vous satisfait de ce nouveau produit?
20 Êtes-vous arrivé jusqu'au lac? Comment?

VOCABULAIRE SPÉCIAL DE CETTE LEÇON

réussir — to succeed
verre — glass
gond — hinge
veuillez — please
tuer — to kill
voleur — thief
balle de fusil — gun-bullet
parcourir — to cover, to go through
foule — crowd
utile — useful
vieillard — old man

sans retard — without delay
gorgée — gulp, sip
coiffeuse — hairdresser
fusée — rocket, missile
chasse — hunting
hirondelle — swallow
peau — skin
règlement — regulation, by law
frayer — to open out, to trace
antigel — antifreeze
voler bas — to fly low

FAITES DES PHRASES ORALES ET ÉCRITES
AVEC LES EXPRESSIONS SUIVANTES

sous peine de — de premier ordre — mettre au point — à fleur de — en prévision de — refuser net — faire ses preuves — boire à petites gorgées — s'y mettre

Leçon 34

01 Pas mal de   *A large number of, a good many*
J'ai vu cet homme-là pas mal de fois. Il y avait pas mal de monde à l'Exposition.

02 Par égard pour   *Out of consideration for*
Il a fait cela par égard pour son professeur. Nous ne fumons pas ici par égard pour le malade.

03 Voir sous un jour nouveau   *To see in a new light*
Nous voyons ce problème sous un jour nouveau. Maintenant, je considère cette question sous un jour nouveau.

04 En ce sens que   *That is to say, meaning that, because of*
Il n'a pas insisté, en ce sens que tous comprenaient. J'ai refusé, en ce sens que je ne pouvais pas y aller.

05 Aller son petit bonhomme de chemin   *To go quietly along, to progress slowly*
Il va son petit bonhomme de chemin, tout en faisant son possible. Dans la vie, elle va son petit bonhomme de chemin.

06 Regarder de travers   *To look askance at, to scowl at*
Le professeur me regarde souvent de travers. Êtes-vous fâché contre moi? vous me regardez de travers.

07 Entrer (sortir) en trombe   *To dash in (past), to burst in (out)*
Il est entré en trombe parce qu'il était poursuivi par le gros chien. Le patron est sorti en trombe de son bureau.

08 Sentir l'ail   *To smell of garlic*
Quand il m'a parlé, il sentait l'ail très fort. Qu'est-ce qui se passe ici? ça sent l'ail.

09 Prendre corps   *To take shape*
Ça va lentement, mais mes projets prennent corps. Comme mes révélations prenaient corps, il m'a regardé avec surprise.

10 Avoir les nerfs en boule (à fleur de peau)   *To have one's nerves on edge*
Après cette discussion, elle avait les nerfs en boule. Ne me dérangez pas ce matin, j'ai les nerfs à fleur de peau.

11 À l'affiche *On the billboard (playbill)*
Ce film est à l'affiche pour deux semaines. Ce beau film a été à l'affiche pendant de longs mois.

12 Prendre (voler) la vedette *To take the first place, to be in the limelight*
Parmi tous les candidats, c'est lui qui prend la vedette. Mon ami Louis a volé la vedette dans cette course d'autos.

13 Se faire jour *To be known, to force one's way through*
La vérité se fera jour avant longtemps sur cette question. C'est une idée qui se fait jour peu à peu.

14 Voire, voire même *In truth, and even*
Il est bien malade, voire même en danger de mort. Elle est très fatiguée, voire épuisée, à cause de son travail.

15 Ça parle au diable ! *Is it possible?*
Je n'ai jamais vu une chose pareille; ça parle au diable ! Il dit que je suis coupable; ça parle au diable !

16 Se faire rappeler à l'ordre *To be called to order (obedience)*
Cet élève se fait souvent rappeler à l'ordre en classe. Le député s'est fait rappeler à l'ordre par son chef.

17 Avoir du mal à *To have difficulty in (a hard time to)*
J'ai bien du mal à comprendre cette phrase. Vous aurez du mal à la convaincre qu'elle a tort.

18 En tant que *In the capacity of*
Il a accompagné le ministre en tant qu'interprète. En tant que Canadiens, nous désirons l'unité.

19 En proie à *A prey to, tormented by*
Elle est en proie à une vive agitation. Il est en proie au doute depuis cette erreur.

20 Ne pas y pouvoir grand-chose *To be able to do very little*
Nous regrettons, monsieur, mais nous n'y pouvons pas grand-chose. Je n'y peux pas grand-chose, malgré ma bonne volonté.

. . . .

RÉPONDEZ AUX QUESTIONS SUIVANTES
EN EMPLOYANT LES EXPRESSIONS ÉTUDIÉES

1   Est-ce qu'il y avait pas mal de monde hier à l'Expo?
2   Est-ce que vous fumez dans la chambre du malade?
3   Comment considérez-vous ce problème?
4   Pourquoi n'a-t-il pas insisté davantage?
5   Est-ce que votre fils réussit dans la vie?
6   Pourquoi me regardez-vous de travers?
7   Pourquoi Jean est-il entré en trombe?
8   Qu'est-ce que ça sent ici aujourd'hui?
9   Pourquoi vous regarde-t-il avec surprise?
10 Comment était-elle à la fin de cette longue discussion?
11 Quel est le film à l'affiche cette semaine?
12 Qui a pris la vedette pendant cette élection?
13 Est-ce que cette idée fait du progrès?
14 Est-il vraiment très malade?
15 Avez-vous déjà vu une chose pareille?
16 Est-ce qu'il se fait souvent rappeler à l'ordre?
17 Comprenez-vous cette phrase de français?
18 Pourquoi a-t-il accompagné le ministre en Europe?
19 A-t-il oublié son erreur de l'an passé?
20 Est-ce que vous pouvez nous aider un peu, chers amis?

VOCABULAIRE SPÉCIAL DE CETTE LEÇON

fois — time
fâché — angry
patron — boss, chief
déranger — to bother, to disturb
fatigué — tired
pareil — similar, such
député — member of Parliament
convaincre — to convince
vive — great
volonté — will, desire

comprendre — to understand
poursuivre — to follow
boule — ball
course — race
épuisé — exhausted
coupable — guilty
phrase — sentence
avoir tort — to be wrong
malgré — despite

FAITES DES PHRASES ORALES ET ÉCRITES
AVEC LES EXPRESSIONS SUIVANTES

en tant que — regarder de travers — en proie à — pas mal de — entrer en trombe — avoir du mal à — être à l'affiche — en ce sens que — par égard pour

Leçon 35

01 Faire état de *To take into account, to note*
Les inspecteurs ont fait état de la situation qui existait là. C'est une nouvelle qui fait état de l'assassinat du président.

02 Il n'y a plus moyen de *It is no longer possible to*
Il n'y a plus moyen de savoir qui a raison. Dépêchez-vous, autrement il n'y aura plus moyen de les retrouver.

03 Recevoir une douche d'eau froide *To have one's enthusiasm cooled down*
En parlant avec le patron, il a reçu une douche d'eau froide. Elle a reçu un bonne douche d'eau froide, et elle n'a rien dit.

04 Remettre à plus tard *To put off, to postpone*
Nous avons remis notre voyage à plus tard. À cause de la pluie, nous avons remis notre pique-nique à demain.

05 S'entendre avec *To agree with, to get along with*
Il est très facile de s'entendre avec notre patron. Allez le voir, et il vous sera facile de vous entendre avec lui.

06 Ne pas en croire ses yeux *Not to believe one's eyes*
Ce n'est pas possible, je n'en crois pas mes yeux. Je n'en croyais pas mes yeux quand j'ai vu tout ça.

07 Observer bouche bée *To gape at something, to stand gaping*
Le Père Noël passait, et les enfants observaient bouche bée. En me voyant revenir à la hâte, elle m'observa bouche bée.

08 Ce n'est pas la mer à boire *It is not difficult to do*
Faites un petit effort, ce n'est pas la mer à boire. Pourquoi tant vous inquiéter? ce n'est pas la mer à boire.

09 Se rapporter à *To have reference to, to refer to*
Cela se rapporte à ce que vous avez dit hier soir. Cela ne se rapporte pas du tout à votre dernier article.

10 Ne pas tarder à *Not to delay to, not to be long in*
Il ne tardera pas à vous annoncer la dernière nouvelle. Généralement, il ne tarde pas trop à répondre à mes lettres.

11 **Avoir une dent contre** *To have a grudge against*
Depuis mon refus, elle a une dent contre moi. Je le sais très bien; il a une dent contre tout le monde.

12 **Sous le coup de** *Possessed by, out of*
Sous le coup de l'émotion, elle n'a pas pu parler. Il a tout avoué sous le coup de la peur.

13 **Coup sur coup** *Blow for blow, in close succession*
J'ai reçu trois appels téléphoniques coup sur coup. Il avait bien soif, et il a bu trois verres coup sur coup.

14 **À qui mieux mieux** *Emulously, in eager emulation*
Les enfants faisaient leurs devoirs à qui mieux mieux. Tous les jeunes chantaient à qui mieux mieux.

15 **Au fil de l'eau** *With the stream*
La barque s'en allait au fil de l'eau. Le nageur se laisse aller au fil de l'eau.

16 **Les grandes lignes de** *Broad outline of*
Il nous a présenté les grandes lignes de son rapport. Elle nous a dévoilé les grandes lignes de son prochain roman.

17 **N'avoir rien à se mettre sous la dent** *Not to have a bit of food*
Ce pauvre homme n'a rien à se mettre sous la dent. Depuis trois jours, elle n'a rien à se mettre sous la dent.

18 **Avoir la vue basse** *To be short-sighted (near-sighted)*
Il existe des livres conçus pour ceux qui ont la vue basse. Je ne vois pas très bien; j'ai la vue basse.

19 **Semer aux quatre vents** *To spread news*
Elle a semé cette nouvelle aux quatre vents. Le téléphone est un bon moyen de semer aux quatre vents.

20 **Être en reste** *To be in debt, to be indebted to someone*
Elle est en reste avec le loyer du mois de juin. Pour ne pas être en reste de générosité avec elle, je lui offre ce cadeau.

RÉPONDEZ AUX QUESTIONS SUIVANTES
EN EMPLOYANT LES EXPRESSIONS ÉTUDIÉES

1 Qui a fait état de cet assassinat?
2 Qui a raison, selon vous?
3 Pourquoi ne dit-elle rien en ce moment?
4 Pourquoi avez-vous remis ce voyage à Paris?
5 Est-ce facile de s'entendre avec cet homme-là?
6 Qu'avez-vous dit en voyant tout cela?
7 Était-elle surprise de vous voir arriver?
8 Est-ce que j'ai raison de tant m'inquiéter?
9 Est-ce que cela se rapporte au dernier article du journal?
10 Répond-il toujours à toutes vos lettres?
11 Depuis quand a-t-elle une dent contre vous?
12 Pourquoi n'a-t-elle pas dit un seul mot?
13 A-t-il bu plusieurs verres d'eau fraîche?
14 Qui chantait le mieux, selon vous?
15 Le nageur fait-il beaucoup d'efforts?
16 Vous a-t-il présenté son rapport?
17 Après trois jours, vous reste-t-il quelque chose à manger?
18 Voyez-vous ce qui est écrit là-bas?
19 Qui a semé cette nouvelle aux quatre vents?
20 Pourquoi lui avez-vous offert un si beau cadeau de Noël?

VOCABULAIRE SPÉCIAL DE CETTE LEÇON

avoir raison — to be right
douche — shower
pluie — rain
avouer — to admit, to confess
avoir soif — to be thirsty
barque — rowing-boat
celui-ci — this one
moyen — means, way
mot — word

se dépêcher — to hurry
s'inquiéter — to worry
pas du tout — not at all
appel — call
devoirs — homework
nageur — swimmer
avoir le tour — to know how
loyer — rent, rental

FAITES DES PHRASES ORALES ET ÉCRITES
AVEC LES EXPRESSIONS SUIVANTES

avoir la vue basse — au fil de l'eau — coup sur coup — il n'y a plus moyen de
— se rapporter à — remettre à plus tard — ne pas tarder à — s'entendre avec

01 Le plus gros est fait *The hardest part is done*
Je peux me reposer, car le plus gros est fait. Je n'ai pas fini mon ménage, mais le plus gros est fait.

02 Gros bonnets, grosses légumes *Bigwigs, big wheels*
Tous les gros bonnets sont en première rangée. Il faut attendre les grosses légumes pour commencer la réunion.

03 Il n'y a pas à y revenir *There is no going back on it*
La question est réglée; il n'y a pas à y revenir. Non, non, il n'y a pas à y revenir, la décision est prise.

04 Prêter l'oreille *To lend an ear*
J'ai prêté l'oreille à ce que les voyageurs disaient. Oui, j'y ai prêté une oreille plutôt distraite.

05 Renvoyer la balle à *To give tit for tat*
À la première occasion, elle m'a renvoyé la balle. Je vais en profiter pour lui renvoyer la balle.

06 Être à l'affût de *To be on the watch for*
Elle est toujours à l'affût des nouvelles. Le policier était à l'affût, au coin de la rue.

07 Avoir les doigts (mains) crochus *To be light-fingered (rapacious)*
Attention à la bonne, car elle a les doigts crochus. On l'a accusé d'avoir volé, car tous savent qu'il a les mains crochues.

08 Sortir le chat du sac *To reveal something, to let know*
Devant le juge, elle a consenti à sortir le chat du sac. Il ne voulait pas sortir le chat du sac, mais il fut obligé.

09 Se tenir à l'écart (de) *To keep out of the way (aloof from)*
Pendant toute la soirée, elle s'est tenue à l'écart. Cet homme préfère se tenir à l'écart des affaires publiques.

10 Tous droits réservés *Copyright, all rights reserved*
Vous ne pouvez pas reproduire ce texte, c'est écrit: Tous droits réservés. Pourquoi utilise-t-on l'expression: Tous droits réservés?

11 Être pompette *To be tipsy*
Quand il est sorti de la réunion, il était un peu pompette. J'ai trouvé qu'il était pompette quand il m'a parlé.

12 **Garder une poire pour la soif**   *To put something by for a rainy day*
Il faut être prévoyant et se garder une poire pour la soif. Il est à l'aise parce qu'il a su garder une poire pour la soif.

13 **Être dans la lune** *To be wool-gathering (day-dreaming)*
Dans la classe, il y en a plusieurs qui sont dans la lune. Je ne sais pas ce qu'il a, mais il est toujours dans la lune.

14 **Table des matières** *Table of contents*
Consultez la table des matières, vous trouverez le renseignement. La table des matières de ce volume est incomplète.

15 **Courir le monde** *To roam the world over*
Il peut bien courir le monde, car il en a les moyens. C'est un drôle de type qui s'amuse à courir le monde.

16 **Avis au lecteur** *Foreword, prefatory note*
Sur la première page, on lit: Avis au lecteur. Avant de lire le livre, lisez l'avis au lecteur.

17 **Pour une bagatelle**   *For a trifle (song)*
Il se fâche pour une bagatelle. J'ai eu cette pièce d'antiquité pour une bagatelle.

18 **Ce n'est pas banal**   *It is out of the ordinary, that beats everything*
J'ai écouté ce qu'il a dit, et ce n'est pas banal. Il m'a montré son travail; ce n'est pas banal!

19 **À moins d'avis contraire**   *Barring any indication to the contrary*
Je serai à Ottawa lundi prochain, à moins d'avis contraire. À moins d'avis contraire, la conférence aura lieu demain.

20 **C'est une tête carrée** *He is very stubborn*
Rien à faire avec cet élève, c'est une tête carrée. C'est une tête carrée qui ne veut pas m'obéir.

· ·

RÉPONDEZ AUX QUESTIONS SUIVANTES
EN EMPLOYANT LES EXPRESSIONS ÉTUDIÉES

1 Avez-vous fini votre grand ménage du printemps?
2 Qui est assis en première rangée?
3 Avez-vous réglé la question du stationnement?
4 Avez-vous entendu le sujet de leur conversation?
5 Avez-vous l'intention de lui renvoyer la balle?
6 Où était le policier au moment du vol?
7 Pourquoi l'a-t-on accusé d'avoir volé le parapluie?
8 Est-ce qu'elle a parlé en présence du juge?
9 Est-ce que cet avocat se présente comme candidat aux élections?
10 Est-ce que je peux reproduire quelques pages de votre livre?
11 A-t-il pris plusieurs verres de vin pendant la réunion?
12 Pourquoi essayez-vous toujours d'économiser quelques cents?
13 Est-il attentif lors de vos cours?
14 Est-ce que le troisième chapitre traite de ce sujet?
15 Est-il encore en congé?
16 Qu'est-ce qui est écrit en tête de cette circulaire?
17 Est-ce que je dois la punir pour cette faute?
18 Vous a-t-il montré le travail qu'il vient de finir?
19 Quand arriverez-vous à Ottawa?
20 Est-ce que cet élève est très obéissant?

VOCABULAIRE SPÉCIAL DE CETTE LEÇON

se reposer — to rest, to relax
rangée — row, file
voyageur — traveler
croche — crooked
soirée — evening
soif — thirst
velours — velvet
incroyable — incredible
avis — notice

ménage — housework
réglé — settled, decided
plutôt distrait — rather absent-minded
voler — to steal
poire — pear
prévoyant — provident, careful
patte — paw, leg
lecteur — reader
conférence — lecture, meeting

FAITES DES PHRASES ORALES ET ÉCRITES
AVEC LES EXPRESSIONS SUIVANTES

c'est une bagatelle! — courir le monde — être à l'affût de — à moins d'avis contraire — être dans la lune — se tenir à l'écart — renvoyer la balle — prêter l'oreille à

Leçon 37

01 En fait de *As regards, as for*
En fait de chômage, le Canada a sa grosse part. Il est assez insouciant en fait d'argent.

02 Aux soins de *Care of*
J'ai écrit sur cette lettre: Aux soins de Monsieur X. J'écris: Aux soins de, parce que j'ai oublié son adresse.

03 Trouver bon de faire quelque chose *To think fit (find advisable) to do something*
Nous trouvons bon de faire un petit effort supplémentaire. Je trouve bon de faire ce genre d'exercice.

04 Vue à vol d'oiseau *Bird's-eye view*
Nous avons survolé la ville pour avoir une vue à vol d'oiseau. C'est impressionnant d'avoir une vue à vol d'oiseau de New York.

05 De son propre chef *On one's own authority*
J'ai pris cette décision de mon propre chef. C'est de notre propre chef que nous avons décidé d'y aller.

06 Du fait que, par le fait que *As a result of, because of*
Du fait que je demeure là, il me faut payer les taxes. Il devra payer l'amende, du fait qu'il a dit cela.

07 Par mégarde *Inadvertently*
J'ai brisé le vase, mais c'est par mégarde. Si j'ai dit cela, c'est par mégarde, car ce n'était pas mon intention.

08 Être aux petis soins pour *To wait on someone hand and foot*
J'ai été aux petits soins pour cette gentille infirmière. Dans cette maison de pension, on est aux petits soins pour nous.

09 Jamais de la vie! *Out of the question! Never!*
Jamais de la vie je n'accepterai un tel emploi! S'il me demandait une telle chose, je dirais: Jamais de la vie!

10 Se mettre de la partie *To take a hand, to join in*
Dans cette affaire, j'ai refusé de me mettre de la partie. Nous avons commencé, et les autres se sont mis de la partie.

11 **C'est chic de ta part**   *That's very sporting of you*
Merci de m'avoir aidé; c'est bien chic de ta part! C'est chic de ta part, et je t'en remercie.

12 **Avoir d'autres chats à fouetter**   *To have other fish to fry*
J'ai fini ce travail, mais j'ai beaucoup d'autres chats à fouetter. Comme j'ai d'autres chats à fouetter, je vous charge de cela.

13 **Chef d'accusation**   *Count of indictment, charge*
Le bandit a été condamné sous plusieurs chefs d'accusation. Elle a été reconnue coupable sous plusieurs chefs d'accusation.

14 **Un chic type**   *A real sport*
Ne le critiquez pas, car c'est un chic type. C'est un chic type que tout le monde aime.

15 **Trouver chaussure à son pied**   *To find one's equal (match)*
S'il veut m'affronter, il va trouver chaussure à son pied. Qu'il fasse attention à lui, car il va trouver chaussure à son pied.

16 **Couper la chique à**   *To interrupt abruptly*
J'ai voulu parler, mais elle m'a coupé la chique. Il m'insultait et alors, je lui ai coupé la chique.

17 **Ça va chauffer tout à l'heure**   *We are in for a hot time*
Personne ne parle, mais ça va chauffer tout à l'heure. Ça va chauffer tout à l'heure lorsque le patron arrivera.

18 **Pleurer à chaudes larmes**   *To weep bitterly*
La petite fille pleurait à chaudes larmes. Elle a pleuré à chaudes larmes quand elle a appris la nouvelle.

19 **Revenir à la charge**   *To renew a request (an attempt)*
Payez tout de suite, car je ne veux pas revenir à la charge. Il est revenu à la charge, mais j'ai encore refusé.

20 **Chanter victoire**   *To exult, to be very glad*
Je crois qu'il est trop tôt pour chanter victoire. Elle a chanté victoire avant le temps, et elle est déçue.

. . . .

RÉPONDEZ AUX QUESTIONS SUIVANTES
EN EMPLOYANT LES EXPRESSIONS ÉTUDIÉES

1 Y a-t-il beaucoup de chômeurs au Canada?
2 Pourquoi avez-vous écrit: Aux soins de?
3 Pensez-vous qu'il soit nécessaire de faire cela?
4 Avez-vous déjà vu New York en avion?
5 Qui vous a poussé à prendre cette décision?
6 Est-ce que vous êtes obligé de payer ces taxes-là?
7 Pourquoi avez-vous dit une telle chose?
8 Êtes-vous satisfait dans cette maison de pension?
9 Allez-vous accepter l'emploi qu'on vous offre?
10 Se sont-ils mis de la partie tout de suite?
11 Pourquoi me remerciez-vous de cette manière?
12 Avez-vous le temps de faire cet autre travail qui est urgent?
13 Pourquoi le bandit a-t-il été condamné?
14 Est-ce que vous connaissez cet homme-là?
15 A-t-il l'intention de vous affronter?
16 Pourquoi lui avez-vous coupé la chique?
17 Quand est-ce que ça va chauffer?
18 Quand a-t-elle pleuré à chaudes larmes?
19 Avez-vous refusé une autre fois?
20 Pourquoi est-elle déçue aujourd'hui?

VOCABULAIRE SPÉCIAL DE CETTE LEÇON

chômage — unemployment
vol — flight
demeurer — to live, to stay
briser — to break
remercier — to thank
coupable — guilty
affronter — ton confront, to face
chauffer — to heat
chanter — to sing
chômeur — jobless

insouciant — careless
survoler — to fly over
amende — fine, penalty
infirmière — nurse
fouetter — to whip
chaussure — shoe, footwear
chique — morsel, quid of tobacco
tout à l'heure — in a while
déçu — disappointed
larme — tear

FAITES DES PHRASES ORALES ET ÉCRITES
AVEC LES EXPRESSIONS SUIVANTES

pleurer à chaudes larmes — de mon propre chef — en fait de — du fait que — se mettre de la partie — chanter victoire — c'est un chic type — avoir d'autres chats à fouetter

01 Sujet à caution   *Unreliable, requiring confirmation*
Cette nouvelle est extraordinaire, mais elle est sujette à caution.
Je vous dis cela sous toute réserve; c'est sujet à caution.

02 Vider son sac   *To get it off one's chest*
Il a profité de l'occasion pour vider son sac. Nous irons le voir et
là, nous viderons notre sac.

03 D'où sortez-vous?   *Where do you come from?*
Il y a longtemps que je ne vous ai pas vu; d'où sortez-vous? Vous
êtes revenu au village après trois ans; d'où sortez-vous?

04 Faire une sortie contre   *To accuse, to lash out at someone*
Ils ont fait une sortie contre le maire. Il en a profité pour faire
une sortie contre les colporteurs.

05 Panier percé   *Spendthrift*
Ne lui donnez rien, c'est un vrai panier percé. C'est un panier
percé qui ne peut parder le moindre cent.

06 Ne pas faire languir   *Not to keep on tenter-hooks*
Ditez-nous la nouvelle tout de suite; ne nous faites pas languir.
Ne me faites pas languir comme ça; dites-moi ce qui s'est passé.

07 Se ménager une porte de sortie   *To arrange a way out of a difficulty*
J'ai été prudent et je me suis ménagé une porte de sortie. Il est
très intelligent, et il sait se ménager une porte de sortie.

08 Prendre quelqu'un la main dans le sac   *To catch someone red handed*
Les trois voleurs ont été pris la main dans le sac. Il est en prison,
car il s'est fait prendre la main dans le sac.

09 Connaître comme le fond de sa poche   *To know intimately (very well)*
Je connais cet endroit comme le fond de ma poche. Il connaît
toute la province comme le fond de sa poche.

10 Avoir deux poids et deux mesures   *To have one law for friends and another for one's foes, to have a double standard*
C'est un individu qui a toujours deux poids et deux mesures.
Vous n'êtes pas juste, car vous avez deux poids et deux mesures.

11 **Dormir à poings fermés** *To sleep soundly*
Comme il est très fatigué, il dort à poings fermés. Ne dérangez pas le bébé qui dort à poings fermés.

12 **Arriver à point nommé** *To arrive in the nick of time*
Comme j'étais dans l'embarras, vous êtes arrivé à point nommé. Elle est arrivée à point nommé, car je ne savais que faire.

13 **Marcher à quatre pattes** *To go on all fours*
Il marchait à quatre pattes pour ne pas se faire voir. Cet enfant-là marche toujours à quatre pattes.

14 **Au dire de tout le monde** *By common consent, as everyone says*
Au dire de tout le monde, il y aura des élections l'an prochain. C'est lui qui a raison, au dire de tout le monde.

15 **De ce fait** *Thereby, on that account*
Il était trop tard et, de ce fait, je ne suis pas entré. De ce fait, nos importations augmentent continuellement.

16 **Avoir un bon tuyau** *To have connections, to be in the know*
J'ai eu un bon tuyau, et je vais pouvoir trouver un emploi. Je vais le voir car il a de bons tuyaux.

17 **C'est bien trouvé** *Well thought out*
Je trouve que c'est merveilleux; c'est bien trouvé! C'est bien trouvé, et j'approuve votre idée.

18 **Faire la sourde oreille** *To pretend not to hear, to turn a deaf ear*
Quand je lui parle de cela, elle fait la sourde oreille. Ne faites pas la sourde oreille, car vous comprenez très bien.

19 **Vous trouvez?** *You think so? You believe it is so?*
Cette auto coûte trop cher, vous trouvez? Il fait assez froid ce matin, vous trouvez?

20 **Avoir de l'oreille** *To have an ear for music*
Tous les enfants de cette famille ont beaucoup d'oreille. Pour étudier la musique, il est bon d'avoir de l'oreille.

. . . .

RÉPONDEZ AUX QUESTIONS SUIVANTES
EN EMPLOYANT LES EXPRESSIONS ÉTUDIÉES

1 Est-ce que cette nouvelle est vraie?
2 Vous a-t-il dit des choses nouvelles à ce sujet?
3 Que lui avez-vous demandé en le voyant après trois ans?
4 Contre qui ont-ils fait une sortie?
5 Est-ce qu'elle est économe?
6 Voulez-vous savoir ce qui s'est passé ce soir-là?
7 Avez-vous été très prudent dans cette circonstance?
8 Pourquoi est-il en prison?
9 Connaissez-vous bien toute la province de Québec?
10 Est-ce que cet homme est très juste?
11 Est-ce que le bébé dort encore?
12 Est-elle arrivée à temps pour vous aider?
13 Pourquoi marche-t-il à quatre pattes?
14 Qui a raison, selon vous?
15 Avec ces ventes de blé, est-ce que nos importations augmentent?
16 Pourquoi allez-vous voir cet homme?
17 Est-ce qu'il a eu une bonne idée en faisant cela?
18 Est-ce qu'il vous écoute quand vous lui parlez de ses dettes?
19 Que vous a-t-il dit en vous voyant?
20 Vos enfants ont-ils beaucoup d'oreille?

VOCABULAIRE SPÉCIAL DE CETTE LEÇON

chanson — song
sac — bag
colporteur — peddler
le moindre — the lest
comme ça — like that
ménager — to reserve, to spare
poche — pocket
poing — fist
dans l'embarras — at a loss
augmenter — to increase
devoir — to owe

vider — to empty
maire — mayor
percé — with holes
languir — to lang, to languish
se passer — to happen
fond — bottom
poids — weight
déranger — to disturb
patte — leg, paw
tuyau — tube, pipe
vente de blé — wheat sale

FAITES DES PHRASES ORALES ET ÉCRITES
AVEC LES EXPRESSIONS SUIVANTES

avoir de l'oreille — marcher à quatre pattes — de ce fait — vider son sac — se ménager une porte de sortie — faire la sourde oreille — faire une sortie contre

Leçon 39

01 Au grand jamais! *Never, never!*
Je ne retournerai plus là, au grand jamais! Il n'aura plus un sou de moi, au grand jamais!

02 Les dés sont jetés *The die is cast*
On ne peut rien y faire, car les dés sont jetés. Attendez-vous aux pires conséquences puisque les dés sont jetés.

03 Faire le tri *To select, to make a choice*
Avant de prendre une décision, nous ferons le tri. Nous avons fait un tri très minutieux avant de décider.

04 Avoir le compas dans l'oeil *To have an accurate eye*
Il est très fort en dessin; il a le compas dans l'oeil. Il a le compas dans l'oeil, et son travail est admirable.

05 Ce n'est pas malin *That's easy, it's not difficult*
Pourquoi vous décourager, comme vous voyez ce n'est pas malin. Ce n'est pas malin; c'est facile à régler et je retourne le voir.

06 Quand les poules auront des dents *When pigs begin to fly*
Je pense qu'il terminera ses études quand les poules auront des dents. Cela arrivera quand les poules auront des dents.

07 Ne pas être de la compétence de *To exceed one's power, to be outside one's scope*
Je regrette beaucoup, monsieur, mais cela n'est pas de ma compétence. Cela n'est pas de la compétence du vice-président.

08 Avoir la complaisance de *To be so good as to*
Auriez-vous la complaisance d'attendre à la semaine prochaine? Il aura sûrement la complaisance de m'envoyer un mot d'explication.

09 C'est tout comme *It amounts to the same thing*
Même après ce changement, c'est tout comme. Nous avons un autre gouvernement, mais c'est tout comme.

10 Être peu commode *To be a tough customer, to be hard to deal with*
Préparez bien vos arguments, car c'est un type peu commode. Il est peu commode depuis qu'il a été nommé maire.

11 **Dernier cri** *Latest fashion (style)*
Au défilé de modes, j'ai vu des robes dernier cri. C'est tout à fait le dernier cri en fait de réfrigérateur.

12 **Crever les yeux** *To be so evident, to stand out a mile*
Mais vous voyez bien que c'est une chose qui crève les yeux. C'est une chose qui crève les yeux, et vous ne le savez pas!

13 **Prendre une mauvaise allure (tournure)** *To take a bad turn, to look bad*
Les événements se précipitent et prennent une mauvaise allure. Continuez de la sorte, et les choses prendront une mauvaise tournure pour vous.

14 **Mettre en demeure de** *To summon, to oblige*
Je l'ai mis en demeure de payer avant le 31. J'ai été mis en demeure d'accepter cette offre.

15 **Cela ne gâte rien** *That won't do any harm*
Elle est fort intelligente; cela ne gâte rien. Ajoutez un peu de sucre; cela ne gâte rien.

16 **À son corps défendant** *Under coercion, in self-defense*
Il a agi à son corps défendent. Il l'a tué à son corps défendant.

17 **Rire à gorge déployée** *To laugh heartily, to roar with laughter*
Il est de bonne humeur et il rit à gorge déployée. En compagnie, il n'est guère poli de rire à gorge déployée.

18 **Dater de loin** *To go a long way back, to be of long standing*
C'est une haine qui date de loin entre ces deux familles. Ce que je vous raconte là date de très loin.

19 **Prendre en flagrant délit** *To catch in the act*
Cette fois-ci, il a été pris en flagrant délit. Le policier était caché, et le voleur a été pris en flagrant délit.

20 **En désespoir de cause** *As a last resource, as a desperate measure*
Je dois y renoncer en désespoir de cause. En désespoir de cause, j'ai dû changer d'idée.

. . . .

RÉPONDEZ AUX QUESTIONS SUIVANTES
EN EMPLOYANT LES EXPRESSIONS ÉTUDIÉES

1 Est-ce que vous allez retourner dans cette région-là?
2 Est-ce qu'on peut encore éviter cette catastrophe?
3 Avez-vous bien réfléchi avant de prendre une décision finale?
4 Est-ce que ces formes géométriques sont bien dessinées?
5 Avez-vous l'intention de régler cette question?
6 Va-t-il réussir à terminer ses études un jour?
7 Est-ce que le vice-président peut imposer sa volonté?
8 Qu'est-ce que vous avez répondu à votre client?
9 Est-ce qu'il y a eu un grand changement?
10 Connaissez-vous bien cet individu?
11 Que pensez-vous de ces nouveaux réfrigérateurs?
12 Est-ce que la chose semble très évidente?
13 Comment se présente la situation aujourd'hui?
14 Avez-vous accepté cette offre?
15 Est-elle bien de sa personne?
16 Pourquoi a-t-il tué le bandit?
17 L'avez-vous entendu rire pendant le banquet?
18 Quand cette aventure est-elle arrivée?
19 Le voleur a-t-il été pris en flagrant délit?
20 Pourquoi avez-vous changé d'idée?

VOCABULAIRE SPÉCIAL DE CETTE LEÇON

sou — cent
dessin — drawing
amende — fine, penalty
nommer — to appoint
crever — to pierce, to puncture
vache — cow
corps — body
tuer — to kill
déployer — to unfold, to display
ne . . . guère — scarcely
barrière —gate

pire — worst
écriteau — sign, poster
commode — hardy, convenient
défilé — parade, exhibition
plancher — floor
tirer — to draw, to pull
agir — to act
gorge — throat
poli — polite
haine — hatred

FAITES DES PHRASES ORALES ET ÉCRITES
AVEC LES EXPRESSIONS SUIVANTES

dater de loin — c'est le dernier cri — faire le tri — rire à gorge déployée —
avoir le compas dans l'oeil — mettre en demeure de — c'est tout comme — ça
crève les yeux

Leçon 40

01 De mon (son) cru *Of my own, of his own invention*
Ce que j'ai écrit là est de mon cru. Tout ce qui est dans ce livre est de son cru.

02 Avoir du culot *To have a lot of cheek, to have a nerve*
Vous avez du culot pour dire une telle chose en public! Il faut avoir du culot pour affirmer une telle chose.

03 Le plus curieux de l'affaire *Oddly enough, strange to say*
Le plus curieux de l'affaire c'est que personne n'en parle. Le plus curieux de l'affaire c'est que le patron est disparu.

04 Faire damner *To drive someone crazy*
Ces enfants m'ont fait damner toute la journée. C'est une chose énervante qui ferait damner même un saint.

05 Ne pas savoir sur quel pied danser *To be all at sea, to be in a quandary*
Avec lui on ne sait jamais sur quel pied danser. Quand il a appris cela, il ne savait pas sur quel pied danser.

06 Avoir le dessous *To have the worst of it*
Dans cette longue discussion c'est lui qui a eu le dessous. Quand ils se battent, c'est le plus petit qui a le dessous.

07 Prendre le dessus *To get over it, to recover one's good health*
Après trois semaines elle a réussi à prendre le dessus. Ses affaires allaient mal, mais maintenant il a pris le dessus.

08 Au septième ciel *In the seventh heaven*
Quand il a appris cette promotion il était au septième ciel. Elle est au septième ciel depuis qu'elle a ce beau bébé.

09 Pot-de-vin *Bribe*
Ils ont offert un pot-de-vin pour obtenir ce contrat. Il faut être très honnête pour refuser un pot-de-vin substantiel.

10 Coucher sur la dure *To sleep on the bare ground*
Pendant l'Exposition, nous avons couché sur la dure deux nuits. Comme il avait perdu toutes les clefs, il a dû coucher sur la dure.

11 Se mettre en devoir de *To set about (get ready) to do* something

Je dois me mettre en devoir de répondre à toutes ces lettres. On lui a demandé de se mettre en devoir de réparer cette porte.

12 Au diable vert (vauvert) *Miles away, at the back of beyond*

Je n'ai pas le temps d'y aller, car c'est au diable vert. C'est trop loin de chez nous, c'est au diable vauvert.

13 Être sous les drapeaux *To be in the army, to serve with the* colours

Il a été sous les drapeaux pendant quatre ans. Son mari est encore sous les drapeaux, il sert au Moyen-Orient.

14 Se faire passer pour *To give oneself out for*

Il se fait passer pour Français, mais c'est un Canadien français. Ce voleur s'est fait passer pour un mécanicien de la compagnie.

15 Chevalier d'industrie *Adventurer, swindler*

Il n'a aucun scrupule, c'est un chevalier d'industrie. Les chevaliers d'industrie tendent à disparaître de nos jours.

16 Faire le diable à quatre *To do one's utmost, to try hard*

Il a fait le diable à quatre pour venir avec nous. Elle fera certainnement le diable à quatre pour vous accompagner.

17 Dire la bonne aventure *To tell fortunes*

Elle dit la bonne aventure à ceux qui lui donnent deux dollars. Croyez-vous tous ceux qui disent la bonne aventure?

18 De si tôt *Not so soon, before long*

Vous ne la reverrez pas de si tôt. Je ne referai pas ce même voyage de si tôt.

19 Il n'est pas de chez nous *He is a stranger*

Je ne connais pas cet individu; il n'est pas de chez nous. Elle ne le salue jamais, car il n'est pas de chez nous.

20 Faire dodo *To go to sleep, to sleep*

J'ai dit au bébé que c'était l'heure d'aller faire dodo. Fais dodo, car ta maman est fatiguée et elle veut se reposer.

RÉPONDEZ AUX QUESTIONS SUIVANTES
EN EMPLOYANT LES EXPRESSIONS ÉTUDIÉES

1 Êtes-vous l'auteur de tous ces poèmes?
2 Pourquoi a-t-il dit une telle chose en public?
3 Quel est le plus curieux de toute l'affaire, selon vous?
4 Est-ce que les enfants ont été bien sages aujourd'hui?
5 A-t-il été surpris de cette nouvelle?
6 Dans ce long débat qui a eu le dessous?
7 Est-ce que le malade a réussi à prendre le dessus?
8 Était-il content d'apprendre sa nouvelle promotion?
9 Comment ont-ils pu obtenir cet important contrat?
10 Pourquoi a-t-il dormi sur la dure cette nuit?
11 Avez-vous répondu à toutes ces lettres?
12 Est-ce que vous allez à cette réunion de comité?
13 Son mari est-il revenu à la maison?
14 Comment ce voleur a-t-il réussi son coup?
15 Pourquoi dites-vous qu'il est malhonnête?
16 Est-ce qu'elle va vouloir vous accompagner dans ce voyage?
17 À qui dit-elle la bonne aventure?
18 Avez-vous l intention de refaire le même voyage?
19 Avez-vous déjà vu cet homme au village?
20 Qu'est-ce que vous avez dit au petit garçon?

VOCABULAIRE SPÉCIAL DE CETTE LEÇON

personne — nobody
énervant — irritating, boring
réussir — to succeed
depuis — since
drapeau — banner, flag
tenter — to try, to attempt
fatigué — tired
sage — quiet, good

patron — chief, boss
se battre — to fight, to quarrel
mal — badly, poorly
clef — key
voleur — thief, robber
saluer — to salute, to greet
se reposer — to rest
coup — attempt, trial, action

FAITES DES PHRASES ORALES ET ÉCRITES
AVEC LES EXPRESSIONS SUIVANTES

faire dodo — faire le diable à quatre — faire damner — avoir le dessous — être sous les drapeaux — de si tôt — chevalier d'industrie — coucher sur la dure — prendre le dessus

Leçon 41

01 Donner signe de vie   *To show sign of life, to send news*
Il n'a pas donné signe de vie depuis son départ pour Paris. J'espère qu'elle va donner signe de vie avant longtemps.

02 Prendre ses cliques et ses claques   *To clear off with bag and baggage*
Après cette nomination, il a pris ses cliques et ses claques. Il a pris ses cliques et ses claques par crainte de la police.

03 Se faire pousser dans le dos   *To be urged (pushed)*
Ce n'est pas urgent, et je n'aime pas me faire pousser dans le dos. Reste assis et ne viens pas me pousser dans le dos.

04 Dormir sur ses deux oreilles   *To sleep free of worry (deeply)*
Ne soyez pas inquiet; vous pourrez dormir sur vos deux oreilles. Malgré cette nouvelle, j'ai dormi sur mes deux oreilles.

05 Tomber des nues   *To be taken aback*
Quand je lui ai dit cela, il est tombé des nues. Il est tombé des nues en apprenant cette nouvelle.

06 Vous aurez de mes nouvelles!   *I'll make you sit up! You shall hear from me!*
Vous ne voulez pas payer ce compte? Vous aurez de mes nouvelles! Vous aurez de mes nouvelles, à moins que ça ne change!

07 Bel et bien perdu (attrapé)   *Really lost (caught)*
Il a été bel et bien attrapé par les policiers. Ce chasseur s'est bel et bien perdu dans la forêt.

08 Drôle de numéro   *Queer fish (type)*
Il est intelligent, mais c'est un drôle de numéro en classe. Je ne le comprends pas du tout, car c'est un drôle de numéro.

09 Avoir toujours la tête dans les nues   *To be always dreaming*
Il n'écoute jamais, il a toujours la tête dans les nues. C'est un élève distrait qui a toujours la tête dans les nues.

10 Se mettre tout le monde à dos   *To set everyone against oneself*
Il n'a plus d'amis, car il s'est mis tout le monde à dos avec ça. Avec ces histoires-là, n'allez pas vous mettre tout le monde à dos.

11 **Avoir les pieds sur terre** *To have both feet on the ground*
Quand on est dans les affaires, il faut avoir les pieds sur terre.
Même s'il est poète, il a bien les pieds sur terre.

12 **S'échauffer la bile, se faire de la bile** *To worry*
Quand on parle de lui, il s'échauffe la bile assez facilement. Ne
vous faites pas de bile pour rien; je l'ai dit pour rire.

13 **Passer comme l'éclair** *To flash by*
Je ne l'ai pas remarqué, il est passé comme l'éclair. Je voulais lui
dire un mot, mais il est passé comme l'éclair.

14 **Se rincer l'oeil** *To enjoy watching (eyeing) someone*
Quand la jeune fille est passée, je me suis rincé l'oeil. Il s'est rincé
l'oeil pendant ce spectacle de variétés.

15 **Partir en coup de vent** *To dash out, to leave quickly*
Je n'ai pas pu lui parler, car elle est partie en coup de vent. Il est
parti en coup de vent quand il a vu le policier au coin.

16 **À votre bon plaisir** *At your convenience (discretion)*
Je laisse cette décision finale à votre bon plaisir. Je crois qu'il
vaudra mieux laisser cela à votre bon plaisir.

17 **Aux enchères** *By auction*
Tous les animaux de cette belle ferme ont été vendus aux enchères. Lors de cette vente aux enchères, j'ai acheté deux vaches.

18 **Être bien mal emmanché** *To be in a fine mess (bad position)*
Depuis qu'il a eu cette collision, il est bien mal emmanché. Il est
bien mal emmanché avec cette femme et il veut divorcer.

19 **Emboîter le pas** *To fall into step, to follow*
Même si c'est un peu risqué, il faudra emboîter le pas. Nous sommes en période de progrès, et il faut emboîter le pas.

20 **Eu égard à** *In consideration of, with regard to*
Eu égard à ce qu'il fait, il a obtenu une belle promotion. Eu égard
à ses mérites, on lui a confié cette affaire difficile.

EXERCICES DE LA LEÇON 41

. . . .

RÉPONDEZ AUX QUESTIONS SUIVANTES
EN EMPLOYANT LES EXPRESSIONS ÉTUDIÉES

1 A-t-il donné signe de vie depuis son arrivée en France?
2 Comment expliquer qu'il soit disparu de la circulation?
3 Est-ce que vous aimez vous faire pousser dans le dos?
4 Êtes-vous bien nerveux à la suite de cette nouvelle?
5 A-t-elle été surprise en apprenant cette nouvelle?
6 Que lui avez-vous dit quand il a refusé de payer?
7 Où pensez-vous que se trouve ce vieux chasseur?
8 Est-ce que vous comprenez la conduite de cet individu?
9 Est-ce que cet élève est très attentif en classe?
10 Pourquoi Antoine n'a-t-il plus d'ami?
11 Est-ce que ce poète est un homme réaliste?
12 Pourquoi s'échauffe-t-il la bile si facilement?
13 L'avez-vous reconnu quand il est passé par ici?
14 Est-ce que votre ami a bien aimé ce spectacle?
15 Lui avez-vous dit un mot avant qu'elle sorte?
16 Qui va prendre la décision finale?
17 Où avez-vous acheté ces deux belles vaches?
18 L'avez-vous rencontré depuis qu'il a eu cette collision?
19 Avez-vous accepté de prendre ce grand risque?
20 Pourquoi a-t-il obtenu cette belle promotion?

VOCABULAIRE SPÉCIAL DE CETTE LEÇON

clique – set
par crainte de – for fear that
rester – to stay, to remain
malgré – despite
compte – bill, note
chasseur – hunter
distrait – absent-minded
éclair – lightning
il vaudra mieux – it will be better
vache – cow
confier – to give, to commit

claques – overshoes
dos – back
oreille – ear
nue – cloud
à moins que – unless
drôle – strange, queer
échauffer – to warm up, to heat
coup – blow
lors de – at the time of
pas – step, pace
à la suite de – after

FAITES DE PHRASES ORALES ET ÉCRITES
AVEC LES EXPRESSIONS SUIVANTES

vendre aux enchères – passer comme l'éclair – se rincer l'oeil – à votre bon plaisir – bel et bien perdu – donner signe de vie – tomber des nues – dormir sur ses deux oreilles – s'échauffer la bile

Leçon 42

01 Donner à croire (entendre) *To lead to believe*
Elle m'a donné à croire qu'elle n'irait pas seule. D'après ce qu'il m'a donné à entendre, je ne suis pas sûr qu'il viendra.

02 Être sur les épines *To be on pins and needles*
J'attends le résultat de mes examens et je suis sur les épines. Elle est sur les épines, car son mari n'a pas encore écrit.

03 À toute épreuve *Never-failing, unwearying*
Elle a démontré un courage à toute épreuve dans ce cas-là. Il vous faudra une énergie à toute épreuve pour ce travail.

04 Payer en espèces *To pay in hard cash*
Il a préféré payer en espèces, comme d'habitude. Il n'a pas de dettes, car il paie toujours en espèces.

05 Prendre de l'essor *To progress, to develop*
C'est une jeune industrie qui prend beaucoup d'essor. Sa compagnie a pris de l'essor depuis quelques années.

06 Être ferré sur *To be posted (well) up in*
Cet élève est très ferré en physique. C'est un homme qui est très ferré en histoire.

07 Né sous une bonne étoile *Born under a lucky star*
Il réussit toujours; je crois qu'il est né sous une bonne étoile. Vous êtes né sous une bonne étoile, car vous êtes chanceux.

08 Être à l'étroit *To be cramped for room*
Nous sommes à l'étroit dans ce petit appartement de 3 pièces. La famille est à l'étroit dans cette roulotte.

09 Suivre la filière *To follow the usual channels*
Ça prend beaucoup de temps, mais il faut suivre la filière. La bureaucratie exige qu'on suive la filière.

10 Se rendre à l'évidence *To bow to the facts, to accept the evidence*
Il faut bien que je me rende à l'évidence avec ces preuves-là. Elle s'est rendue à l'évidence après ces explications.

11 Feu *Late, deceased*
On a commémoré feu le roi George VI. Cette ferme était la propriété de feu mon père.

12 Accompagner à sa dernière demeure *To accompany to one's last resting-place*
Une foule nombreuse l'a accompagné à sa dernière demeure. On l'a accompagné à sa dernière demeure, jeudi passé.

13 Entrer en fonctions (service) *To take up one's duties*
Il est entré en fonctions le mois dernier. Il entrera en service après avoir prêté serment.

14 En finir avec *To be done with*
Il est temps d'en finir avec cette question-là. Je veux en finir avec ces colporteurs qui me dérangent.

15 Faire une farce (plaisanterie) *To joke, to kid*
C'est un homme drôle qui fait souvent des farces. Ne vous fâchez pas, j'ai voulu faire une plaisanterie.

16 Flanquer (ficher) à la porte *To throw out*
Cet élève a été flanqué à la porte par le directeur. Comme il arrivait toujours en retard, on l'a fiché à la porte.

17 S'inscrire en faux *To deny, to dispute the validity of*
Je m'inscris en faux contre ce que vous venez de dire. Elle s'est inscrite en faux contre la décision de l'arbitre.

18 À la faveur de *By the help of, under cover of*
Le voleur a pu s'échapper à la faveur de la nuit. À la faveur des ténèbres, les bandits se sont enfuis.

19 Parler en termes crus *To speak in plain terms*
Le juge a parlé en termes très crus. Il a parlé en termes plutôt crus contre cette décision.

20 Ne pas y aller avec le dos de la cuiller *To make no bones about it*
Ce journaliste n'y va pas avec le dos de la cuiller. Elle est franche et n'y va pas avec le dos de la cuiller.

EXERCICES DE LA LEÇON 42

RÉPONDEZ AUX QUESTIONS SUIVANTES
EN EMPLOYANT LES EXPRESSIONS ÉTUDIÉES

1   Est-ce qu'elle a l'intention de partir seule?
2   Avez-vous déjà reçu le résultat de vos examens finals?
3   Cette femme s'est-elle montrée courageuse?
4   Est-ce que cet acheteur paie bien?
5   Comment va la nouvelle industrie de votre frère?
6   Quelle est sa matière préférée en classe?
7   Est-ce que cet homme est très chanceux?
8   L'appartement de trois pièces est-il assez grand?
9   Pourquoi faut-il attendre si longtemps?
10   Quand s'est-elle rendue à l'évidence?
11   Qui a-t-on commémoré cette semaine?
12   Quand le président du pays est-il mort?
13   Quand entrera-t-il en service?
14   Pourquoi avez-vous mis ces colporteurs à la porte?
15   Est-ce que cet homme est très drôle?
16   Pourquoi l'a-t-on flanqué à la porte?
17   A-t-elle accepté la décision de l'arbitre?
18   Comment le voleur a-t-il pu s'échapper?
19   Comment a-t-il accepté la décision du juge?
20   Est-ce que ce jeune journaliste est violent?

VOCABULAIRE SPÉCIAL DE CETTE LEÇON

mari — husband
essor — expansion
étroit — narrow, straight
roulotte — trailer, caravan
exiger — to demand, to require
prêter serment — to be sworn in
déranger — to bother
se fâcher — to get angry
ténèbres — darkness
cru — raw, hard

démontrer — to show
chanceux — lucky
pièce — room
filière — drawing-plate
foule — crowd
colporteur — peddler
drôle — funny
arbitre — referee
s'enfuir — to escape, to fly away
cuiller — spoon

FAITES DES PHRASES ORALES ET ÉCRITES
AVEC LES EXPRESSIONS SUIVANTES

à la faveur de — se rendre à l'évidence — être à l'étroit — à toute épreuve —
en finir avec — entrer en service — faire une farce — donner à entendre —
prendre de l'essor

Leçon 43

01 À chacun son dû   *Give the devil his due*
Il m'a dit: À chacun son dû, lorsque j'ai voulu refuser. À chacun son dû, c'est un principe de justice distributive.

02 Être à l'abri du besoin   *To be secure (safe from want)*
Depuis qu'il a gagné le gros lot, il est à l'abri du besoin. J'aimerais bien être à l'abri du besoin comme vous.

03 Les quatre fers en l'air   *On one's back*
Il était étendu par terre, les quatre fers en l'air. Le pauvre cheval se débattait les quatre fers en l'air.

04 Comme par le passé   *As in the past*
Nous suivrons cet horaire, comme par le passé. Comme par le passé, nous aurons congé le 11 novembre.

05 Être sur le dos de   *To blame, to accuse someone*
Même quand je ne fais rien, il est toujours sur mon dos. Le professeur est toujours sur mon dos, sans aucune raison.

06 Être mis à pied   *To be laid off (dismissed)*
Deux cents ouvriers ont été mis à pied. À la suite de cet incendie, il a peur d'être mis à pied.

07 Se mettre en évidence   *To push oneself forward*
Elle cherche toujours à se mettre en évidence. Ce candidat s'est mis en évidence pendant la campagne électorale.

08 Donner (porter) des coups d'épée dans l'eau   *To beat the air, to make a wasted effort*
Vous perdez votre temps, car vous donnez des coups d'épée dans l'eau. Elle porte des coups d'épée dans l'eau et ne conclut rien.

09 Violon d'ingres   *Pet hobby, second love*
La collection de timbres est son violon d'Ingres depuis longtemps. Quel est votre violon d'Ingres? Moi, c'est la peinture.

10 Y aller à fond de train   *To go at full speed (tilt)*
Il y est allé à fond de train durant cette campagne de propagande. Pour arriver à temps, il y va à fond de train.

11 Se payer la tête de   *To make fun of, to get a rise out of*
Il se croit assez intelligent pour se payer la tête des gens. Il a essayé de se payer ma tête, mais il n'a pas réussi.

12 À coup sûr   *Surely*
Nous réussirons à coup sûr, après tant d'efforts. À coup sûr, nous n'avons jamais vu une chose pareille.

13 De bon aloi   *Genuine, of sterling quality*
C'est une marchandise de bon aloi, achetez-la. Vu les circonstances, c'est un succès de bon aloi.

14 Ne pas y aller de main morte   *To go at it hard, not to pussy foot around*
Il n'y va pas de main morte quand il punit ses étudiants. Il n'y va pas de main morte avec ses ennemis.

15 Conformément aux instructions   *As directed, as requested*
Elle a fait le travail conformément aux instructions. Conformément aux instructions, nous nous rendons à la réunion.

16 Y trouver son compte   *To profit by, to find to one's advantage*
C'était difficile, mais j'y ai trouvé mon compte. Prenez un risque; il sera facile d'y trouver votre compte.

17 Traîner en longueur   *To drag on, to go on very slowly*
Avec cet avocat, les choses traînent en longueur. Il est très énergique, et les choses ne traîneront pas en longueur.

18 Avoir raison de   *To overcome, to get the better of*
À la fin, c'est lui qui a eu raison d'elle. Le Premier Ministre a eu raison de l'opposition.

19 Être assis entre deux chaises   *To hesitate, to sit on the fence*
C'est un homme sans caractère, toujours assis entre deux chaises. Ne vous fiez pas à lui, il est toujours assis entre deux chaises.

20 Prendre le pas sur   *To take the lead over*
Le candidat a pris le pas sur ses deux adversaires. Il est plus jeune, mais il a pris le pas sur toute sa classe.

RÉPONDEZ AUX QUESTIONS SUIVANTES
EN EMPLOYANT LES EXPRESSIONS ÉTUDIÉES

1 Que vous a-t-il dit quand vous avez refusé de prendre cet argent?
2 Pensez-vous qu'il a besoin d'argent?
3 Dans quelle position avez-vous vu le cheval de votre voisin?
4 Aurons-nous congé le 11 novembre?
5 Pourquoi est-elle toujours sur votre dos?
6 Combien d'ouvriers ont été mis à pied?
7 Cherche-t-elle à se mettre en évidence avec ses compagnes?
8 Est-ce qu'elle va conclure quelque chose?
9 Quel est votre violon d'Ingres?
10 Que dois-je faire pour arriver à temps?
11 A-t-il réussi à se payer votre tête?
12 Pensez-vous pouvoir réussir?
13 Dans une telle circonstance, est-ce que je peux dire cela?
14 Est-il violent quand il attaque ses ennemis?
15 Comment faut-il faire ce travail?
16 Y avez-vous trouvé votre compte?
17 Aimez-vous l'attitude de cet avocat?
18 À la fin, qui des deux a eu raison?
19 Est-ce que je peux me fier à cet individu?
20 Est-ce que votre candidat est vainqueur?

VOCABULAIRE SPÉCIAL DE CETTE LEÇON

lorsque – when
fer à cheval – horse-shoe
se débattre – to struggle, to move
congé – holiday
tiers – one third
incendie – fire
timbre – postage-stamp
réussir – to succeed
rester tranquille – not to worry
poisson – fish
se fier à – to trust, to rely on

traduction – translation
étendu – lying, stretched
horaire – timetable
dos – back
ouvrier – worker
épée – sword
gens – people
pareil – such, similar
queue – tail
procès – trial
vainqueur – winner

FAITES DES PHRASES ORALES ET ÉCRITES
AVEC LES EXPRESSIONS SUIVANTES

traîner en longueur – à coup sûr – être mis à pied – se mettre en évidence – être à l'abri du besoin – à chacun son dû – prendre le pas sur – violon d'Ingres – comme par le passé – y aller à fond de train – conformément aux instructions

01 Être fichu *To be in a pitiful state*
J'ai perdu mon seul espoir et je suis fichu pour toujours. Son médecin lui a dit qu'il était fichu.

02 Va te faire cuire un oeuf! *Go away!, don't bother me!*
Je ne veux pas t'écouter, va te faire cuire un oeuf! Quand je lui ai proposé cela, il m'a répondu: «Va te faire cuire un oeuf!»

03 Être entre deux vins *To be tipsy*
Quand il est sorti du banquet, il était entre deux vins. Il est souvent entre deux vins quand il y a une petite fête.

04 Il n'en demeure pas moins que *Nevertheless, however, in spite of*
Il n'en demeure pas moins que j'ai raison: c'est évident. Il n'en demeure pas moins que j'ai dit ce que je pensais.

05 Un fichu de beau *A real nice*
Sa femme s'est acheté un fichu de beau manteau pour l'hiver. Vous vous êtes acheté un fichu de beau chalet au bord du lac.

06 Sans bourse délier *Without spending a penny*
Il a obtenu tout cela sans bourse délier. J'ai fait ce long voyage avec mon ami, sans bourse délier.

07 Se lancer dans les affaires *To start up in business*
Il a quitté un bon poste pour se lancer dans les affaires. De nos jours, il est risqué de se lancer dans les affaires.

08 Rester à l'écoute *To keep listening*
L'émission n'est pas finie, restez à l'écoute. Je reste à l'écoute, car on doit annoncer le résultat des élections.

09 Abords du pont *Approaches of the bridge*
L'accident est arrivé aux abords du nouveau pont. On n'a pas encore terminé les abords du pont.

10 Ficher le camp *To run away, to go away*
Il est sorti de la classe et puis il a fiché le camp. Fichez le camp et laissez-moi en paix!

11 Sans y parvenir *Without success, without attaining one's goals*
J'ai bien essayé de le convaincre, mais sans y parvenir. Je voulais escalader cette montagne, mais je suis revenu sans y parvenir.

12 La même rengaine (chanson)   *The same refrain, the same old story*

Avec lui, c'est toujours la même rengaine: jamais rien de neuf. Ma mère me répète toujours la même chanson depuis des années.

13 Tuer dans l'oeuf   *To nip in the bud*

J'avais un beau projet, mais ils l'ont tué dans l'oeuf. Comme ils ont tué mes plans dans l'oeuf, je suis un peu déçu.

14 Être en instance de   *To be on the point of, to be about to*

Je suis en instance de partir pour prendre mes vacances. Elle est en instance de demander son permis de conduire.

15 L'envers de la médaille   *The other side of the coin*

Il faut aussi regarder l'envers de la médaille. Vous avez oublié de bien regarder l'envers de la médaille.

16 Avoir une boule dans la gorge   *To have a lump in one's throat*

Chaque fois qu'elle se souvient de cet incident, elle a une boule dans la gorge. Cela me chagrine, et j'ai une boule dans la gorge.

17 Au petit bonheur   *In a haphazard (happy-go-lucky) manner*

Il est assez indifférent et il fait tout au petit bonheur. Il ne réussit jamais, car il se contente de tout faire au petit bonheur.

18 Par surcroît   *In addition, besides*

Par surcroît de travail, on m'a demandé de le remplacer en classe. Je suis très pressé et, par surcroît, mon auto ne démarre pas.

19 Haut comme trois pommes   *Very short*

Il se croit grand, mais il est haut comme trois pommes. Elle porte de hauts talons, car elle est haute comme trois pommes.

20 Tempête dans un verre d'eau   *Storm in a teacup*

Ne craignez pas, car c'est une tempête dans un verre d'eau. Aujourd'hui il est très nerveux, mais c'est une tempête dans un verre d'eau.

RÉPONDEZ AUX QUESTIONS SUIVANTES
EN EMPLOYANT LES EXPRESSIONS ÉTUDIÉES

1 Qu'est-ce que votre médecin vous a dit cette fois-ci?
2 Est-ce qu'il a écouté votre nouvelle proposition?
3 Est-ce que votre ami aime bien le vin?
4 A-t-il été surpris de votre réaction?
5 Qu'est-ce que sa femme s'est acheté aux États-Unis?
6 Est-ce que ce long voyage vous a coûté très cher?
7 Pourquoi a-t-il démissionné de son poste?
8 Est-ce que l'émission de radio est finie?
9 Où a eu lieu cet accident?
10 Où est cet élève qui a laissé sa place?
11 Avez-vous réussi à la convaincre de rester?
12 Est-ce qu'il vous a appris quelque chose de nouveau?
13 Avez-vous mis votre beau projet à exécution?
14 A-t-elle déjà son permis de conduire?
15 Est-ce que je suis un peu trop enthousiaste?
16 Avez-vous hâte de recommencer à travailler?
17 Pourquoi cet élève ne réussit-il jamais?
18 Êtes-vous très pressé ce matin?
19 Pourquoi porte-t-elle des talons si hauts?
20 Pourquoi vous a-t-il répondu d'un ton si sévère?

VOCABULAIRE SPÉCIAL DE CETTE LEÇON

fichu — sad, poor, pitiful
médecin — doctor
fête — party, meeting
chalet — cottage
délier — to untie, to undo
joute — game
tuer — to kill
permis de conduire — driver's licence
défendre — to forbid
démarrer — to start
craindre — to fear

espoir — hope
écouter — to listen to
hiver — winter
au bord de — at the edge of, near
colporteur — pedlar, peddler
oeuf — egg
déçu — disappointed
épingle — pin
pressé — in a hurry, very busy
talon — heel
verre — glass

FAITES DES PHRASES ORALES ET ÉCRITES
AVEC LES EXPRESSIONS SUIVANTES

tout faire au petit bonheur — tuer dans l'oeuf — je suis fichu! — sans y parvenir — se lancer dans les affaires — être entre deux vins — haut comme trois pommes — aux abords du pont — il a fiché le camp

Leçon 45

01 Bouche-trou   *Stand-in, substitute*
Je remplace tout le monde; je suis un vrai bouche-trou. Je n'aime pas faire le bouche-trou dans cette école.

02 Ne pas pouvoir sentir quelqu'un   *To hate the very sight of someone*
Ne me parlez pas de lui, je ne peux pas le sentir. Cette voisine ne vient pas me voir, car elle ne peut pas me sentir.

03 Appuyer sur le bouton   *To press the button*
Appuyez sur le bouton, et la porte va s'ouvrir. Je n'ai pas entendu la sonnette; appuyez encore sur le bouton.

04 Appétit du gain   *Greed of gold*
C'est son appétit du gain qui l'a ruiné. Elle est attirée uniquement par l'appétit du gain.

05 Le dessus du panier   *The pick of the basket*
Ce sont nos meilleurs produits; c'est le dessus du panier. Il est très méticuleux et choisit toujours le dessus du panier.

06 Au fin fond de   *At the very bottom of, at the very back of*
Il s'est perdu au fin fond de la forêt. C'est un fait qui remonte au fin fond de l'histoire.

07 Au train où vont les choses   *At this rate, as things stand*
Au train où vont les choses, nous ne finirons jamais. Je commence à désespérer, au train où vont les choses.

08 S'en payer   *To have a good time, to enjoy*
Pendant mes vacances, je vais m'en payer le plus possible. Je m'en suis payé lors de mon dernier voyage à Vancouver.

09 Traîner dans les rues   *To hang about the streets*
Les enfants de cette famille traînent dans les rues. C'est un chômeur qui traîne dans les rues et les tavernes.

10 Ne quittez pas l'écoute   *Hold on a minute, one moment, please*
Ne quittez pas l'écoute, quelqu'un veut vous parler. La téléphoniste m'a dit: « Ne quittez pas l'écoute ».

11 À grand renfort de   *With the help of, with a copious supply of*
L'avocat a défendu son client à grand renfort de preuves. Ils ont lancé leur nouveau produit à grand renfort de publicité.

12 Jouer à la Bourse   *To play the stock market*
C'est un vieux rentier qui joue souvent à la Bourse. Il joue à la Bourse et jusqu'ici, il a gagné beaucoup d'argent.

13 Mettre tout en oeuvre pour   *To use every possible means to*
Il a mis tout en oeuvre pour convaincre son ami. Il a mis tout en oeuvre pour gagner ses élections.

14 Clair comme de l'eau de roche   *As clear as crystal*
C'est très facile à comprendre; c'est clair comme de l'eau de roche. Elle a compris tout de suite; c'est clair comme de l'eau de roche.

15 Comme il est dit plus haut   *As mentioned above*
Complétez ces phrases, comme il est dit plus haut. Comme il est dit plus haut, remplissez tous les blancs.

16 Sous les verrous   *In safe custody, in jail*
Les deux bandits ont été mis sous les verrous. Il est sous les verrous depuis ce jour-là.

17 Expression qui fait image   *Vivid expression, effective phrase*
Pour être bien compris, employez des expressions qui font image. Une expression qui fait image: voilà ce qu'il me manque!

18 En avoir plein les bras   *To be overwhelmed, to have a lot to do*
La police en a eu plein les bras lors de cette bagarre. Avec tous ces enfants à surveiller, vous en aurez plein les bras.

19 Faire le matamore   *To bully, to intimidate*
Il fait le matamore avec ceux qui sont plus faibles que lui. Vous ne devriez pas faire le matamore avec lui.

20 De part et d'autre   *Here and there*
Il courait de part et d'autre pour trouver la sortie. J'ai ramassé ces quelques nouvelles de part et d'autre.

. . . .

RÉPONDEZ AUX QUESTIONS SUIVANTES
EN EMPLOYANT LES EXPRESSIONS ÉTUDIÉES

1 Pourquoi dites-vous que vous êtes un bouche-trou?
2 Pourquoi cette voisine ne vous visite-t-elle jamais?
3 Comment faire pour ouvrir cette porte?
4 S'intéresse-t-elle à toutes sortes de choses?
5 Qu'a-t-il choisi en fin de compte?
6 Où le chasseur s'est-il perdu?
7 Conservez-vous un grand espoir de le retrouver?
8 Avez-vous profité de votre récent voyage à Vancouver?
9 Est-ce que cette mère de famille surveille ses enfants?
10 Qu'est-ce que la téléphoniste vous a dit?
11 L'avocat a-t-il bien défendu son client?
12 Qu'est-ce qu'il fait avec tout son argent?
13 A-t-il bien travaillé pendant la campagne électorale?
14 Est-ce que vous comprenez ce que je viens de dire?
15 Qu'est-ce que je dois faire avec cette feuille que vous m'avez donnée?
16 Où est-il depuis son vol avec effraction?
17 Vous êtes-vous bien fait comprendre?
18 Est-ce que la police a fait face à cette situation?
19 Avec qui, surtout, fait-il le matamore?
20 Où avez-vous pris toutes ces nouvelles-là?

VOCABULAIRE SPÉCIAL DE CETTE LEÇON

boucher — to tap
voisin — neighbour
fil — wire, thread
se perdre — to get lost
désespérer — to despair
chômeur — jobless
gagner — to win, to earn
verrou — latch
bagarre — riot
sortie — exit
chasseur — hunter
feuille — sheet, paper

sentir — to smell
sonnette — small bell
à fleur de peau — skin-deep
remonter — to go back, to date
lors de — at the time of
rentier — independant person
remplir — to fill
joueur — player
surveiller — to watch, to look after
ramasser — to pick up, to gather
espoir — hope
vol avec effraction — burglary

FAITES DES PHRASES ORALES ET ÉCRITES
AVEC LES EXPRESSIONS SUIVANTES

de part et d'autre — traîner dans les rues — au fin fond de — s'en payer — comme il est dit plus haut — expression qui fait image — appuyer sur le bouton — ne quittez pas l'écoute — sous les verrous

Leçon 46

01 Venir en tête de liste   *To head the list, to top the poll*
C'est mon voisin qui vient en tête de liste. Ce candidat est supposé venir en tête de liste.

02 Mener à bonne fin (bon terme)   *To bring to a successful conclusion*
Il est capable de mener cette affaire à bonne fin. On lui a confié cette affaire qu'il va mener à bon terme.

03 Rester lettre morte   *To remain a dead letter*
On avait pris des décisions, mais tout cela est resté lettre morte. Il devait nous communiquer son projet, mais c'est resté lettre morte.

04 En arriver à ses fins   *To achieve one's ends*
Il fera tout son possible pour en arriver à ses fins. Il a tenté tous les moyens pour en arriver à ses fins.

05 Au pied de la lettre   *To the letter, literally*
Ils ont suivi le nouveau règlement au pied de la lettre. Il ont tout fait au pied de la lettre.

06 Poste en vue   *Prominent (conspicuous) position*
On lui a confié un poste en vue dans le comité. On lui assure un poste en vue après les élections.

07 Étant donné   *Considering, in view of*
Étant donné l'heure tardive, il faut que nous partions. Étant donné vos réponses évasives, vous manquez votre examen.

08 Mener plusieurs choses de front   *To have many things on the go, to do many things at the same time*
Il est ambitieux et il mène plusieurs choses de front. Il s'est rendu malade en voulant mener plusieurs choses de front.

09 Découvrir le pot aux roses   *To find out the secret, to smell out the mystery*
En voyant ces pistes ils ont cru découvrir le pot aux roses. Vous vous trompez; vous n'avez pas découvert le pot aux roses.

10 Éclairer d'un jour nouveau   *To show in a new light*
Cette explication éclaire notre problème d'un jour nouveau. Son discours a éclairé la situation d'un jour nouveau.

11 Tour de passe-passe *Game of hocus-pocus, fraud*
Ne le croyez pas, c'est un tour de passe-passe. Il est rusé; il faut
donc se méfier de ses tours de passe-passe.

12 Gare au chien! *Watch out for the dog!, beware of the dog!*
Lisez bien, c'est écrit: Gare au chien! Quand vous entrerez sur la
ferme, gare au chien!

13 Avoir l'embarras du choix *To have a wealth of choices*
Il y a plusieurs belles autos; vous aurez l'embarras du choix. Vous
me présentez tellement de belles choses que j'ai l'embarras du
choix.

14 Faire un bruit de tous les diables *To make a devil of a din*
Ils étaient en fête et faisaient un bruit de tous les diables. Hier
soir, nos voisins ont fait un bruit de tous les diables.

15 Avoir du (le) toupet *To have some cheek (a nerve)*
Pour un jeune étudiant, il a déjà beaucoup de toupet! Il a eu le
toupet de me dire que je m'étais trompé.

16 À tort ou à raison *Rightly or wrongly*
J'ai décidé de faire cela; est-ce à tort ou à raison? Après avoir fait
cela, je me demande si c'est à tort ou à raison.

17 C'est donné! *It is a gift!, it is really cheap!*
Vous ne l'avez payé que cinquante dollars! C'est donné! Si vous
l'avez payé si peu que cela, c'est vraiment donné!

18 Que ressort-il de tout cela? *What is the result of that?*
On a beaucoup discuté ce soir, mais que ressort-il de tout cela?
On a fait de nouvelles élections, mais que ressort-il de tout cela?

19 Tirer son chapeau très bas *To tip one's hat to*
C'est un orateur très apprécié, et je tire mon chapeau très bas. On
le critique beaucoup mais, moi, je tire mon chapeau très bas.

20 En avoir marre *To be fed up with, to be bored*
C'est toujours le même genre de musique; j'en ai marre! Il me raconte toujours la même histoire; j'en ai marre!

RÉPONDEZ AUX QUESTIONS SUIVANTES
EN EMPLOYANT LES EXPRESSIONS ÉTUDIÉES

1 Qui est arrivé en tête de liste lors des élections?
2 Est-il capable de mener cette chose à bonne fin?
3 Vous a-t-il communiqué son nouveau projet?
4 Qu'a-t-il fait pour en arriver à ses fins?
5 Est-ce que les piétons ont observé le règlement de la circulation?
6 Pourquoi est-il candidat aux prochaines élections?
7 Pourquoi partez-vous si tôt?
8 Comment s'est-il rendu malade?
9 Pourquoi semblent-ils si déçus?
10 Est-ce que cette explication vous aide?
11 Croyez-vous tout ce qu'il vous dit?
12 Que dit cet écriteau près de la porte?
13 Laquelle de ces belles choses préférez-vous?
14 Sont-ils des gens calmes?
15 Pourquoi êtes-vous fâché contre lui?
16 Êtes-vous satisfait de votre travail?
17 Est-ce que j'ai conclu un bon marché?
18 Que pensez-vous des élections de la semaine passée?
19 Que pensez-vous de ce jeune orateur?
20 Aimez-vous la musique populaire?

VOCABULAIRE SPÉCIAL DE CETTE LEÇON

voisin — neighbour
confier — to commit, to give
moyen — means
tardif — late
piste — track, trail
discours — speech
tant de — so many
genre — kind, type
piéton — pedestrian
écriteau — poster, sign

mener — to lead, to take, to accompany
tenter — to try, to attempt
règlement — regulation, by-law
manquer — to miss, to fail
se tromper — to be mistaken
rusé — sly, cunning
voler — to steal, to take
raconter — to tell
déçu — disappointed
explication — explanation

FAITES DES PHRASES ORALES ET ÉCRITES
AVEC LES EXPRESSIONS SUIVANTES

à tort ou à raison — faire un bruit de tous les diables — un poste en vue —
mener à bonne fin — gare au chien — étant donné que — en avoir marre —
avoir l'embarras du choix — au pied de la lettre

Leçon 47

01 Ne pas en mener large   *To be in a tight corner, to be very weak*
Depuis son opération pour le foie, il n'en mène pas large. Comme son nouveau patron est très exigeant, il n'en mène pas large.

02 Y laisser sa peau   *To die, to perish*
Je ne vais pas là; c'est dangereux, et je ne veux pas y laisser ma peau. S'il accepte ce travail-là, il va y laisser sa peau.

03 Se saigner aux quatre veines   *To make every sacrifice for*
Il devra se saigner aux quatre veines pour payer toutes ses dettes. Cette bonne est ingrate, puisque la famille s'est saignée aux quatre veines pour elle.

04 Tenir à coeur   *To be very important to someone*
Votre succès en classe me tient à coeur autant qu'à vous. Je travaille fort à ce livre parce qu'il me tient à coeur.

05 Marquer le pas   *To mark time, to go slowly*
Les travaux ne vont pas vite, car les ouvriers marquent le pas. Ils sont en retard, car ils ont marqué le pas pendant un mois.

06 Donner un coup de barre   *To make an effort, to put the helm over*
Si vous voulez finir à temps, il faudra donner un coup de barre. Comme c'est très difficile, essayez de donner un coup de barre.

07 Ça ne rime à rien   *It makes no sense, there is no rhyme nor reason in it*
Il m'a donné une réponse, mais ça ne rime à rien. Avec les explications que vous donnez, ça ne rime à rien.

08 Tenir la gauche   *To keep to the left*
Si vous voulez tourner, tenez votre gauche. Tenez la gauche jusqu'au coin de la rue.

09 Tenez-vous-le pour dit   *Take it for granted*
J'ai assez insisté sur cela, tenez-vous-le pour dit. Tenez-vous-le pour dit, car je ne veux pas répéter.

10 Avoir de qui tenir   *To be of good stock (a chip off the old block)*
C'est un enfant très intelligent; il a de qui tenir. Madame, votre fille est très aimable; elle a de qui tenir.

11 Se faire fort de   *To undertake, to take it upon oneself to*
Il se fait fort de réussir, grâce à son expérience. Elle se fait fort d'atteindre les plus hauts échelons.

12 Se rincer le gosier (la dalle) *To wet one's whistle, to have a drink*
Je ne prends qu'un verre d'eau pour me rincer le gosier. Comme il fait très chaud, je veux simplement me rincer la dalle.

13 N'y avoir rien à l'épreuve de   *To be able to do everything, to know everything*
Ne vous surprenez pas, il n'y a rien à son épreuve. Ils sont très courageux; il n'y a rien à leur épreuve.

14 Quel temps! *What weather!*
J'ai dû voyager toute la semaine, et quel temps! Je me suis rendu au Nord en auto, et quel temps!

15 À tout événement *As a measure of precaution*
À tout événement, j'ai fait réparer mon pneu avant de partir. À tout événement, je suis allé voir mon médecin hier soir.

16 Il fait doux *It is a mild weather*
Ce matin, il fait doux et on est bien dehors. Il fait plus doux que la semaine dernière.

17 Se remettre à flot *To restore one's fortunes*
Après ce déficit, il s'est remis à flot en peu de temps. En épargnant beaucoup, je vais me remettre à flot.

18 Lever la séance *To adjourn a meeting*
Après une très longue discussion, ils ont levé la séance. La séance fut levée dans un tumulte général.

19 Aimer à la folie *To love to distraction, to like very much*
Ces deux jeunes époux s'aiment à la folie. Cet enfant aime la musique à la folie.

20 Rayez cela de vos papiers *Count on that no more*
Ne me demandez plus d'argent; rayez cela de vos papiers! Rayez cela de vos papiers, ne comptez plus sur mon aide.

EXERCICES DE LA LEÇON 47

. . . .

RÉPONDEZ AUX QUESTIONS SUIVANTES
EN EMPLOYANT LES EXPRESSIONS ÉTUDIÉES

1 Est-ce qu'il se porte bien depuis son opération?
2 Avez-vous l'intention d'escalader cette montagne?
3 Pourquoi la bonne de la famille a-t-elle été renvoyée?
4 Pourquoi travaillez-vous si fort sur ce livre?
5 Pourquoi les travaux sont-ils en retard?
6 Est-ce que je pourrai finir ce travail à temps?
7 Aimez-vous ses explications?
8 Dois-je tourner à la prochaine rue?
9 Qu'avez-vous dit aux élèves qui n'écoutaient pas?
10 Est-ce que cette jeune fille est très aimable?
11 Pourquoi espère-t-il obtenir cet emploi au Ministère?
12 Voulez-vous un bon verre de bière?
13 Ce jeune homme est-il bien courageux?
14 A-t-il fait beau temps pendant votre voyage?
15 Est-ce que la route de campagne est bonne?
16 Quel temps fait-il ce matin?
17 Pourquoi épargne-t-il le plus possible?
18 À quelle heure ont-ils levé la séance?
19 Est-ce que Paul aime la musique?
20 Pourrez-vous continuer à m'aider?

VOCABULAIRE SPÉCIAL DE CETTE LEÇON

foie — liver
peau — skin
bonne — maid, servant
explication — explanation
épreuve — proof
pneu — tire
dehors — outside, outdoors
épargner — to save, to spare
tumulte — uproar, turmoil
rayer — to erase, to bar
se porter — to be

patron — boss, chief
sac — bag, handbag
ouvrier — worker
gosier — throat
se rendre — to go
médecin — doctor
flot — wave, float
lever — to lift
époux — couple
compter sur — to rely on
renvoyer — to dismiss, to fire

FAITES DES PHRASES ORALES ET ÉCRITES
AVEC LES EXPRESSIONS SUIVANTES

il fait doux — à la folie — avoir de qui tenir — y laisser sa peau — tenez votre gauche — lever la séance — marquer le pas — à tout événement — quel temps!

Leçon 48

01 Avoir mal à la tête (aux dents)   *To have a headache (toothache)*
Je prends une pilule, car j'ai mal à la tête depuis ce matin. J'ai mal aux dents et je vais chez le dentiste.

02 De longue date   *For a long time, long-standing*
Je le connais de longue date; c'est mon meilleur ami. Il s'agit d'une amitié de longue date entre ces deux voisins.

03 Avoir le fou rire   *To be overcome with uncontrollable laughter*
J'ai eu le fou rire pendant la leçon du professeur. J'ai souvent le fou rire quand ce n'est pas le temps.

04 En marge de   *On the fringe of, outside*
Ce sont des gens suspects qui vivent en marge de la société. Il fait de la médecine, mais c'est en marge de la Faculté.

05 Ne pas se fouler la rate   *To take things easy*
Il travaille lentement et ne se foule pas la rate. Il ne se foule pas la rate, car il prend son temps.

06 Gardez-vous bien d'y aller   *Mind you do not go there*
C'est un endroit dangereux, gardez-vous bien d'y aller. Gardez-vous bien d'y aller, car vous ne serez pas admis.

07 La langue m'a fourché   *I made a slip of the tongue*
Pendant mon discours, la langue m'a fourché plus d'une fois. Je m'appliquais à bien prononcer, mais la langue m'a fourché.

08 Avoir une peur bleue   *To be scared to death*
Elle a une peur bleue quand elle entend gronder le tonnerrre. Quand il voit un ours, il a une peur bleue.

09 Avoir des fourmis (épingles) dans les jambes   *To have pins and needles in one's legs, to have a tingling*
Après trois mois sans jouer au hockey, j'ai des fourmis dans les jambes. Après un si long repos, j'ai des épingles dans les jambes.

10 Faire la morale   *To reprimand, to moralize*
Le professeur nous fait souvent la morale le lundi matin. Maman est une vieille personne qui aime nous faire la morale.

11 Se moquer des gens (du monde)   *To have a confounded nerve*
Avec toutes ces promesses d'élection, c'est se moquer des gens.
C'est ce qu'on appelle se moquer du monde.

12 Ronger son frein   *To chafe at the bit   int*
Il ne dit rien et ronge son frein en silence. Elle n'est pas très contente et elle ronge son frein.

13 Pour la frime   *For appearance sake*
Il m'a averti de ne plus recommencer, mais c'est pour la frime.
Elle a puni les enfants, mais c'est pour la frime.

14 Ne pas se sentir de joie   *To be beside oneself with joy*
Depuis cette superbe réussite, il ne se sent pas de joie. Il ne se
sent pas de joie depuis qu'il a tué cet orignal.

15 C'est à n'y pas croire   *It is beyond all belief*
La chose est si extraordinaire que c'est à n'y pas croire! Ils ont
condamné l'innocent; c'est à n'y pas croire!

16 Faire les gros yeux à   *To look sternly at*
Le professeur m'a fait les gros yeux quand je suis entré. J'ai fait
les gros yeux à ma secrétaire qui était en retard.

17 Faire de l'oeil à   *To tip someone the wink*
Elle m'a fait de l'oeil quand je suis passé près d'elle. Il fait toujours de l'oeil aux belles femmes qu'il voit.

18 S'en rapporter à   *To rely on, to put one's faith in*
Vous êtes le responsable, et je m'en rapporte à vous. Je pars en
voyage et je m'en rapporte à mon adjoint.

19 Perdre la boule   *To go off one's rocker, to lose one's marbles*
Il n'est plus le même, je crois bien qu'il a perdu la boule. Pour faire une telle chose, il faut qu'elle ait perdu la boule.

20 Rouler sa bosse   *To knock about the world*
Il a roulé sa bosse un peu partout à travers le monde. Il roule sa
bosse, et on ne sait jamais son adresse.

RÉPONDEZ AUX QUESTIONS SUIVANTES
EN EMPLOYANT LES EXPRESSIONS ÉTUDIÉES

1 Pourquoi avez-vous téléphoné au dentiste?
2 Est-ce que ces deux voisins sont de bons amis?
3 Pourquoi le professeur vous a-t-il fait les gros yeux?
4 Pourquoi vivent-ils toujours en marge de la société?
5 Est-ce que votre collègue est bien nerveux?
6 Qu'est-ce que votre père vous a dit quand vous êtes sorti?
7 Pourquoi avez-vous mal prononcé ce mot français?
8 Votre femme a-t-elle peur du tonnerre?
9 Avez-vous hâte de retourner jouer au hockey?
10 Votre mère vous fait-elle la morale quelquefois?
11 Croyez-vous aux promesses d'élections?
12 Est-elle contente de la décision de son père?
13 Pourquoi a-t-elle puni les enfants ce matin?
14 Est-il content d'avoir tué cet orignal?
15 Qui a été condamné pendant le procès?
16 Pourquoi avez-vous fait les gros yeux à votre secrétaire?
17 Vous a-t-elle fait de l'oeil?
18 À qui vous en rapportez-vous quand vous partez?
19 Pourquoi a-t-il fait une telle chose?
20 Est-ce que votre oncle déménage souvent?

VOCABULAIRE SPÉCIAL DE CETTE LEÇON

pilule – pill
il s'agit de – it is a question of
fouler – to sprain
endroit – spot, place
tonnerre – thunder
fourmi – ant
ronger – to gnaw
tuer – to kill
adjoint – assistant
avoir peur – to fear, to be afraid
procès – trial

depuis – since
voisin – neighbour
rate – spleen
gronder – to roar
ours – bear
repos – rest
réussite – success
orignal – moose
bosse – hump
avoir hâte – to long for
déménager – to move

FAITES DES PHRASES ORALES ET ÉCRITES
AVEC LES EXPRESSIONS SUIVANTES

faire de l'oeil à – en marge de – de longue date – il roule sa bosse – faire les gros yeux à – avoir mal à – pour la frime – perdre la boule – avoir une peur bleue

01 Y perdre son latin   *Not to make head or tail of it*
N'insistez pas, car vous y perdrez votre latin. Il ne veut pas écouter et il y perd son latin.

02 À la dérive   *Adrift, at the mercy of the waves*
La petite barque s'en allait à la dérive avec les enfants. Les enfants criaient, car la chaloupe allait à la dérive.

03 En faire à sa tête   *To have one's way to*
Malgré les conseils de sa mère, elle en a fait à sa tête. Ne vous surprenez pas, il en fera à sa tête.

04 Par ricochet   *Indirectly, in a roundabout way*
Nous avons appris cette nouvelle par ricochet. Je l'ai su par ricochet en allant au magasin.

05 À l'issue d'un tête-à-tête   *At the end of a private talk (discussion)*
À l'issue du tête-à-tête, les journalistes étaient présents. On ne nous a rien dit à l'issue de ce tête-à-tête.

06 Avoir raison   *To be right*
Je crois que j'ai raison en disant cela. Elle se trompe, même si elle croit avoir raison.

07 Force lui fut de   *He was really obliged to*
Dans cette circonstance, force lui fut d'obéir. Force lui fut d'attendre le résultat de ses examens.

08 Faire le pied de grue   *To be kept waiting, to wait*
Il est très occupé, et il faut faire le pied de grue à sa porte. J'ai dû faire le pied de grue quand je suis allé au Ministère.

09 Vous me faites rire!   *Nonsense! Fiddlesticks!*
Il vous a dit qu'il avait bien réussi; vous me faites rire! Vous me faites rire! ne me dites pas qu'il est intelligent.

10 Par endroits   *Here and there, in places*
Par endroits, on peut voir qu'il y a eu une sécheresse. On ne le voit pas partout, mais par endroits.

11 Je m'en garderai bien!   *I shall do no such thing!*
Vous me dites qu'il ne faut pas le déranger; je m'en garderai bien! Il ne faut pas révéler ce secret? Je m'en garderai bien!

12 À tête reposée *At one's leisure, with a clear head*

Je vais faire ce calcul à tête reposée. Je vais y penser à tête reposée.

13 Avoir honte de *To be ashamed of*

J'ai honte de parler si mal après trois ans d'étude. Elle n'a pas honte de dire ce qu'elle pense.

14 Sonner le glas de *To ring the knell of, to announce the end of*

Ce gouvernement va tomber; on en sonne déjà le glas. Qui est mort? on sonne le glas à l'église, ce matin.

15 Comme un sou neuf *Like a new penny, as bright as a new pin*

Ce n'est pas un objet usagé; il est comme un sou neuf. Comme vous pouvez le voir, c'est comme un sou neuf.

16 Mettre au rancart *To cast aside, to scrap*

Cette chaise est trop vieille, nous l'avons mise au rancart. Je ne suis pas encore assez vieux pour être mis au rancart.

17 Battre en brèche *To attack with force, to run down*

Pendant la campagne électorale, il a battu ses adversaires en brèche. Les troupes ont battu en brèche toute la journée.

18 De peine et de misère *With great difficulty*

J'ai réussi de peine et de misère à le convaincre. C'est de peine et de misère que j'ai pu arriver sur le mont.

19 Avoir beau jeu *To have a good hand, to have the best of it*

Votre adversaire a été battu, et vous avez beau jeu maintenant. Vous avez beau jeu puisque vous êtes le chef.

20 Donner le feu vert à *To allow, to give the green light to*

Ils ont donné le feu vert à mes projets de construction. La ville a donné le feu vert à ce groupe d'hommes d'affaires.

. . . .

RÉPONDEZ AUX QUESTIONS SUIVANTES
EN EMPLOYANT LES EXPRESSIONS ÉTUDIÉES

1 Est-ce que je dois insister davantage?
2 Pourquoi les deux enfants criaient-ils dans la chaloupe?
3 Est-ce que cette jeune fille est bien obéissante?
4 Comment avez-vous su cette nouvelle?
5 Quel est le résultat de ce long tête-à-tête?
6 Est-ce qu'elle a raison?
7 Est-ce qu'elle a pu en faire à sa tête?
8 Avez-vous attendu bien longtemps pour voir le Ministre?
9 Est-ce que Charles est bien intelligent?
10 Est-ce que la sécheresse a été générale?
11 Est-ce que vous allez révéler ce secret?
12 Quand aurez-vous le temps de faire ce calcul?
13 Comment parlez-vous après trois ans de français?
14 Est-ce que le présent gouvernement va tomber?
15 Est-ce que ce fusil est neuf?
16 Pourquoi cette chaise est-elle au sous-sol?
17 Est-ce que les troupes américaines ont attaqué?
18 Êtes-vous arrivés sur le mont?
19 Est-ce que j'ai beau jeu maintenant?
20 Est-ce que nous aurons un autre pont sur la rivière des Outaouais?

VOCABULAIRE SPÉCIAL DE CETTE LEÇON

sel — salt
chaloupe — rowing-boat
se tromper — to be wrong, to be
    mistaken
j'ai dû — I had to
sécheresse — drought
déranger — to bother, to disturb
feu vert — green light
obéissant — obedient

barque — lauching-boat
conseil — advice
grue — crane
réussir — to succeed
partout — everywhere
usagé — second-hand
ouverture — opening
fusil — gun, rifle

FAITES DES PHRASES ORALES ET ÉCRITES
AVEC LES EXPRESSIONS SUIVANTES

de peine et de misère — mettre au rancart — avoir honte — à la dérive — par
endroits — avoir raison — à tête reposée — avoir beau jeu — faire le pied de
grue

01 Regretter les oignons d'Égypte   *To sigh for the flesh-pots of Egypt*
Cet immigrant commence déjà à regretter les oignons d'Égypte.
Je suis venu au Canada, mais je regrette les oignons d'Égypte.

02 Faire grâce de   *To let someone off something*
Donnez-moi cinq dollars, et je vous fais grâce du reste. Vous êtes fatigué ; je vous fais grâce de l'autre leçon.

03 Jeter (mettre) aux oubliettes   *To leave out, to cast aside*
Je crois que le patron a jeté ma demande aux oubliettes. Ces projets seront mis aux oubliettes, comme les autres.

04 Courir la chance de   *To run the risk of*
Vous courez la chance d'arriver à temps si vous partez assez tôt.
Vous courez la chance de manquer le train, si vous retardez trop.

05 Se laisser embarquer sur le dos   *To let oneself be ruled (be commanded)*
Ce professeur se laisse embarquer sur le dos par les élèves. Cette femme ne se laisse pas embarquer sur le dos si facilement.

06 Porter atteinte à l'honneur de quelqu'un   *To cast a slur on someone's honour*
Ce scandale portera atteinte à l'honneur du ministre. Rien ne peut porter atteinte à son honneur.

07 Tenir entre ses griffes (pattes)   *To have at one's mercy*
Ce jeune homme n'est pas libre, car sa fiancée le tient entre ses griffes. Il m'a tenu entre ses pattes assez longtemps ; je l'abandonne.

08 Être pressé   *To be in a hurry (rush)*
Je suis pressé ce matin, car j'ai beaucoup de travail à faire. Je ne suis pas très pressé et je prends mon temps.

09 Relever un défi   *To take up a challenge*
Ce jeune boxeur a relevé le défi de son adversaire. J'ai relevé le défi et je vais jouer contre lui.

10 Compte tenu de   *Taking into account, considering*
Compte tenu de sa bonne volonté, je lui donne une bonne note.
Compte tenu de tous les détails, je crois qu'il a raison.

11 Port d'attache *Home port, home sweet home*
Après chaque voyage, nous revenons ici, car c'est notre port d'attache. Comment trouvez-vous notre port d'attache?

12 Si bien que *With the result that*
Il a dépensé sans calculer, si bien qu'à la fin il a fait faillite. Je travaille fort, si bien que je pourrai vous accompagner.

13 Jouer au plus fin *To try to outwit*
Il essaie de jouer au plus fin, mais il se trompe beaucoup. J'ai essayé de jouer au plus fin, mais je n'ai pas réussi avec lui.

14 Au juste *Exactly, precisely*
Je ne sais pas au juste qui a gagné cette partie de balle. Vous ne saurez jamais au juste qui a volé ces bijoux.

15 Faire la leçon à *To sermonize, to scold*
Elle fait la leçon à sa grande fille quand elle rentre trop tard. Il a voulu me faire la leçon, mais je me suis bien défendu.

16 Il pleut à boire debout *It is raining dogs and cats*
Je ne sors pas tout de suite, car il pleut à boire debout. Il pleut à boire debout depuis qu'elle est rentrée.

17 De longue main *For a long time*
Ces travaux ont été préparés de longue main. Je vais chez eux, car ce sont des amis de longue main.

18 Prendre un instantané *To take a snapshot*
Quand je voyage, j'aime beaucoup prendre des instantanés. Je prends souvent des instantanés, car ils sont plus naturels.

19 Libre à vous de *You are free to, you are allowed to*
Libre à vous de prendre le train qui vous convient le plus. Libre à vous de décider le jour de votre départ pour Paris.

20 On se l'arrache *He is in great demand, there is a scramble for*
C'est un acteur connu, et on se l'arrache partout. On s'arrache ce livre qui fait fureur présentement.

RÉPONDEZ AUX QUESTIONS SUIVANTES
EN EMPLOYANT LES EXPRESSIONS ÉTUDIÉES

1 Est-il content d'être venu au Canada comme immigrant?
2 Est-ce que vous me faites grâce de cette leçon pour cette fois?
3 Où avez-vous mis la demande que j'ai faite?
4 Est-ce que je vais arriver à temps pour prendre le train?
5 Cette femme est-elle énergique?
6 Est-ce que cette histoire va l'affecter?
7 Pour quelle raison l'abandonnez-vous?
8 Êtes-vous très pressé aujourd'hui?
9 Avez-vous l'intention de jouer contre lui?
10 Est-ce que vous croyez qu'il a raison?
11 Allez-vous souvent à cet endroit?
12 Pouvez-vous m'accompagner à Toronto pour la coupe Grey?
13 Avez-vous réussi à le tromper?
14 Qui a gagné la dernière partie de hockey?
15 Cette mère fait-elle la leçon à ses grands enfants?
16 Est-ce que vous sortez tout de suite?
17 Les connaissez-vous depuis longtemps?
18 Est-ce que vous prenez souvent des intantanés?
19 Quand partirons-nous pour Vancouver?
20 Avez-vous eu le temps de lire ce beau livre?

VOCABULAIRE SPÉCIAL DE CETTE LEÇON

demande — request, application
retarder — to delay
cadeau — gift
volonté — will
chemin de fer — railroad
faillite — bankruptcy
essayer — to try
partie de balle — ball game
bijoux — jewels
arracher — to snatch, to pull
partie de hockey — hockey game

assez tôt — soon enough
dos — back
griffe — claw, paw
note — mark
dépenser — to spend
se tromper — to be mistaken
gagner — to win
voler — to steal
debout — up, standing
partout — everywhere
tout de suite — right now

FAITES DES PHRASES ORALES ET ÉCRITES
AVEC LES EXPRESSIONS SUIVANTES

libre à vous — être pressé — de longue main — jouer au plus fin — faire la
leçon à — faire grâce de — il pleut à boire debout — si bien que

Leçon 51

01 À brève échéance *Before long, in a short time, in a little while*
À brève échéance, il vous donnera satisfaction. Je crois qu'à brève échéance, vous pourrez parler français.

02 À l'instar de *Like, in the manner of, in imitation of*
À l'instar des autres, je regardais le défilé. Je porte des sabots, à l'instar de certains Européens.

03 Avoir mauvaise presse *To have bad press,*
Ce parti a mauvaise presse depuis les élections. Ce politicien a mauvaise presse dans plusieurs provinces.

04 À mi-voix *In an undertone, in a subdued voice*
Nous parlions à mi-voix pour ne pas les réveiller. Pour ne pas les déranger, je chante à mi-voix.

05 Bon an, mal an *Every single year, year in and year out*
Bon an, mal an, il fait son voyage au Mexique. Il visite ses vieux grands-parents, bon an, mal an.

06 Ça ne colle pas! *I do not believe it! It is not true!*
Inutile d'insister, ça ne colle pas du tout! Ça ne colle pas, car je viens d'entendre le contraire!

07 Circulation interdite *No thoroughfare*
Regarde bien, c'est écrit: Circulation interdite! La circulation est interdite sur ce pont pour une semaine.

08 Courir deux lièvres à la fois *To try to do two things at once*
En voulant courir deux lièvres à la fois, il a tout manqué. Je lui ai conseillé de ne pas courir deux lièvres à la fois.

09 Langue de vipère *Venomous tongue*
Je n'aime pas sa compagnie, c'est une vraie langue de vipère! C'est une langue de vipère; elle n'épargne personne.

10 Jeu de mots *Pun, play on words*
Ne vous offensez pas, c'est un simple jeu de mots. En français, il est facile de faire des jeux de mots.

11 De tout son long *At full length*
Il était étendu de tout son long. Je suis tombé de tout mon long sur le trottoir glacé.

12 Doré sur tranche *Gilt-edged*
Je lui ai donné un beau livre doré sur tranche. Un livre doré sur tranche: quel beau cadeau!

13 En définitive *Finally, in short, in a word*
En définitive, je crois que vous avez raison. En définitive, il faudra accepter cette décision.

14 En venir aux gros mots *To argue, to quarrel, to come to strong words*
À la fin de la discussion, ils en sont venus aux gros mots. Il en vient aux gros mots quand il se fâche.

15 Être en perte de vitesse *To stall, to slow down*
Après ses premiers succès, il est en perte de vitesse. Depuis Noël, cet élève est en perte de vitesse.

16 Faire les cent pas *To go to and fro*
Il fait les cent pas devant le bureau du Ministre. Le directeur est occupé; vous allez faire les cent pas.

17 Filer un mauvais coton *To be in bad health (a bad way)*
Depuis son divorce, il file un mauvais coton. Tous les deux filent un mauvais coton depuis leur banqueroute.

18 Garder le lit *To stay in bed*
Elle va mieux, mais elle garde encore le lit. Il faut garder le lit quand on a la grippe.

19 Tenir en haleine *To keep in suspense, to hold breathless*
Cette nouvelle nous tient en haleine depuis deux jours. C'est un patron très exigeant qui nous tient toujours en haleine.

20 Les choses vont leur train *Things are in a fair way, everything proceeds normally*
L'inspection a prouvé que les choses vont leur train. Les choses vont leur train en l'absence du patron.

EXERCICES DE LA LEÇON 51

RÉPONDEZ AUX QUESTIONS SUIVANTES
EN EMPLOYANT LES EXPRESSIONS ÉTUDIÉES

1 Est-ce que je pourrai parler français, un jour?
2 Que faisiez-vous sur le trottoir, hier après-midi?
3 Qu'est qu'on dit du directeur de cette entreprise?
4 Pourquoi parliez-vous à mi-voix?
5 Allez-vous souvent au Mexique, en hiver?
6 Le croyez-vous quand il dit cela?
7 Pourquoi faites-vous ce long détour ce matin?
8 Qu'est-ce que vous avez conseillé à votre collègue?
9 Que vous a-t-il dit de cette voisine qui parle beaucoup?
10 Pouvez-vous faire des jeux de mots en français?
11 Pourquoi ta chemise est-elle toute sale?
12 Qu'est-ce que tu lui as donné comme cadeau?
13 Que pensez-vous de cette décision?
14 Qu'est-il arrivé à la fin de cette longue discussion?
15 Est-ce que cet élève va toujours bien en classe?
16 Si le directeur n'est pas là, que ferez-vous?
17 Comment va-t-il depuis son divorce?
18 Quand on a la grippe, que faut-il faire?
19 Qu'est-ce que vous écoutez à la radio depuis deux jours?
20 Comment vont les choses pendant l'absence du patron?

VOCABULAIRE SPÉCIAL DE CETTE LEÇON

défilé — parade
sabot — wooden shoe
réveiller — to wake up
coller — to glue, to stick
conseiller — to advise
épargner — to spare, to save
étendu — stretched lying
divan — couch
se fâcher — to get angry

vitesse — speed
banqueroute — bankruptcy
grippe — flu, influenza
patron — boss, director
trottoir glacé — icy sidewalk
voisin — neighbour
sale — dirty
veston — coat, jacket
elle va mieux — she feels better

FATES DES PHRASES ORALES ET ÉCRITES
AVEC LES EXPRESSIONS SUIVANTES

à mi-voix — de tout son long — en venir aux gros mots — faire les cent pas —
garder le lit — à l'instar de — à brève échéance — bon an, mal an — c'est un jeu
de mots

Leçon 52

01 Monter un coup   *To plot*
En faisant cela, ils ont voulu monter un coup. Ils ont monté un coup au nouveau professeur.

02 Payer en monnaie de singe   *To bilk, to let someone whistle for his money*
Il se contente de payer en monnaie de singe, car il est peu scrupuleux. Il a eu le courage de vouloir me payer en monnaie de singe.

03 Être (se mettre) de moitié avec   *To go halves with someone*
Je suis de moitié avec mon cousin dans cette entreprise. Il s'est mis de moitié avec moi pour ouvrir cette boutique.

04 Payer en nature   *To pay in kind*
N'ayant pas d'argent en banque, il m'a payé en nature. À la campagne, on paie souvent en nature.

05 Manquer de nerf   *To lack energy, to be weak*
Ce chef est intelligent, mais il manque de nerf. Un chef de groupe ne doit pas manquer de nerf.

06 Nid à rats   *Mere hovel*
Ce vieux grenier est un vrai nid à rats. Ces taudis du centre-ville sont des nids à rats.

07 Chercher noise à   *To pick a quarrel*
On ne l'aime pas, car il cherche noise aux autres. Elle cherche noise à ses voisines, car elle est très jalouse.

08 Nommer les choses par leur nom   *To call a spade a spade*
Il est franc et aime nommer les choses par leur nom. Nommez les choses par leur nom et ne craignez rien.

09 Sauter aux nues   *To go wild with joy*
En entendant cette bonne nouvelle, elle a sauté aux nues. Il a sauté aux nues en apprenant qu'il avait gagné le gros lot.

10 Oeufs à la coque   *Boiled eggs*
Pour moi, les oeufs à la coque sont indigestes. Les oeufs à la coque sont commodes en pique-nique.

11 Rendre un mauvais office à *To do someone a bad turn*
En faisant cela, vous lui avez rendu un bien mauvais office. Comme je lui ai rendu un mauvais office, il est fâché.

12 Sauf erreur ou omission *Errors and omissions excepted*
Sauf erreur ou omission, je crois que la liste est complète. Je crois avoir nommé tout le monde, sauf erreur ou omission.

13 Se faire les ongles *To trim one's nails*
Avant d'aller au cocktail, elle se fait toujours les ongles. En se faisant les ongles, il bavardait continuellement.

14 Aller se faire opérer *To undergo surgery*
Ce vieillard va se faire opérer sous peu. Le médecin lui a dit d'aller se faire opérer sans retard.

15 Dire le grand oui *To plunge, to tie the knot*
Elle a dit le grand oui au pied de l'autel. Elle a attendu trois ans avant de dire le grand oui.

16 De (la) pacotille *It is trumpery, it is junk*
C'est une montre de pacotille, je l'ai payée trop cher. La marchandise semblait bonne, mais c'est de la pacotille.

17 Tirer à la courte paille *To draw lots*
On tire à la courte paille pour trouver le premier. On a tiré à la courte paille, et c'est lui qui a été choisi.

18 Monter dans le panier à salade *To get into the prison van*
Tous les jeunes ont été invités à monter dans le panier à salade. Les quatre complices sont montés dans le panier à salade.

19 Faire école *To be imitated, to set a fashion*
Sa nouvelle théorie fera école. Elle est en train de faire école avec ses idées révolutionnaires.

20 Passe encore pour cela *Let it go, let us accept it*
J'aurais voulu un peu mieux, mais passe encore pour cela. Passe encore pour cela, même si ça ne me plaît pas.

. . . .

RÉPONDEZ AUX QUESTIONS SUIVANTES
EN EMPLOYANT LES EXPRESSIONS ÉTUDIÉES

1 Pourquoi le jeune professeur est-il fâché et nerveux?
2 Est-ce que cet homme est bien scrupuleux?
3 Êtes-vous seul pour administrer cette entreprise?
4 Vous a-t-il payé en argent comptant?
5 Est-ce que c'est un chef de groupe très énergique?
6 Pourquoi ont-ils démoli tous ces taudis?
7 Et alors, vous n'aimez pas cette personne-là? Pourquoi?
8 Est-ce un homme bien franc?
9 Quand il a su qu'il avait gagné le gros lot, qu'est-ce qu'il a fait?
10 Pourquoi ne mangez-vous pas d'oeufs à la coque?
11 Pourquoi est-il encore fâché contre vous?
12 Est-ce que la liste est bien complète?
13 Que fait-elle habituellement avant d'aller à un cocktail?
14 Qu'est-ce que son médecin lui a dit de faire?
15 A-t-elle finalement dit le grand oui?
16 Est-ce que c'est de la bonne marchandise?
17 Comment a-t-il été choisi?
18 Les complices ont-ils été arrêtés?
19 Pensez-vous qu'elle a beaucoup d'influence sur son entourage?
20 Auriez-vous voulu quelque chose de mieux?

VOCABULAIRE SPÉCIAL DE CETTE LEÇON

singe – monkey
campagne – country
nid – nest
grenier – attic
taudis – slum
craindre – to fear
nues – clouds, sky
gros lot – jack pot
commode – handy, practical

bavarder – to gossip
vieillard – old man
sous peu – soon, shortly
autel – altar
paille – straw
complice – accomplice
panier – basket
sans retard – without delay
ongle – nail

FAITES DES PHRASES ORALES ET ÉCRITES
AVEC LES EXPRES' 'NS SUIVANTES

manquer de nerf – des oeufs à la coque – faire école – c'est de la pacotille – se faire les ongles – payer en nature – monter un coup à – sauter aux nues – sauf erreur ou omission

Leçon 53

01 À la nuit tombante   *At nightfall*
Je suis revenu de la chasse à la nuit tombante. À la nuit tombante, j'ai tué deux autres canards.

02 Aller à pas (à une allure) de tortue   *To go at a snail's pace*
Dépêchez-vous, vous allez toujours à pas de tortue. En allant à une allure de tortue, quand arriverez-vous?

03 À tout coup   *Constantly, very often*
Pendant la soirée, elle me téléphonait à tout coup. À tout coup, on l'entendait rire aux éclats.

04 Au grand complet   *At full strength, no one missing*
Le bataillon est revenu au grand complet. Le personnel de cette usine est au grand complet.

05 Boire à même la bouteille   *To drink straight out of the bottle*
Je bois à même la bouteille, car je n'ai pas de verre. En pique-nique, on boit souvent à même la bouteille.

06 Ça ne prend plus!   *That won't do any longer! You will not catch me any more!*
Je t'ai cru plusieurs fois, mais maintenant ça ne prend plus! Ça ne prend plus, car tu m'as déjà trompé plusieurs fois!

07 Faire lever le coeur   *To turn one's stomach, to be nauseating*
Je n'aime pas cette senteur, ça me fait lever le coeur. Quand il maltraite les animaux, ça leur fait lever le coeur.

08 Cela ne se passera pas ainsi   *It will not go that way*
Ça ne se passera pas ainsi, puisque c'est moi qui commande. La prochaine fois, ça ne se passera pas ainsi.

09 Couper court à quelque chose   *To cut something short*
Après 30 minutes, il a coupé court à cette discussion. Ton appel téléphonique est trop long; il faudra couper court.

10 De toute façon   *Anyhow, in any case*
De toute façon, j'irai puisque vous le voulez. Ils ne seront jamais satisfaits de toute façon.

11 **Donner tort à** *To lay the blame on, to accuse*
Ils ont donné tort au chauffeur du gros camion. J'ai été prudent, et il ne pourra pas me donner tort.

12 **Y aller de sa personne** *To have a hand in it*
Puisque ça n'avance pas plus vite, il faudra que j'y aille de ma personne. Allez-y de votre personne, ce sera plus sûr.

13 **À raison de** *At the rate of*
Un travail payé à raison de cinq dollars l'heure, ce n'est pas suffisant. On pourra les loger à raison de trois par chambre.

14 **De bon augure** *Auspicious, of good omen*
J'ai réussi au premier examen, cela est de bon augure. On parle de paix, et je crois que c'est de bon augure.

15 **Faire marche arrière** *To back up, to change one's mind*
Il est trop tard pour faire marche arrière. Il a fait marche arrière et renoncé à ses projets.

16 **Grossir la liste de** *To swell the number of*
La fermeture de l'usine va grossir la liste des chômeurs. Cet accident a grossi la liste des morts du week-end.

17 **Il en est de même** *It is the same thing*
Il en sera toujours de même avec ce directeur-là. Il en est de même pour les autres employés de ce commerce.

18 **Avoir le sommeil dur** *To be a heavy sleeper*
Secouez-le un peu plus fort, car il a le sommeil dur. Il n'est pas très bon d'avoir le sommeil dur.

19 **Jeter le froc aux orties** *To cast one's frock on the dung-hill*
Ces dernières années, plusieurs ont jeté le froc aux orties. Il m'a dit qu'il entendait jeter le froc aux orties.

20 **Mettre le holà** *To interfere, to stop, to restore order*
Il est venu mettre le holà dans tout ce désordre. Si vous ne cessez pas de vous quereller, je vais y mettre le holà.

. . . .

RÉPONDEZ AUX QUESTIONS SUIVANTES
EN EMPLOYANT LES EXPRESSIONS ÉTUDIÉES

1 Es-tu revenu de la chasse très tard ?
2 Pourquoi arrive-t-il toujours en retard ?
3 Est-ce qu'elle te téléphone souvent ?
4 Le bataillon a-t-il perdu des hommes ?
5 Voulez-vous un verre pour boire ?
6 Est-ce que vous le croyez toujours comme auparavant ?
7 Est-ce que tu aimes cette senteur dans la cuisine ?
8 Est-ce que ça va changer quelque chose si c'est vous qui commandez ?
9 La discussion a-t-elle été très longue ?
10 Pourrez-vous leur donner entière satisfaction ?
11 Qui a été accusé dans cet accident ?
12 Les travaux vont-ils finir avant la fin du mois ?
13 Pourrez-vous loger tous ces touristes ?
14 Est-ce que cette guerre va finir bientôt ?
15 Est-ce qu'il pense encore à ses projets de construction ?
16 Y a-t-il beaucoup de chômeurs dans ce petit village ?
17 Est-ce que les choses vont changer à l'école ?
18 Avez-vous pu lui parler ?
19 Est-ce que le nombre de prêtres a diminué ?
20 Qu'est-il venu faire dans la salle de classe ?

VOCABULAIRE SPÉCIAL DE CETTE LEÇON

chasse — hunting
canard — duck
se dépêcher — to hurry
tortue — turtle
usine — factory, plant
tromper — to cheat, to trick
puisque — as, since
réussir — to pass, to succeed
rire aux éclats — to burst out laughing

fermeture — closing, lock-out
chômeur — jobless, unemployed
triste — sad
ortie — nettle
froc — cassock
personnel — staff
verre — glass
auparavant — before, formerly

FAITES DES PHRASES ORALES ET ÉCRITES
AVEC LES EXPRESSIONS SUIVANTES

à la nuit tombante — à tout coup — couper court à — à raison de — il en est de même que — grossir la liste de — au grand complet — de toute façon — avoir le sommeil dur

Leçon 54

01 Cela se conçoit facilement   *That is easily understood*
Il est furieux contre elle, et cela ce conçoit facilement. Cela se conçoit assez facilement quand on pense à l'inflation.

02 Donner (jeter) sa langue au chat   *To give up*
Ce petit garçon ne répond pas; il a donné sa langue au chat. As-tu jeté ta langue au chat, mon petit Pierrot?

03 En grande tenue   *In full dress, very formal*
Ils ont assisté au défilé en grande tenue. Le vestibule de l'hôtel était plein d'invités en grande tenue.

04 En temps et lieu   *In proper time and place, in due course*
Je vous le dirai en temps et lieu, ce n'est pas urgent. On prendra une décision en temps et lieu.

05 Être la bête noire de   *To be the pet aversion of*
Elle est la bête noire de tout le groupe. Il est souvent puni, car il est la bête noire de la classe.

06 Faire les choses en grand   *To do things on a noble scale*
Mon voisin aime bien faire les choses en grand. À ce mariage-là, on a su faire les choses en grand.

07 Franchir le mur du son   *To break through the sound barrier*
Cet avion a réussi à franchir le mur du son. Pourquoi tout ce vacarme? Un avion a franchi le mur du son.

08 Pièces ci-jointes   *Enclosures*
Veuillez me remettre les pièces ci-jointes un peu plus tard. Au bas de la lettre écrivez: Pièces ci-jointes.

09 On aura tout vu!   *Wonders will never cease!*
Il a réussi à la convaincre; on aura tout vu! C'est lui qui a eu la promotion; on aura tout vu!

10 Passer par les armes   *To be shot*
Les trois déserteurs ont été passés par les armes. Il a été passé par les armes à la suite de sa haute trahison.

11 Pile ou face?   *Heads or tails?*
Que choisissez-vous? Pile ou face? « Pile ou face? » demanda-t-il à son adversaire.

12 Point n'est besoin de   *No need to, it is not necessary to*
Point n'est besoin de répéter; j'ai bien compris. Il a accepté, et point n'est besoin d'insister.

13 Prendre du poids   *To put on weight, to get fatter*
Depuis son opération, elle a pris du poids. À son âge, il ne devrait pas prendre du poids.

14 Qu'est-ce que ça fait?   *Who cares? I don't mind!*
Je ne suis pas sur cette liste, mais qu'est-ce que ça fait? On m'a dit le contraire, mais qu'est-ce que ça fait?

15 Rien qu'à   *Only for (to)*
Il le dira, mais rien qu'à moi. Il en a donné plusieurs en cadeau, mais rien qu'à ses amis.

16 Rire aux éclats   *To burst out laughing*
Ce farceur a fait rire toute la salle aux éclats. Quand il rit aux éclats, les murs tremblent.

17 Sauter à bas du lit   *To jump out of bed*
Il a eu peur et a sauté à bas du lit. Quand le réveille-matin a sonné j'ai sauté à bas du lit.

18 Se noyer dans un verre d'eau   *To drown in a puddle*
Il n'a pas d'initiative, et il se noie dans un verre d'eau. Il se noie dans un verre d'eau, car il n'a pas de courage.

19 Tenir pour acquis   *To take for granted*
Dans un tel cas, vous pouvez le tenir pour acquis. Comme il est très crédule, il tient tout pour acquis.

20 Toujours est-il que   *Anyhow, the fact remains that*
Toujours est-il qu'il n'est jamais plus revenu ici. Toujours est-il qu'on n'a jamais su toute la vérité.

. . . .

RÉPONDEZ AUX QUESTIONS SUIVANTES
EN EMPLOYANT LES EXPRESSIONS ÉTUDIÉES

1 Est-ce que les prix ont augmenté depuis deux ans?
2 Pourquoi cet enfant ne répond-il jamais?
3 Qui avez-vous vu dans le vestibule de cet hôtel?
4 Quand pourrez-vous me le dire?
5 Pourquoi est-il puni si souvent en classe?
6 Qu'est-ce que vous pensez de ce mariage-là?
7 Avez-vous entendu un vacarme infernal?
8 Quelquefois, qu'est-ce que vous écrivez au bas d'une lettre?
9 A-t-il fini par la convaincre?
10 Est-ce que les déserteurs ont été punis très sévèrement?
11 Comment ont-ils fait leur choix?
12 Est-ce que je dois répéter tout ce que j'ai dit?
13 Qu'est-ce que le médecin a dit à cet homme?
14 Est-ce que votre nom est sur la liste des candidats?
15 Savez-vous s'il a donné plusieurs cadeaux?
16 Est-ce que la réunion a été intéressante, hier soir?
17 As-tu entendu le réveille-matin?
18 Est-ce que ce jeune homme a beaucoup d'initiative?
19 Est-ce qu'il a cru tout ce qu'on lui a dit?
20 Avez-vous fini par savoir toute la vérité?

VOCABULAIRE SPÉCIAL DE CETTE LEÇON

défilé – parade
vacarme – noise, uproar
remettre – to give back
à la suite de – after, because of
augmenter – to rise, to go up

farceur – joker, comedian
avoir peur – to be afraid
réveille-matin – alarm-clock
vérité – truth

FAITES DES PHRASES ORALES ET ÉCRITES
AVEC LES EXPRESSIONS SUIVANTES

en temps et lieu – on aura tout vu! – prendre du poids – rire aux éclats – pile ou face? – pièces ci-jointes – tenir pour acquis – faire les choses en grand – point n'est besoin de – toujours est-il que

Leçon 55

01 À la vie, à la mort! *For ever*
Il lui a promis fidélité à la vie, à la mort. Je lui resterai fidèle à la vie, à la mort.

02 Accorder vos violons (flûtes) *To agree upon it between you*
Je vous laisse faire, mes amis, accordez vos violons. Il faudra accorder vos flûtes, si vous voulez rester ensemble.

03 À temps et à contretemps *When it's convenient and when it's not*
Dans ces circonstances, il faut intervenir à temps et à contretemps. Il me fait venir à son bureau à temps et à contretemps.

04 Avoir du chien dans le corps *To be full of energy (the devil)*
C'est un enfant difficile; il a du chien dans le corps. Pour son âge, elle a encore du chien dans le corps.

05 À volonté *At will, whenever one wants*
Dans ce quartier, nous avons de l'eau à volonté. Pour ces concerts je peux avoir des billets à volonté.

06 Clouer le bec à *To shut someone up*
Ses adversaires lui ont cloué le bec. Il s'est fait clouer le bec par le président du comité.

07 Ça revient au même *It comes to the same thing*
Ce n'est pas l'article que je voulais, mais ça revient au même. Il faut faire un grand détour, mais ça revient au même.

08 Voies de fait *Acts of violence, assault*
Il a été reconnu coupable de voies de fait sur ce policier. Ils ont été accusés de voies de fait et ont été condamnés.

09 Crier à fendre l'âme *To cry enough to break the heart, to shout like a lost soul*
Ce pauvre enfant blessé criait à fendre l'âme. Elle a crié à fendre l'âme, à la fin des funérailles.

10 Fontaine de Jouvence *Fountain of youth*
Passer un mois dans cet endroit est une fontaine de Jouvence. Je me sens très bien ici, c'est une vraie fontaine de Jouvence.

11 En quel honneur...? *What is the occasion of...?*
En quel honneur êtes-vous allez le voir? En quel honneur votre ami a-t-il agi de la sorte?

175

12 Dépasser la mesure (les bornes)   *To go beyond the limits*

Il m'a déjà insulté, mais maintenant ça dépasse la mesure. Quand ça dépasse les bornes, il faut intervenir énergiquement.

13 Être en beauté   *To be looking well*

Ma chère amie, vous êtes en beauté ce soir. Elle est en beauté; ça la change de son air habituel.

14 En temps voulu   *In due time, on time*

J'ai couru et je suis arrivé en temps voulu. Il faudra envoyer tous les documents en temps voulu.

15 Faire mine de   *To pretend to, to feign*

Elle fait mine d'être fâchée contre moi. Même si elle fait mine de refuser, il faut insister.

16 Il fait lourd   *It is sultry (damp)*

Je pense qu'il va pleuvoir car il fait lourd. Quand il fait trop lourd il faut s'attendre à un orage.

17 La vie à trois   *The eternal triangle*

Dans les films, on décrit souvent la vie à trois. La vie à trois devient de plus en plus à la mode.

18 Entrepreneur de pompes funèbres   *Undertaker, funeral director*

Les entrepreneurs de pompes funèbres font beaucoup d'argent. La mort ne semble pas effrayer les entrepreneurs de pompes funèbres.

19 Au petit bonheur   *In a haphazard manner*

Ils en ont choisi trois au petit bonheur. Plusieurs se contentent de se laisser vivre au petit bonheur.

20 Vivre de l'air du temps   *To live upon nothing*

Il est sans travail et il semble vivre de l'air du temps. Même s'il vit de l'air du temps, il semble très heureux.

EXERCICES DE LA LEÇON 55

RÉPONDEZ AUX QUESTIONS SUIVANTES
EN EMPLOYANT LES EXPRESSIONS ÉTUDIÉES

1 Pensez-vous qu'il va lui rester fidèle?
2 Pour vivre en paix ensemble, qu'est-ce qu'il faut faire?
3 Est-ce que tu vas souvent à son bureau?
4 Cette vieille personne est-elle encore bien active?
5 Est-il facile d'avoir des billets pour ces concerts?
6 Est-ce que le président du comité est intervenu?
7 Est-ce bien l'article que vous cherchiez au magasin?
8 Pourquoi les trois bandits ont-ils été condamnés?
9 Est-ce qu'elle est allée aux funérailles de son fils?
10 Aimez-vous cet endroit pour vous reposer en été?
11 Pourquoi est-il surpris de vous voir?
12 Pourquoi es-tu intervenu avec tant d'énergie?
13 L'avez-vous reconnu?
14 Quand faudra-t-il envoyer les documents nécessaires?
15 Est-ce que je dois insister davantage?
16 Quel temps fait-il ce soir?
17 Qu'est-ce vous remarquez dans bien des films?
18 À qui vous adressez-vous quand il y a un mort chez vous?
19 Comment les ont-ils choisis? ·
20 Comment peut-il vivre sans travailler depuis des années?

VOCABULAIRE SPÉCIAL DE CETTE LEÇON

fidèle —faithful
quartier — district, section
clouer — to nail
coupable — guilty
blessé — wounded, hurt
endroit — spot, place
davantage — more

réussir — to succeed
gros lot — jackpot
lendemain — the day after
fâché — angry
orage — storm
effrayer — to scare, to frighten
convaincre — to convince

FAITES DES PHRASES ORALES ET ÉCRITES
AVEC LES EXPRESSIONS SUIVANTES

ça revient au même — dépasser la mesure — à volonté — au petit bonheur —
faire mine de — à temps et à contretemps — être en beauté — voies de fait —
au petit bonheur

Leçon 56

01 Au voleur! *Thief! Stop thief!*
J'ai crié: Au voleur!, mais il était trop tard. Bien souvent, il est inutile de crier: Au voleur!

02 Aller trop vite en affaires *To act too quickly*
Réfléchissez un peu plus, vous allez trop vite en affaires. Quand on va trop vite en affaires, on prend des risques.

03 À l'aventure *At random, aimlessly*
Ne connaissant pas la ville, nous errions à l'aventure. Comme nous étions indécis, nous avons choisi à l'aventure.

04 Au diapason de *At the same level as*
Nous devrons nous mettre au diapason de notre compagnie. À votre réception, mettez-vous au diapason de vos invités.

05 Atout en sa faveur *Chance on one's side*
Vous serez certes choisi, car vous avez plusieurs atouts en votre faveur. Apprenez le français, ce sera un autre atout en votre faveur.

06 Bien mener sa barque *To manage one's affairs well*
C'est un jeune gérant, mais il mène bien sa barque. Tout le personnel est content, car il mène bien sa barque.

07 Battre la grosse caisse *To advertise*
Pour lancer leur entreprise ils vont battre la grosse caisse dans les rues. Si vous voulez être connu, battez la grosse caisse.

08 Ça y est! *That's it! It is done!*
J'ai fini par trouver la solution; ça y est! Ça y est! on a le billet chanceux et on a gagné.

09 Copie authentique *Certified copy*
Ci-inclus une copie authentique du document demandé. Vous trouverez ci-inclus deux copies authentiques de la lettre.

10 Chèque visé, viser un chèque *Certified cheque, to certify a cheque*
Dans ce magasin, nous n'acceptons que les chèques visés. Il faut que j'aille faire viser ce chèque avant de l'envoyer.

11 Cheval de bataille   *Pet subject, favourite topic*
Dans tous les débats, c'est son principal cheval de bataille. C'est mon cheval de bataille, et je m'en sers souvent.

12 Porte de sortie   *A way out of difficulty*
Quand il est mal pris, il a toujours une porte de sortie. Elle a toujours une bonne porte de sortie, car elle est rusée.

13 Donner un autre coup de collier   *To make another effort*
Ce n'est pas encore fini, il faut donner un autre coup de collier. Donnez un autre coup de collier si vous voulez réussir.

14 En haut lieu   *In high circles*
Il est puissant, car il a plus d'un ami en haut lieu. Je tiens tous ces détails d'en haut lieu.

15 En prendre à son aise   *To take it easy, to be a cool customer*
Il n'est jamais dans l'embarras et il en prend à son aise. C'est un homme très calme qui en prend toujours à son aise.

16 En tout état de cause   *In any event (case)*
En tout état de cause, je dois lui donner raison. En tout état de cause, c'est lui qui décidera.

17 Ordre du jour   *Agenda*
Il y a plusieurs sujets importants à l'ordre du jour. Je distribue l'ordre du jour avant la réunion.

18 Pas un chat!   *Not a soul!*
À cette heure-là, pas un chat sur l'autoroute! Pas un chat à la maison quand je suis revenu à minuit!

19 Faire la mouche du coche *To buzz around, to play the busybody*
Il fait la mouche du coche, même pour des choses inutiles. Il perd beaucoup de temps à faire la mouche du coche.

20 Être une forte tête   *To have a good head on one's shoulders*
Il sait où il va; c'est une forte tête. J'aime discuter avec elle, car elle est une forte tête.

. . . .

RÉPONDEZ AUX QUESTIONS SUIVANTES
EN EMPLOYANT LES EXPRESSIONS ÉTUDIÉES

1 Quand vous voyez un voleur qui s'échappe, que criez-vous?
2 Pensez-vous que j'aille trop vite en affaires?
3 Qu'est-ce que vous avez visité dans cette ville?
4 Qu'est-ce qu'il faudra faire en recevant ces invités?
5 Pensez-vous que je serai choisi parmi mes collègues?
6 Sont-ils satisfaits du nouveau gérant?
7 Qu'entendez-vous faire pour lancer votre entreprise?
8 Pourquoi êtes-vous si heureux?
9 Qu'est-ce que vous avez inclus dans cette lettre?
10 Acceptez-vous les chèques ici?
11 Pourquoi vous servez-vous souvent de cet argument?
12 Est-il mal pris quelquefois?
13 Est-ce que ce travail difficile est fini?
14 Pourquoi ce directeur est-il si puissant?
15 Est-ce qu'Antoine est un homme très nerveux?
16 Qui va décider dans cette circonstance?
17 Pourquoi y a-t-il encore une autre réunion ce soir?
18 Avez-vous rencontré beaucoup de voitures sur la route?
19 Est-ce qu'il vous dérange quand vous travaillez?
20 Aimez-vous sa compagnie?

VOCABULAIRE SPÉCIAL DE CETTE LEÇON

crier — to shout, to yell
fuir — to escape, to flee
atout — trump, asset
se déranger — to move, to trouble
ci-inclus — enclosed
mal pris — in trouble
déranger — to disturb

rusé — cunning, clever
puissant — powerful
dans l'embarras — in trouble
coche — stage-coach
mouche — fly
donner raison — to back someone up
se servir de — to use

FAITES DES PHRASES ORALES ET ÉCRITES
AVEC LES EXPRESSIONS SUIVANTES

ça y est! — donner un autre coup de collier — pas un chat! — en prendre à son aise — chèque visé — bien mener sa barque — à l'aventure — une porte de sortie

01 À bon escient *Deliberately*
Je suis bien sûr qu'il m'a dit cela à bon escient. Il l'a fait à bon escient, et je ne le lui pardonne pas.

02 À gros grains *Not very observant, not very practising*
Il y a bien des catholiques à gros grains. C'est un catholique à gros grains, comme beaucoup d'autres.

03 À l'envi *Emulously, in emulation of*
En classe, ils étudient à l'envi. A la fin de l'année, ils étudient à l'envi l'un de l'autre.

04 La peine de mort *Capital punishment*
Pour bien des citoyens, il faudrait abolir la peine de mort. Les policiers veulent maintenir la peine de mort.

05 À plus d'une reprise *Repeatedly, quite often*
Elle m'a téléphoné à plus d'une reprise à ce sujet-là. Je le lui ai dit à plus d'une reprise.

06 Avoir une fièvre de cheval *To have a raging fever*
J'appelle le médecin, car elle a une fièvre de cheval ce soir. Il a une fièvre de cheval, et cela m'inquiète beaucoup.

07 Ne plus tenir de nos jours *To be no longer in style*
C'est une mode qui ne tient plus de nos jours. Tout change; il a de bons principes, mais ça ne tient plus de nos jours.

08 Billet de correspondance *Transfer*
Avez-vous votre billet de correspondance? Le chauffeur d'autobus m'a demandé mon billet de correspondance.

09 Aller de soi *To go without saying (naturally)*
Il va de soi que vous apporterez l'argent nécessaire. N'insistez pas à le répéter, ça va de soi.

10 Comprendre à demi-mot *To take the hint, to catch on*
Soyez très prudent, car il comprend à demi-mot. Elle est très intelligente et comprend à demi-mot.

11 Couper (fendre) les cheveux en quatre *To split hairs*
Il est très méticuleux et il coupe les cheveux en quatre. Je n'aime pas les gens qui fendent les cheveux en quatre.

12 C'est de deux choses l'une   *You have the choice of two things*
Prends-le ou laisse-le, c'est de deux choses l'une. C'est de deux choses l'une: il n'y a pas d'autre choix.

13 Derrière (dans) les coulisses   *Behind the scenes*
On ne sait pas ce qui se passe derrière les coulisses. Il y a bien des complots qui se trament dans les coulisses.

14 Détrompez-vous   *Don't you believe it*
Vous pensiez bien l'avoir convaincu; détrompez-vous! Détrompez-vous, car ce n'est pas si facile que cela.

15 En quelque sorte   *In some way, so to say*
Il n'a pas fait exprès en quelque sorte. En quelque sorte, il faudra s'arranger pour le faire.

16 Y mettre du sien   *To contribute one's share*
Je suis prêt à l'aider, mais il faudra qu'il y mette du sien. Tu n'y arriveras jamais si tu n'y mets pas du tien.

17 En toutes lettres   *In full, in clear and complete terms*
J'ai lu attentivement, et c'est écrit en toutes lettres. C'est écrit en toutes lettres dans le document; lis-le bien.

18 Être du côté du manche   *To be on the strongest side*
Il va gagner, car il est toujours du côté du manche. Il s'arrange pour être du côté du manche.

19 La veille du Jour de l'An   *New Year's Eve*
On se réunit chez grand-père, la veille du Jour de l'An. La veille du Jour de l'An, tout le monde est heureux.

20 Être à l'heure   *To be punctual*
Elle est réglée comme une horloge, et elle est toujours à l'heure. C'est un signe de politesse que d'être à l'heure à ses rendez-vous.

RÉPONDEZ AUX QUESTIONS SUIVANTES
EN EMPLOYANT LES EXPRESSIONS ÉTUDIÉES

1 Tu ne veux pas lui pardonner?
2 Votre voisin est-il un bon catholique?
3 Étudient-ils beaucoup pendant l'année scolaire?
4 Que pensent les gens de la peine de mort?
5 Le lui as-tu dit?
6 Pourquoi appelles-tu le médecin?
7 Est-ce que tout le monde porte la cravate?
8 Comment puis-je me rendre chez vous?
9 Est-ce que tu auras l'argent nécessaire?
10 Est-ce qu'il faut lui parler bien calmement?
11 Est-ce que c'est un patron très exigeant?
12 Est-ce que j'ai le choix?
13 Où se préparent bien souvent les complots?
14 On m'a dit que c'est très facile. Est-ce vrai?
15 Est-ce que je devrai faire tout ce travail?
16 Pourriez-vous m'aider à le faire?
17 Est-ce écrit quelque part?
18 Pensez-vous qu'il va pouvoir gagner?
19 Quand allez-vous chez grand-père?
20 À quelle heure doit-elle arriver?

VOCABULAIRE SPÉCIAL DE CETTE LEÇON

citoyen – citizen
inquiéter – to worry, to upset
usine – plant, factory
apporter – to bring
complot – plot
patron – boss, chief

convaincre – to convince
faire exprès – to do on purpose
manche – handle
blessé – wounded
aubaine – bargain
exigeant – requiring, strict

FAITES DES PHRASES ORALES ET ÉCRITES
AVEC LES EXPRESSIONS SUIVANTES

à plus d'une reprise – ça va de soi – être du côté du manche – billet de correspondance – comprendre à demi-mot – être à l'heure – il faut y mettre du sien

01 Attendu que *Seeing that, considering that*
Attendu que tout le monde est arrivé, nous allons commencer la réunion. Attendu qu'il a manqué à l'article 54, il sera puni.

02 Avoir le ventre creux *To have an empty stomach, to be hungry*
Je commence à avoir le ventre creux à 14 heures. J'ai le ventre creux et je m'arrête pour manger.

03 Battre la marche *To lead the way, to go ahead*
Je connais le chemin et je vais battre la marche. C'est le chef du groupe qui battra la marche dans le bois.

04 Baigné de larmes *Suffused with tears*
Elle me regarda les yeux baignés de larmes. Son visage baigné de larmes attirait la pitié.

05 Avoir du bon *To have something good in that*
Il a été averti sévèrement, et cela peut avoir du bon. Cela a du bon, même s'il n'est pas content de sa sentence.

06 Jour gras *Meat day*
Maintenant, tous les vendredis sont des jours gras. Même si c'est un jour gras, nous mangeons du poisson.

07 De bas étage *Of poor quality, third-rate*
N'y va pas, car c'est un cabaret de bas étage. C'est du français de bas étage; il y a beaucoup de fautes.

08 Donner de la bande *To heel, to list*
Quand un navire s'incline, il donne de la bande. Quand le bateau donne de la bande, les passagers ont peur.

09 En chair et en os *In the flesh*
Je suis certain, c'est bien lui en chair et en os. C'est moi en chair et en os, n'ayez pas peur.

10 Être installé à demeure *To be settled for good*
Je me suis installé à Québec à demeure. Ils se sont installés à demeure, près d'un beau lac.

11 Faire la planche *To float on one's back*
Regarde comme il fait bien la planche au milieu du lac. Sais-tu faire la planche, toi?

12 **Prendre (gagner) le large**   *To go out to sea, to run off*
La barque du pêcheur a pris le large ce matin. Le voleur a eu peur et il a pris le large dans la forêt.

13 **Il (elle) a un tic**   *His (her) face twitches*
C'est un bel homme, mais il a un tic désagréable. C'est dommage qu'elle ait un tic, car elle est assez jolie.

14 **Il faudra bien en venir là un jour**   *It must come to that point*
Il faudra bien en venir là un jour, même si tu ne veux pas. Comme nous vieillissons, il faudra en venir là un jour.

15 **Appeler quelqu'un Monsieur gros comme le bras**   *To say sir to someone all the time*
Depuis que je suis président, il m'appelle Monsieur gros comme le bras. Il m'appelle Monsieur gros comme le bras quand il me voit.

16 **Se classer**   *To place, to come in*
Dans ce concours national, il s'est classé troisième. Notre équipe de football s'est classée deuxième, cette année.

17 **Voir venir quelqu'un**   *To see what someone is up to (driving at)*
Avec vos allusions, je vous vois venir. Comme je vois clair, je vous voir venir, mon cher ami.

18 **Jusqu'au bout des ongles**   *To the finger-tips, entirely*
Il est Québécois jusqu'au bout des ongles. C'est un vrai patriote jusqu'au bout des ongles.

19 **Raison sociale**   *Name, trade-name*
Dupuis et Frères est la raison sociale de ce grand magasin. Quelle est la raison sociale de cette nouvelle compagnie?

20 **Passer la rampe**   *To go over well, to be successful*
Cette nouvelle comédie a réussi à passer la rampe. Je suis sûr que cette nouvelle chanson ne passera pas la rampe.

RÉPONDEZ AUX QUESTIONS SUIVANTES
EN EMPLOYANT LES EXPRESSIONS ÉTUDIÉES

1   Est-ce qu'il sera vraiment puni?
2   Pourquoi veux-tu arrêter le long de la route?
3   Qui va nous guider dans le bois?
4   Comment a-t-elle accueilli la nouvelle?
5   Est-ce qu'il est content de cette sentence?
6   C'est mercredi; tu ne manges pas de viande?
7   Veux-tu m'accompagner à ce cabaret du coin?
8   Pourquoi les passagers du bateau semblent-ils avoir peur?
9   Est-ce bien vous, je ne vous reconnais pas?
10 Vous ne demeurez plus à Ottawa?
11 Est-ce qu'il nage dans le lac?
12 Les policiers ont-ils attrapé le voleur?
13 Pourquoi remue-t-elle toujours l'épaule?
14 Avez-vous hâte de prendre votre retraite à 65 ans?
15 Est-ce qu'il vous salue quand il vous rencontre?
16 Votre équipe est-elle arrivée la première?
17 Avez-vous bien compris mes allusions?
18 Pourquoi va-t-il à toutes les manifestations?
19 Quel est le nom officiel de cette compagnie?
20 Cette nouvelle chanson aura-t-elle beaucoup de succès?

VOCABULAIRE SPÉCIAL DE CETTE LEÇON

avertir — to warn
cabaret — pub, tavern
navire — steamship, boat
barque — rowing-boat
vieillir — to grow old
remuer — to move

concours — contest, competition
équipe — team
ongles — finger-nails
chanson — song
le long de — along, on
épaule — shoulder

FAITES DES PHRASES ORALES ET ÉCRITES
AVEC LES EXPRESSIONS SUIVANTES

avoir le ventre creux — en chair et en os — faire la planche — il a un tic — je vous vois venir — attendu que — prendre le large — cela a du bon

Leçon 59

01 Inspiré par *Prompted (actuated) by*
Il a commis ce meurtre, inspiré par la jalousie. Inspiré par la tenue de ses coéquipiers, il a réussi l'impossible.

02 À prix d'or *At a very high price*
Ils ont vendu ce château à prix d'or. Si je peux le vendre à prix d'or, je m'en débarrasserai.

03 Bière au tonneau (en fût) *Draught beer*
Je préfère le goût de la bière au tonneau. La bière en fût est meilleure et coûte moins cher.

04 Prendre l'air du bureau *To look in at the office*
Je suis passé pour prendre l'air du bureau. Prenez l'air du bureau, ça vous fera mieux connaître ce qui s'y passe.

05 Ça se vaut *It is the same either way*
Quand on les examine de près, on peut dire que ça se vaut. Ça se vaut, même si celle-là semble meilleure.

06 Tête de linotte *Feather-brained person*
Il ne comprend jamais rien, c'est une vraie tête de linotte. C'est une vraie tête de linotte en classe ; il ne suit jamais.

07 Donner un coup de fer *To iron a little, to press*
Pourrais-tu donner un coup de fer à mon pantalon ? Il faudrait lui donner un coup de fer avant de sortir.

08 En plein ça ! *It is exactly that ! That's it !*
C'est en plein ça ! vous avez bien deviné. Je cherchais quelque chose, et c'est en plein ça !

09 Faire montre de *To display, to show, to manifest*
Il a fait montre de courage dans cette circonstance. Il faudra faire montre de patience avec cet individu.

10 Faire du vélo *To go in for cycling, to cycle*
Allons faire du vélo à la campagne, cet après-midi. Faire du vélo est excellent pour la santé de tous.

11 Il est grand temps de *It is high time to*
Il est grand temps d'enlever tes pneus d'hiver ; nous sommes en juin. À cette date, il est grand temps d'y penser.

12 **Haïr à mort**   *To have a mortal hatred for*
C'est un genre de musique que je hais à mort. Depuis ce jour-là, je sais qu'il me hait à mort.

13 **S'écouter trop**   *To coddle oneself*
Elle s'écoute trop et va finir par se décourager. Il s'est trop écouté, et voilà qu'il n'en peut plus.

14 **Être criblé de dettes**   *To be head over ears in debt*
Il a connu plusieurs revers de fortune et il est criblé de dettes. Sa passion pour le jeu ne l'a pas servi; il est criblé de dettes.

15 **J'en passe, et des meilleures**   *And there are heaps more I could mention*
Comme il se fait tard, j'en passe, et des meilleures. Commes tu es déjà au courant, j'en passe, et des meilleures.

16 **Le donner en cent (mille)**   *It is 100 (1000) to 1 against your guessing it*
Vous ne pourrez pas le trouver, je vous le donne en cent. Vous ne savez pas la dernière nouvelle? Je vous le donne en mille.

17 **Planche de salut**   *Only (last) hope*
Dans ce cas difficile, tu es ma seule planche de salut. Nous étions leur dernière planche de salut.

18 **Moitié-moitié**   *Fifty-fifty, half and half*
Si tu gagnes, nous partagerons moitié-moitié. S'il y a des profits ce mois-ci, nous ferons moitié-moitié.

19 **N'être plus en état de**   *Not to be able any more to*
Il n'est plus en état de voyager tout seul. Cet individu n'est plus en état de nous nuire.

20 **On n'en sortirait plus!**   *It would be endless!*
Si l'on acceptait toutes les excuses, on n'en sortirait plus! On n'en sortirait plus, s'il fallait contenter tout le monde!

EXERCICES DE LA LEÇON 59

. . . .

RÉPONDEZ AUX QUESTIONS SUIVANTES
EN EMPLOYANT LES EXPRESSIONS ÉTUDIÉES

1 Comment a-t-elle pu en venir là?
2 As-tu l'intention de te débarrasser de ce grand chalet?
3 Quelle bière préfères-tu?
4 Pourquoi êtes-vous venu ce matin?
5 Quelle est la meilleure des deux, selon toi?
6 Est-ce que c'est un élève très attentif en classe?
7 Est-ce que ton pantalon est bien propre pour cette sortie?
8 As-tu trouvé ce que tu cherchais?
9 Comment faudra-t-il traiter cet individu un peu étrange?
10 Qu'est-ce que tu fais comme exercice physique?
11 Est-ce que je dois commencer à préparer mes examens finals?
12 Aimes-tu ce genre de musique moderne?
13 Croyez-vous qu'il va réussir?
14 Joue-t-il encore beaucoup aux cours?
15 As-tu raconté toutes les aventures de ton long voyage?
16 Et si, par hasard, je pouvais le trouver?
17 As-tu confiance en ce vieux médecin de famille?
18 S'il y a des profits, que ferons-nous?
19 Est-ce qu'il ira en Europe tout seul?
20 Sera-t-il possible de contenter tous les participants?

VOCABULAIRE SPÉCIAL DE CETTE LEÇON

se débarrasser de — to get rid of
goût — taste, flavour
de près — closely
suivre — to follow
deviner — to guess
santé — health
falloir — to have to
par hasard — by chance

enlever — to remove
pneu — tire
genre — kind, type
apporter — to bring
se faire tard — to get late
être au courant — to be aware
nuire — to harm
linotte — linnet

FAITES DES PHRASES ORALES ET ÉCRITES
AVEC LES EXPRESSIONS SUIVANTES

ça se vaut — il est grand temps — être criblé de dettes — moitié-moitié — ma seule planche de salut — en plein ça! — faire du vélo — il n'est plus en état de — faire montre de

Leçon 60

01 À ce compte-là   *In that case*
À ce compte-là, ça ne vaut pas la peine d'y aller. À ce compte-là, nous ne pourrons pas y aller.

02 Abattre beaucoup de boulot (de la bonne besogne)   *To do a lot of work*
On a abattu beaucoup de boulot au cours de la semaine. Avec ton aide, on pourra abattre de la bonne besogne.

03 Aux frais de la princesse   *At the expense of the State, on the house*
Ces délégués voyagent aux frais de la princesse. Il est intéressant de voyager aux frais de la princesse.

04 Avoir du coeur au ventre   *To have plenty of spunk*
Ce sont des jeunes très animés qui ont du coeur au ventre. Pour accomplir un tel geste, il faut avoir du coeur au ventre.

05 À toutes fins utiles   *For all intent and purpose*
À toutes fins utiles, il vaudrait mieux le laisser partir. Je crois qu'il vaut mieux attendre ici, à toutes fins utiles.

06 Autant ça qu'autre chose   *I do not really care which*
Si j'ai le choix, je préfère autant ça qu'autre chose. Prenez celui-là; quant à moi, autant ça qu'autre chose.

07 Bien en vue   *Highly placed*
C'est un homme bien en vue dans notre région. Mettez ce souvenir bien en vue dans votre salon.

08 Se vendre comme des petits pains chauds   *Selling like hot cakes*
C'est une invention merveilleuse; ça se vend comme des petits pains chauds. C'est si bon pour les jeunes que ça se vend comme des petits pains chauds.

09 Monter facilement à la tête   *To become easily proud*
Quand on le félicite, ça lui monte facilement à la tête. Le succès lui monte facilement à la tête.

10 Vieux de la vieille   *Veteran, very old man*
C'est un vieux de la vieille que tout le monde respecte. Tout le monde le connaît; c'est un vieux de la vieille.

11 Défrayer les manchettes *To be the subject of the headlines*
C'est une nouvelle qui défraie les manchettes de tous les journaux. Ce scandale défraie les manchettes depuis hier.

12 Dans toute la force du terme (mot) *In the full sense of the word*
C'est un héros dans toute la force du terme. C'est un politicien-né dans toute la force du mot.

13 À ciel ouvert *In the open air*
Ce spectacle grandiose aura lieu à ciel ouvert. Ce dépotoir est un véritable cimetière à ciel ouvert.

14 Au premier plan *In the foreground*
Vous le voyez là, au milieu, au premier plan. On le distingue très bien au premier plan.

15 Faire la lessive *To do the washing*
C'est lundi, et je dois faire ma lessive. Aujourd'hui, beaucoup d'hommes font la lessive.

16 Faire (courir) sus à *To charge one's opponent, to rush upon*
Ils ont décidé de faire sus à cet individu suspect. Il court sus à son adversaire, et il le défie.

17 En sortir la tête haute *To make it with one's head high*
Il a gagné sa cause et en est sorti la tête haute. Vous en sortirez la tête haute, car vous avez raison.

18 Il fait moins . . . degrés *It is . . . below zero*
Il fait moins dix degrés ce matin, mettez vos gants. Comme il faisait moins vingt degrés ma voiture ne démarrait pas.

19 Y être pour quelque chose *To have a hand in it*
Il se dit innocent, mais il y est pour quelque chose. Ils y sont certes pour quelque chose dans ce scandale.

20 Jouer des coudes *To elbow one's way*
Il a fallu jouer des coudes à travers toute cette foule. En sortant du stade, on a joué des coudes pendant vingt minutes.

EXERCICES DE LA LEÇON 60

. . . .

RÉPONDEZ AUX QUESTIONS SUIVANTES
EN EMPLOYANT LES EXPRESSIONS ÉTUDIÉES

1 Est-ce que ça vous convient d'y aller?
2 Qu'est-ce que vous avez fait en fin de semaine?
3 Qui paie le voyage des délégués au congrès?
4 Ces jeunes sont-ils très courageux?
5 Est-ce que nous allons le laisser partir seul?
6 Vous contenterez-vous de cet article ordinaire?
7 Où vais-je placer ce beau souvenir de voyage?
8 Est-ce que cet article se vend bien au magasin?
9 Est-ce qu'il aime et accepte les félicitations?
10 Qui est ce vieil homme assis dans le parc?
11 Est-ce qu'on parle de ce scandale dans le journal de ce soir?
12 Votre député est-il un bon politicien?
13 Où aura lieu cette représentation?
14 Où est-il, je ne le vois pas sur cette photo?
15 Que faites-vous ce matin, madame?
16 Comment a-t-il traité son grand adversaire?
17 A-t-il gagné son dernier procès?
18 Fait-il bien froid dehors, ce matin?
19 Est-il innocent ou coupable dans ce scandale?
20 Y avait-il beaucoup de monde au stade, ce soir?

VOCABULAIRE SPÉCIAL DE CETTE LEÇON

valoir la peine — to be worthwhile
un tel geste — such a feat, such a deed
féliciter — to congratulate
foule — crowd
député — member of Parliament

défier — to defy, to challenge
avoir raison — to be right
démarrer — to start
quant à moi — as for me
procès — trial, case

FAITES DES PHRASES ORALES ET ÉCRITES
AVEC LES EXPRESSIONS SUIVANTES

aux frais de la princesse — un vieux de la vieille — avoir du coeur au ventre —
abattre beaucoup de boulot — jouer des coudes — faire la lessive — à toutes
fins utiles

Leçon 61

01 Faire bande à part   *To keep to one's own clique*
Dans les réunions, ce groupe fait toujours bande à part. Comme il n'est pas très sociable, il fait bande à part.

02 Arriver tout chaud de   *To arrive straight from*
Ces petits pains arrivent tout chauds du four. Ce sont des détails qui arrivent tout chauds de la salle des nouvelles.

03 Autant vaut rester   *It is better to say*
S'il fait froid au chalet, autant vaut rester ici. Autant vaut rester à la maison si ce film n'est pas beau.

04 Avoir mauvaise grâce de   *To be ungracious to*
Vous auriez mauvaise grâce de refuser son offre. Elle aurait mauvaise grâce de ne pas répondre à cette invitation.

05 Ça bat quatre as!   *It is unmatchable! You can't do better!*
Il est arrivé le premier encore une fois; ça bat quatre as! Je n'aurais jamais cru une telle chose; ça bat quatre as!

06 Tourner mal un jour   *Evil will come of it one day*
Si tu ne fais pas attention, ça tournera mal un jour. Soigne-toi, car ça peut tourner mal un jour.

07 En cinq sec   *Without hesitation, in a jiffy*
Après l'avoir vu, ils l'ont classé en cinq sec. Il a bu sa bière en cinq sec.

08 Crever de rire   *To break (double) up with laughter*
En entendant cela, ils ont tous crevé de rire. En écoutant ce farceur, tout le monde crève de rire.

09 Faire la sainte nitouche   *To look as if butter would melt in one's mouth*
Elle fait la sainte nitouche, mais cest une hypocrite. Ne vous fiez pas à elle parce qu'elle fait la sainte nitouche.

10 Y compris   *Including*
Tout le monde était présent, y compris les dissidents. Apportez vos instruments, y compris votre violon.

11 De la part de qui?   *Who is speaking? Who wants to speak to?*
Je vais faire le message, mais de la part de qui? Un instant, il est là; c'est de la part de qui?

12 Dans le courant de *During*
Je vais le rencontrer dans le courant du mois de mai. Dans le courant de l'année, il va se passer bien des choses.

13 Retour d'âge *Change of life, menopause*
Elle est à son retour d'âge et elle est plus nerveuse. À son retour d'âge, la femme souffre souvent de dépression.

14 Être en droit de *To have a right to*
Je suis en droit d'exiger ce qui m'est dû. Elle est en droit de demander un salaire plus élevé.

15 Faire grise mine *To give a poor welcome*
Elle a fait grise mine quand elle l'a vu revenir. C'est étrange, mais il a fait grise mine à mon arrivée.

16 Faire prendre la porte *To expel, to send away*
Il s'est fâché et lui a fait prendre la porte. Prends la porte, je ne veux plus te revoir ici.

17 Chanter à pleine gorge *To sing at the top of one's voice*
Je n'aime pas ses chansons, car elle chante à pleine gorge. Il chante toujours à pleine gorge dans la baignoire.

18 S'en moquer comme de l'an quarante *Not to care a straw about it*
Même si elle n'est pas contente, je m'en moque comme de l'an quarante. Il s'en moque comme de l'an quarante et il m'insulte.

19 Par voie de terre *By land, over-land*
Tout le transport se fera par voie de terre. On transportera tous les matériaux par voie de terre.

20 Avoir les coudées franches *To have elbow room, to have free play*
Il a les coudées franches et peut faire ce qu'il veut. Je veux avoir les coudées franches avant d'accepter.

RÉPONDEZ AUX QUESTIONS SUIVANTES EN EMPLOYANT LES EXPRESSIONS ÉTUDIÉES

1 Pourquoi est-il toujours seul dans son coin?
2 Quand as-tu entendu tous ces détails de l'accident?
3 Est-ce qu'on t'a dit qu'il faisait froid au chalet?
4 Va-t-elle répondre à l'invitation que vous lui avez envoyée?
5 As-tu su qu'il s'est marié à l'âge de 65 ans?
6 Est-ce que je devrais aller consulter un spécialiste?
7 A-t-il fallu beaucoup de temps pour le classer?
8 Est-ce que ce grand farceur est toujours drôle?
9 Est-ce que je dois me fier à cette femme?
10 Est-ce qu'il y avait beaucoup de monde à la soirée?
11 Peux-tu lui transmettre le message?
12 Allez-vous le rencontrer bientôt?
13 À quoi peut-on attribuer cette dépression?
14 Peut-elle demander une augmentation de salaire?
15 Était-il content de le revoir?
16 Qu'est-ce qu'il a dit à cet employé indésirable?
17 Aimez-vous ses chansons?
18 Sera-t-elle contente de la décision?
19 Comment faire arriver tous ces matériaux pour la route?
20 Avez-vous l'intention d'accepter cette offre?

VOCABULAIRE SPÉCIAL DE CETTE LEÇON

cru — believed
se soigner — to cure oneself
farceur — joker, comedian
augmentation — increase, raise

exigeant — exacting, strict
chanson — song
baignoire — bath-tub
bientôt — soon

FAITES DES PHRASES ORALES ET ÉCRITES AVEC LES EXPRESSIONS SUIVANTES

ça bat quatre as! — de la part de qui? — être en droit de — par voie de terre — crever de rire — chanter à pleine gorge — faire prendre la porte

Leçon 62

01 Faire à sa guise (tête) *To have one's way, to do as one pleases*
Elle a toujours fait à sa guise avec ses parents. Dans un tel cas, faites à votre tête.

02 À titre définitif *Permanently, for ever*
Il a élu domicile à Québec à titre définitif. C'est à titre définitif qu'il a cédé sa propriété à son fils.

03 À toute allure *At full speed*
Il a fui vers la forêt à toute allure. Les voleurs ont filé vers Kingston à toute allure.

04 À force de bras *With all one's might, very strongly*
Ils frappaient sur cet animal à tour de bras. Les policiers ont matraqué les bandits à tour de bras.

05 Ça va barder un peu partout *Look out for squalls!*
À la fin de la manifestation, ça va barder un peu partout. Ça va barder un peu partout à la suite de cette bagarre.

06 Ça n'en finirait plus! *It would be endless*
Si l'on écoutait toutes les plaintes, ça n'en finirait plus! Ça n'en finirait plus s'il fallait contenter tout le monde!

07 Sentir l'intrigue à plein nez *There is surely an intrigue*
Cette affaire semble un peu louche; ça sent l'intrigue à plein nez. Cette affaire sent l'intrigue à plein nez.

08 Il n'est rien à côté de vous *He can't compare with you, he can't hold a candle to you*
Il est très efficace, mais il n'est rien à côté de vous. Ne vous en faites pas; il n'est rien à côté de vous.

09 Sauter aux yeux *To be obvious*
Pourquoi doutez-vous de son attitude? Cela saute aux yeux. Cela saute aux yeux quand on a un peu d'expérience.

10 Comme par enchantement *As if by magic, by enchantment*
J'ai trouvé la solution comme par enchantement. Comme par enchantement, toutes les difficultés ont disparu.

11 Crier sur tous les toits *To tell everybody, to blaze abroad*
Il a crié sur tous les toits qu'il était incompris. Elle crie sur tous les toits que son mari est fou.

12 De bon coeur *With pleasure, very willingly*
C'est de bon coeur que j'accepte de t'aider. Tout ce qu'il fait c'est de bon coeur qu'il le fait.

13 Tout le tralala *All the fuss*
Il y avait des chanteurs, des musiciens, et tout le tralala. J'ai assisté à tout le tralala avec beaucoup de plaisir.

14 Être de trop *To be unnecessary*
Je sens que je suis de trop dans ce petit caucus. Quand elle sent qu'elle est de trop, elle quitte les lieux.

15 Être au fait de *To be informed about, to be up to date on*
Je suis au fait de tout ce qui est arrivé hier. Est-elle bien au fait de toutes les décisions prises?

16 Commettre un impair *To make a boner (bloomer)*
En disant cela, vous commettez un impair. Il est vraiment honteux d'avoir commis un tel impair.

17 Faire boule de neige *To spread like wildfire*
Ce scandale fera certainement boule de neige. Le scandale de la viande avariée fait boule de neige.

18 Frapper dans le tas *To hit, to punish anyone*
Au cours de cette bagarre, la police a frappé dans le tas. Frapper dans le tas n'est pas toujours juste.

19 Rester sur sa faim *Not to eat one's fill*
Quand on suit un régime, on reste toujours sur sa faim. Pour ne pas engraisser je reste toujours sur ma faim.

20 Ne pas le voler *To really deserve it*
Elle a été condamnée à l'amende et elle ne l'a pas volé! Cinq ans de prison pour son crime? Il ne l'a pas volé!

. . . .

RÉPONDEZ AUX QUESTIONS SUIVANTES
EN EMPLOYANT LES EXPRESSIONS ÉTUDIÉES

1 Que dois-je faire dans un tel cas?
2 Est-il vrai qu'il a cédé sa propriété à son fils?
3 Ont-ils attrapé les trois voleurs?
4 Comment ont agi les policiers dans ce cas-là?
5 Comment s'est terminée cette bagarre générale?
6 Avez-vous l'intention d'écouter toutes ces plaintes?
7 Que pensez-vous de cette affaire un peu mystérieuse?
8 Pensez-vous qu'il aura le poste?
9 Pensez-vous qu'elle ait vraiment un cancer?
10 Avez-vous fini par trouver la solution à cette énigme?
11 Est-ce que c'est un couple qui s'entend bien?
12 Pourras-tu m'aider ce soir?
13 As-tu assisté à cette grande cérémonie hier soir?
14 Pourquoi te retires-tu avant la fin de la réunion?
15 As-tu les détails sur ce qui est arrivé la semaine passée?
16 Est-ce que j'ai bien fait de dire cela?
17 Que penses-tu de la découverte du commerce de la viande avariée?
18 A-t-on vraiment découvert les coupables?
19 Que fais-tu pour ne pas engraisser?
20 Est-ce qu'il a bien mérité cette amende?

VOCABULAIRE SPÉCIAL DE CETTE LEÇON

élire domicile — to settle down
fuir — to flee, to escape
filer — to escape, to run away
bagarre — riot
louche — suspicious
s'entendre bien — to get along well

causerie — talk, lecture
incompris — misunderstood
régime — diet
engraisser — to put on weight
amende — fine
avarié — spoiled, contaminated

FAITES DES PHRASES ORALES ET ÉCRITES
AVEC LES EXPRESSIONS SUIVANTES

à toute allure — de bon coeur — être de trop — faire boule de neige — être au fait de — cela saute aux yeux — à force de bras — frapper dans le tas — ça n'en finirait plus!

01 Avoir l'air d'un chien battu *To look down in the dumps*
Qu'est-ce qui t'arrive? tu as l'air d'un chien battu. Il a l'air d'un chien battu; est-ce que le patron l'a réprimandé?

02 Avoir la mort dans l'âme *To be sick at heart*
Elle a la mort dans l'âme depuis cet accident terrible. Sa femme a la mort dans l'âme depuis qu'il est parti.

03 Faire danser les écus *To make money hand over fist*
Il a toujours été pauvre et il n'est pas du genre à faire danser les écus. Grâce à sa promotion, il fera sûrement danser les écus.

04 Avoir le trac *To have stage-fright, to have the wind up*
En montant sur la scène, j'ai eu le trac. Elle a le trac chaque fois qu'elle chante en public.

05 Bien sûr que non! *Surely not!, Of course not!*
Elle n'a pas dit tout cela, bien sûr que non! Vous n'aurez pas mon opinion sur cela, bien sûr que non!

06 Ça gaze!, ça va gazer! *Fine!, Well!*
Avec le nouveau gérant du magasin, ça gaze! S'ils changent le directeur de cette équipe, ça va gazer!

07 N'avoir aucun lendemain *Not to last long*
C'est une initiative impossible qui n'aura aucun lendemain. Toutes ces belles résolutions n'auront aucun lendemain.

08 Vache à lait *Good source of revenue*
On parle toujours du Gouvernement comme d'une bonne vache à lait. Ce travail supplémentaire est une vache à lait pour lui.

09 C'est fou ce qu'on s'amuse! *Aren't we having fun!*
C'est fou ce qu'on s'amuse dans ce nouveau club! Malgré un orchestre ordinaire, c'est fou ce qu'on s'amuse!

10 C'est autant de pris (d'attrapé) *That is so much to the good*
Ce n'est pas beaucoup, mais c'est autant de pris. C'est autant d'attrapé, même si c'est un projet bien ordinaire.

11 Danser tout en rond *To dance in a ring*
Dans certaines danses populaires, on danse tout en rond. On danse tout en rond, comme sur le fameux pont d'Avignon.

12 De mémoire d'homme *Within living memory*
De mémoire d'homme, je n'ai jamais vu un orage semblable. Il n'y a jamais eu une telle tuerie, de mémoire d'homme.

13 Travail de longue haleine *Long and exacting work*
Écrire un tel livre est un travail de longue haleine. Faire de telles recherche exige un travail de longue haleine.

14 En aval de *Downstream from*
Le petit bateau a sombré un peu en aval de Québec. C'est un hameau qui se trouve en aval de la Malbaie.

15 Enregistrer sur une bande sonore *To record on tape*
Je dois enregistrer cette chanson sur bande sonore. C'est trop beau, il faudra enregistrer tout ça sur une bande sonore.

16 Dans la misère noire *In dire needs*
Je connais plusieurs familles qui sont dans la misère noire. J'ai bien compassion de ceux qui sont dans la misère noire.

17 Être de mèche avec *To be in collusion, to be in league with*
Vous êtes de mèche avec elle? J'avoue que je suis de mèche avec le patron dans cette affaire.

18 Faire les frais de la conversation *To contribute a large share of the conversation*
C'est elle habituellement qui fait les frais de la conversation. Il peut faire les frais de la conversation, car il est instruit.

19 Être en maudit contre *To be really angry with*
Ces ouvriers sont en maudit contre leur patron. Je suis en maudit quand on dit que je suis trop gros.

20 Je ne donnerais pas cher pour *I won't give (pay) much for*
Je ne donnerais pas cher pour une vieille voiture comme ça. Je ne donnerais pas cher pour les conseils de ce notaire.

RÉPONDEZ AUX QUESTIONS SUIVANTES
EN EMPLOYANT LES EXPRESSIONS ÉTUDIÉES

1 As-tu rencontré Jean aujourd'hui?
2 Comment va ton cher voisin Antoine?
3 Est-ce que cette grève aura des conséquences sur vous?
4 As-tu bien chanté au théâtre hier soir?
5 Est-ce que je pourrais avoir ton opinion sur ce sujet-là?
6 Que penses-tu de cette nouvelle équipe de soccer?
7 Est-ce que c'est une initiative que tu approuves?
8 Pourquoi a-t-il accepté ce travail supplémentaire?
9 Qu'est-ce que tu penses de ce nouveau club du coin?
10 Es-tu content de cette augmentation de salaire?
11 Savez-vous danser cette danse populaire?
12 Que penses-tu des onze morts qu'il y a eu au club Gargantua?
13 Est-il facile de faire de telles recherches?
14 Où se trouve ce petit village sur la carte?
15 Pourquoi as-tu apporté ton magnétophone?
16 Y a-t-il des gens bien pauvres dans cette région?
17 Pourquoi, pensez-vous, a-t-il eu ce contrat?
18 Est-ce que votre femme parle beaucoup en compagnie?
19 Est-ce qu'ils sont tous satisfaits de leur nouveau patron?
20 As-tu bien confiance en ce jeune notaire?

VOCABULAIRE SPÉCIAL DE CETTE LEÇON

patron — boss, chief
décédé — dead, deceased
grève — strike
scène — stage
augmentation — increase
durer — to last

tuerie — slaughter, carnage
exiger — to require, to demand
sombrer — to sink
hameau — hamlet, village
orage — electric storm

FAITES DES PHRASES ORALES ET ÉCRITES
AVEC LES EXPRESSIONS SUIVANTES

avoir le trac — en aval de — danser tout en rond — être dans la misère noire
— être en maudit contre — de mémoire d'homme — ça gaze ! — c'est autant
de pris

01 À longueur de journée *All day long*
Elle écrit à la machine à longueur de journée. Elle distribue le courrier à longueur de journée.

02 Après coup *Later, after the event*
Après coup, il a bien regretté ce qu'il avait fait. Vous en verrez les résultats après coup.

03 À ses heures *When in a good mood, when one feels like it*
À ses heures, il est charmant. Il faut lui annoncer les nouvelles à ses heures.

04 Y aller doucement *To take it easy, not so fast*
Allez-y doucement, car il est bien malade. Quand vous lui ferez des remarques, allez-y doucement.

05 À coups de millions *By spending millions, with millions*
Ils réussiront ce grand projet à coups de millions. C'est à coups de millions que le parti pourra gagner ses élections.

06 Au besoin *If necessary, in case of need*
Au besoin, on pourra vous donner de l'aide. On pourra toujours le changer de bureau, au besoin.

07 Jusqu'à la moelle *Thoroughly, to the marrow*
Il est convaincu jusqu'à la moelle. Elle a tombé dans la piscine et elle est mouillée jusqu'à la moelle.

08 Au petit écran *On TV*
J'ai vu ce film au petit écran. On pourra voir le défilé au petit écran.

09 Coup de revers *Back-hand stroke*
Il a beaucoup amélioré sa technique, et il a un bon coup de revers. Utilise plus souvent ton coup de revers quand tu joues au tennis.

10 Être un mordu de *To be very fond of, to be crazy about*
C'est un vrai mordu de la plongée sous-marine. Il part souvent durant le week-end, car c'est un mordu de la pêche.

11 Donner suite à *To act upon, to implement*
Il faudra donner suite à toutes ces belles promesses. On va l'empêcher de donner suite à ses menaces.

12 Dorer la pilule *To sweeten the pill*
Par cet euphémisme, il a voulu dorer la pilule. Il faudra dorer la pilule pour lui annoncer cette mortalité.

13 En dehors de ça *Besides that, furthermore*
En dehors de ça, je crois qu'il n'a pas d'autre défaut. Je n'ai rien à vous dire en dehors de ça.

14 Frappé (marqué) au coin de *Bearing the stamp of*
C'est une décision frappée au coin de la plus grande sagesse. Il prendra des mesures marquées au coin de la prudence.

15 Faire couler de l'eau *To turn the water on*
Je vais faire couler de l'eau, car je veux me laver. Faites couler de l'eau pour la vaisselle.

16 Tirer le diable par la queue *To be hard up*
Cet accident l'a beaucoup affecté; il tire le diable par la queue depuis. Elle se débrouille même si elle tire le diable par la queue.

17 Il fait cher vivre (demeurer) *The cost of living is high*
Depuis une dizaine d'années, il fait cher vivre à Paris. Il fait cher demeurer dans un hôtel si chic.

18 Jouer un tour de cochon à *To play a very dirty trick on*
Je ne lui pardonnerai jamais de m'avoir joué ce tour de cochon. En m'accusant ainsi, elle m'a joué un tour de cochon.

19 Les moins de dix-huit ans *People under eighteen, teenagers*
Les moins de dix-huit ans ne peuvent pas y entrer. On n'y admet jamais les moins de dix-huit ans.

20 Droits d'auteur, redevances *Royalties*
Quels sont vos droits d'auteur sur ce livre-là? L'éditeur m'envoie mes redevances à tous les six mois.

EXERCICES DE LA LEÇON 64

. . . .

RÉPONDEZ AUX QUESTIONS SUIVANTES
EN EMPLOYANT LES EXPRESSIONS ÉTUDIÉES

1 Quel travail fait-il à l'université?
2 Est-ce qu'on peut en prévoir les résultats?
3 Est-ce un homme charmant en compagnie?
4 Est-ce que je pourrai lui faire quelques remarques?
5 Le parti pourra-t-il gagner ses élections?
6 Et si ce bureau-là n'était pas assez grand pour lui?
7 Pourquoi va-t-elle changer de robe?
8 Allez-vous assister au grand défilé militaire?
9 Joue-t-il bien au tennis?
10 Va-t-il bien souvent à la pêche?
11 Est-il vrai qu'il a fait des menaces très sérieuses?
12 Comment lui annoncer cette triste nouvelle?
13 Qu'est-ce que vous avez à me dire, monsieur?
14 Que pensez-vous de cette décision de votre ami?
15 Est-ce que vous allez faire la vaisselle?
16 L'avez-vous vu dernièrement?
17 Resterez-vous longtemps à Paris?
18 Avez-vous l'intention de lui pardonner ce qu'il a fait?
19 Qui peut entrer dans ce beau club moderne?
20 Avez-vous reçu vos droits d'auteur?

VOCABULAIRE SPÉCIAL DE CETTE LEÇON

courrier – mail
mouillé – wet
écran – screen
défilé – parade
démission – resignation
pêche – fishing

plongée sous-marine – deep-sea diving
sagesse – wisdom
démissionner – to resign
dizaine – about ten
défaut – defect

FAITES DES PHRASES ORALES ET ÉCRITES
AVEC LES EXPRESSIONS SUIVANTES

allez-y doucement – en dehors de ça – dorer la pilule – à longueur de journée – jouer un tour de cochon – tirer le diable par la queue – à coups de
millions – c'est un mordu de

Leçon 65

01 Avoir gain de cause *To win one's case*
Avec cet avocat, c'est lui qui aura gain de cause. Je suis plus que sûr d'avoir gain de cause dans un tel cas.

02 Bien pris *Well proportioned, well-built*
Pour son âge, ce jeune garçon est bien pris. C'est un jeune homme bien pris et très élégant.

03 Gagner à être connu *To improve on acquaintance*
C'est un homme intéressant qui gagnerait à être connu. Elle n'est pas très loquace, mais elle gagne à être connue.

04 Bourrage de crâne *Cramming, useless learning*
Avec ce professeur, c'est du bourrage de crâne. C'est du bourrage de crâne que cette doctrine politique.

05 Système de broche à foin *Pitiful organization*
Quelle organisation! un vrai système de broche à foin! Rien n'est planifié à temps dans ce système de broche à foin.

06 Se faire avoir *To be cheated, to be taken for a ride*
Je me suis fait avoir encore une fois par cet escroc. Je ne le connaissais pas et je me suis fait avoir.

07 De long en large *Up and down, to and fro*
En attendant les élèves, il se promène de long en large. J'arpente le vestibule de long en large en l'attendant.

08 Elle (il) s'en fut (s'en alla) *She (he) left (went away)*
Comme elle n'aimait pas cette compagnie, elle s'en fut ailleurs. Il s'en alla sans rien dire à ses compagnons.

09 Aller sur *To be nearly*
Je ne sais pas son âge, mais je crois qu'elle va sur ses trois ans. Elle va sur ses cinq ans et elle est très bien élevée.

10 Être pris en chasse *To be chased*
Le voleur a été pris en chasse par trois policiers. Ils ont été pris en chasse et n'ont pu s'échapper à temps.

11 Être rond *To be tipsy*
Il était plutôt rond quand il a quitté la taverne. Regarde-le marcher, il est rond.

12 Faire ses études   *To study*
Cette année, il commence à faire ses études de droit. Il a fait ses
études à l'Université d'Ottawa.

13 Faire son boulot   *To do one's work (job)*
Elle fait son boulot sans s'occuper des autres collègues. Quand je
fais mon boulot, je suis sérieux et appliqué.

14 Faire tort à   *To damage, to harm*
Vous faites tort aux autres avec tous ces bavardages. Il m'a fait
un tort immense avec cette dénonciation.

15 Filer entre les doigts   *To whisk away, to slip through the fingers*
J'avais cinquante dollars, et ils m'ont filé entre les doigts. Le
temps passe trop vite; il me file entre les doigts.

16 Marcher cahin-caha   *To limp along*
Ils marchaient cahin-caha le long de la route. Il s'était blessé et
marchait cahin-caha.

17 S'en tirer très bien   *To manage quite well, to succeed*
Il avait une tâche assez difficile, et il s'en est très bien tiré. Ils
s'en sont très bien tirés puisqu'ils sont prudents.

18 N'avoir rien dans le corps   *To have taken no food*
Il est dix heures, et je n'ai rien dans le corps. Elle n'a rien dans le
corps depuis hier soir.

19 De plein fouet   *Directly, head on*
Les deux voitures sont entrées en collision de plein fouet. Il l'a
frappée de plein fouet.

20 Le compte y est   *The account is correct, that's correct*
J'ai bien examiné la facture, et le compte y est. Vous avez payé
toute votre dette; le compte y est.

EXERCICES DE LA LEÇON 65

. . . .

RÉPONDEZ AUX QUESTIONS SUIVANTES
EN EMPLOYANT LES EXPRESSIONS ÉTUDIÉES

1 Allez-vous gagner votre cause au tribunal?
2 Est-ce vrai qu'il n'a que neuf ans?
3 La connaissez-vous bien?
4 Trouves-tu cette matière pratique et utile?
5 Que penses-tu de cette organisation locale?
6 Pourquoi sembles-tu si déçu aujourd'hui?
7 Que fais-tu en attendant ton amie?
8 Thérèse est-elle partie? Où est-elle?
9 Quel âge a la fille de ta cousine Pierrette?
10 Est-ce que les voleurs ont été attrapés?
11 Est-ce que ton voisin Pierre boit beaucoup?
12 Est-ce que ta nièce continue ses études?
13 Est-ce une secrétaire bien sérieuse?
14 Pourquoi es-tu fâché contre ton camarade?
15 Qu'as-tu fait de ton argent?
16 Ont-ils été blessés dans l'accident?
17 Est-ce que ce jeune avocat a beaucoup de succès?
18 As-tu bien faim ce matin?
19 Comment a-t-elle eu cette cicatrice?
20 Est-ce que je vous dois encore quelque chose?

VOCABULAIRE SPÉCIAL DE CETTE LEÇON

bourrer — to cram, to fill
escroc — swindler, crook
arpenter — to survey
élevé — brought up
avoir lieu — to take place

bavardage — gossips
tâche — task, job
roman — novel
facture — bill, invoice
devoir — to owe

FAITES DES PHRASES ORALES ET ÉCRITES
AVEC LES EXPRESSIONS SUIVANTES

de long en large — faire son boulot — n'avoir rien dans le corps — de plein
fouet — être pris en chasse — marcher cahin-caha — gagner à être connu

01 À ce que je vois   *By what I can see*
À ce que je vois, tu as perdu ton temps ce matin. Tout le monde semble bien joyeux, à ce que je vois.

02 Avoir un goût de revenez-y   *To wish for more*
Votre gâteau a un petit goût de revenez-y. Oui, j'aime bien la tarte ; elle a un goût de revenez-y.

03 Ainsi va la vie !   *Such is life !*
De nos jours, ainsi va la vie, mon cher ami ! Il ne faut pas se décourager si vite, ainsi va la vie !

04 À la française   *After the French manner*
Il aime bien s'habiller à la française. Elle s'efforce de prononcer à la française.

05 À l'article de la mort   *At the point of death*
Le médecin m'a dit qu'elle est à l'article de la mort. À l'article de la mort, elle avait toute sa connaissance.

06 Comme suite à   *Referring to, as further reference to*
Comme suite à ma lettre du 3 mai dernier, je vous envoie certains renseignements. Comme suite à sa lettre, il m'annonce qu'il va nous quitter.

07 Cela ne rend pas mon idée   *It does not express my idea*
Je ne trouve pas le mot juste, et cela ne rend pas mon idée. Cette expression ne rend pas très bien mon idée.

08 Ne pas avoir de prise sur   *To have no hold on (over)*
Je l'ai bien averti, mais cela n'a pas de prise sur lui. Cette pauvre mère n'a aucune prise sur ses enfants.

09 Voleur de grand chemin   *Bigtime robber*
Tout le monde le connaît bien, c'est un voleur de grand chemin. Comme c'est un voleur de grand chemin, la police le surveille.

10 Dénouer (délier) les cordons de la bourse   *To loosen the purse strings*
Il ne veut pas dénouer les cordons de la bourse, car c'est un avare. Dans une telle circonstance, il délie les cordons de la bourse.

11 **De la façon dont**   *The way that*
Je n'approuve pas la façon dont il s'y prend pour le faire. Voici la façon dont je m'y prends pour faire un gâteau.

12 **Épouser en secondes noces**   *To marry for the second time*
Elle est plus vieille que lui; il l'a épousée en secondes noces. Elle était veuve, et il l'a épousée en secondes noces.

13 **Faire son jars (frais)**   *To boast, to give oneself importance*
Il aime faire le jars parmi ses jeunes amis. Il est bien fier et aime faire son frais.

14 **Faire pattes de velours**   *To speak softly*
Depuis que je l'ai grondée, elle fait pattes de velours. Avec lui, il vaut toujours mieux faire pattes de velours.

15 **Ce n'est pas mon fort**   *It is not my cup of tea*
Ne m'interroge pas en géographie, car ce n'est pas mon fort. J'ai encore échoué en mathématiques, car ce n'est pas mon fort.

16 **Faire la lumière sur**   *To clear up*
La Commission d'enquête devrait faire la lumière sur ce scandale. On lui a demandé de faire la lumière sur cette affaire.

17 **Chanter faux**   *To sing out of tune*
Elle a une voix chaleureuse, mais elle chante faux. Malgré sa longue expérience, il chante faux.

18 **Il s'en fallut de peu pour**   *He almost (nearly)*
Il s'en fallut de peu pour qu'il ne vienne pas au bureau. Il s'en fallut de peu pour qu'elle ne se tue.

19 **Il y a anguille sous roche**   *There is a snake in the grass*
Fais attention, car il y a certainement anguille sous roche. C'est suspect; il y a sûrement anguille sous roche.

20 **Jouer le tout pour le tout**   *To stake (risk) everything*
Comme c'est décisif, il faut jouer le tout pour le tout. Il faut jouer le tout pour le tout, si nous ne voulons pas tout perdre.

. . . .

RÉPONDEZ AUX QUESTIONS SUIVANTES
EN EMPLOYANT LES EXPRESSIONS ÉTUDIÉES

1 Est-ce que tous les invités sont satisfaits?
2 Veux-tu un autre morceau de tarte?
3 Est-ce que j'ai raison de me décourager pour si peu?
4 As-tu vu comme il prononce toujours bien?
5 Est-ce que la malade va mieux depuis hier?
6 Qu'est-ce qu'il vous annonce dans sa dernière lettre?
7 Que veux-tu dire exactement?
8 Est-ce que ses enfants lui obéissent toujours?
9 Pourquoi est-il toujours surveillé par la police locale?
10 Est-ce qu'il donne beaucoup aux oeuvres de charité?
11 Comment faites-vous pour avoir un si beau gâteau?
12 Est-il vrai que ta mère est plus vieille que ton père?
13 Pourquoi veut-il toujours commander aux autres?
14 Comment faut-il se comporter avec lui?
15 As-tu encore échoué en mathématiques?
16 Ont-ils pris une décision à ce sujet?
17 Aimez-vous cette interprète de la chanson française?
18 A-t-elle été blessée grièvement dans cet accident?
19 Cette affaire semble-t-elle très claire?
20 Qu'as-tu l'intention de faire dans cette circonstance?

VOCABULAIRE SPÉCIAL DE CETTE LEÇON

s'habiller — to dress
fier — proud
avertir — to warn
surveiller — to watch
avare — miser
se comporter — to behave
velours — velvet
prendre une décision — to make a decision

se tuer — to get killed
avoir sa connaissance — to be conscious
gronder — to scold
échouer — to fail, to miss
avoir raison — to be right
dénouer — to untie
veuve — widow

FAITES DES PHRASES ORALES ET ÉCRITES
AVEC LES EXPRESSIONS SUIVANTES

à l'article de la mort — faire son jars — jouer le tout pour le tout — ce n'est pas mon fort — avoir un goût de revenez-y — dénouer les cordons de sa bourse

Leçon 67

01 Arriver à un point mort   *To reach the deadline (a deadlock)*
Les discussions en sont arrivées à un point mort. Les pourparlers entreprise en sont arrivés à un point mort.

02 Avec force détails   *With numerous details*
Il m'a expliqué la situation avec force détails. Elle nous a donné un compte rendu avec force détails.

03 Le cours du change   *The rate of exchange*
Quel est le cours du change du dollar, cette semaine? Avant de partir en voyage, j'examine le cours du change.

04 Avoir du foin dans ses bottes   *To be rich, affluent*
N'ayez pas pitié de lui, car il a du foin dans ses bottes. À cet âge-là, il est bon d'avoir un peu de foin dans ses bottes.

05 Avoir la vie dure   *To have a hard time of it*
Tout le monde sait que les chats ont la vie dure. Ces enfants ont eu la vie dure avec cette belle-mère.

06 Qui ne dit mot consent   *Silence means consent*
Je crois au dicton: Qui ne dit mot consent. Exprimez votre idée, car qui ne dit mot consent.

07 Avoir la berlue   *To be mistaken*
Pensez davantage, cher monsieur, vous avez la berlue. Pour dire une chose pareille, il faut avoir la berlue.

08 Avoir pignon sur rue   *To have a house of one's own*
C'est un gros commerçant qui a pignon sur rue. C'est une famille bien connue qui a pignon sur rue.

09 Beau coup de filet   *A good catch, a nice haul*
La police a réussi un autre beau coup de filet. Cet agent se signale par de beaux coups de filets.

10 En amont de   *Above, up-stream from*
Le nouveau pont est en amont de l'écluse. Ce village est en amont de Thurso.

11 Avocat du diable   *Devil's advocate*
Dans chaque réunion, il se fait l'avocat du diable. Compte tenu de l'enjeu de cette histoire, je me ferai l'avocat du diable.

12 **Être le portrait vivant de**   *To be the very image of*
C'est le portrait vivant de son grand-père. C'est le portrait vivant de son oncle Jean.

13 **Faire des mots croisés**   *To do cross-word puzzles*
Il fait les mots croisés de tous les journaux. Avant d'aller se coucher, elle fait des mots croisés.

14 **Être de bon ton de**   *To be proper (convenient) to*
Il est de bon ton, je pense, de leur présenter nos condoléances. Il serait de bon ton de lui envoyer des remerciements.

15 **Donner beau jeu à**   *To give fair play to*
Cette loi donne beau jeu au gouvernement pour intervenir. Par cette mesure, on va leur donner beau jeu.

16 **Il (elle) n'a pas inventé les boutons à quatre trous**   *He (she) will never set the Thames on fire*
Ce n'est pas lui qui a inventé les boutons à quatre trous. Pardonnez-lui, car elle n'a pas inventé les boutons à quatre trous.

17 **Remonter (relever) le moral**   *To raise someone's spirits*
Amène-le en vacances, ça va lui remonter le moral. Allez le consulter, ça va vous relever le moral.

18 **Dans l'attente de vous lire**   *Hoping to hear from you*
À la fin d'une lettre, je signe toujours: Dans l'attente de vous lire. Elle a sans doute envie de continuer la correspondance puisqu'elle m'écrit: Dans l'attente de vous lire.

19 **S'en tenir au strict nécessaire**   *To want no more than is necessary*
Je n'exagère pas; je m'en tiens au strict nécessaire. La famille est pauvre et s'en tient au strict nécessaire.

20 **Battre les cartes**   *To shuffle the cards*
Battez les cartes afin que nous puissions jouer. Il faut battre les cartes avant de jouer.

. . . .

RÉPONDEZ AUX QUESTIONS SUIVANTES
EN EMPLOYANT LES EXPRESSIONS ÉTUDIÉES

1 Est-ce que les pourparlers continuent aujourd'hui?
2 A-t-il présenté son compte rendu?
3 Qu'est-ce que tu regardes dans le journal du matin?
4 Dois-je lui demander de payer toutes ses dettes?
5 Ces enfants ont-ils toujours été bien traités?
6 Est-ce que je dois donner mon idée, moi aussi?
7 Comment a-t-il pu dire une chose pareille?
8 As-tu entendu parler de la famille Dumas?
9 Les trois bandits ont-ils été arrêtés?
10 Où se trouve le nouveau pont qu'on a construit sur la rivière?
11 Est-ce que ce jeune homme est bien renseigné?
12 À qui ressemble le petit Jean?
13 Habituellement, que fait-elle avant d'aller se coucher?
14 Dois-je leur envoyer des condoléances?
15 Quelle sera la conséquence de cette nouvelle mesure?
16 Il n'est pas intelligent; que dois-je faire?
17 Serait-il bon d'aller consulter le psychologue?
18 Comment a-t-il accueilli votre dernière lettre?
19 As-tu l'intention de demander davantage?
20 Allons-nous commencer à jouer?

VOCABULAIRE SPÉCIAL DE CETTE LEÇON

pourparler — talk, négociation
compte rendu — report
belle-mère — mother-in-law
dicton — saying
davantage — more

écluse — dam, lock
amener — to take, to accompany
renseigné — well-informed
recommandé — resgistered
pareil — similar, alike

FAITES DES PHRASES ORALES ET ÉCRITES
AVEC LES EXPRESSIONS SUIVANTES

en amont de — avec force détails — avocat du diable — battre les cartes —
remonter le moral — avoir la vie dure — avoir la berlue — il est de bon ton de
— donner beau jeu à

01 Essuyer un refus (un revers)   *To suffer a set-back*
Elle a bien insisté, mais elle a essuyé un refus. Je suis presque sûr d'essuyer un revers avec un homme comme ça.

02 Faire dresser les cheveux   *To make one's hair stand on end*
Ce sont des aventures à faire dresser les cheveux. C'est à faire dresser les cheveux quand on voit ça.

03 Faire suite à   *To be the continuation of*
Pour faire suite à ma dernière lettre, je vous affirme que le travail progresse. Cela fera suite à ce que j'ai dit la semaine passée.

04 Finir (se terminer) en queue de poisson   *To fizzle out*
Ça paraissait sérieux, mais tout a fini en queue de poisson. Tout s'est terminé en queue de poisson, comme d'habitude.

05 Donner un autre coup de dent   *To have a rap at someone*
Pour se venger, il a voulu donner un autre coup de dent. C'est un autre coup de dent contre son pire ennemi.

06 Ne faire que rire   *To do nothing but laugh*
Il ne parle jamais; il ne fait que rire. Elle ne fait que rire sans jamais rien exprimer.

07 Il n'y a pas à s'y méprendre   *There is no mistake about it*
Il n'y a pas à s'y méprendre, c'est bien le voleur recherché. C'est la meilleure marque; il n'y a pas à s'y méprendre.

08 Dire ses quatre vérités   *To tell someone a few home truths*
J'en ai profité pour lui dire ses quatre vérités. Je lui ai dit ses quatre vérités en présence de tout le monde.

09 J'en suis, j'admets   *I admit, I agree*
Si vous préférez ne pas y aller aujourd'hui, j'en suis. J'admets, même si tous semblent penser le contraire.

10 Être malvenu à   *To be ill-advised of someone to*
Je serais malvenu à vouloir affirmer le contraire. Vous seriez malvenu à vous plaindre.

11 Laisser la bride au cou   *To give someone more liberty*
Elle a dix-neuf ans, et je lui laisse la bride au cou. Attention! tu le regretteras si tu lui laisses la bride au cou.

12 **Clou de la soirée** *Main attraction of the evening*
Cette danse a été le clou de la soirée de famille. Le beau feu d'artifice a été le clou de la soirée.

13 **Le code de la route** *The Highway Traffic Act*
Observez le code de la route quand vous conduisez. Il y a beaucoup d'infractions au code de la route.

14 **L'optimisme est à la baisse** *Optimism is waning*
Depuis quelques mois, l'optimisme est à la baisse. L'optimisme est à la baisse depuis ce grand discours.

15 **Mal lui en a pris de** *It was a bad thing that*
Mal lui en a pris de vouloir insulter son adversaire. Mal lui en a pris de ne pas payer cette amende.

16 **Chat échaudé craint l'eau froide** *Once bitten, twice shy*
Il hésite avant d'agir, car chat échaudé craint l'eau froide. Croyez-vous au dicton: Chat échaudé craint l'eau froide?

17 **Mettre la pédale douce** *Not to be too strict*
Avec cette employée, essayez de mettre la pédale douce. Il faut parfois mettre la pédale douce pour avoir la paix.

18 **Montrer les dents** *To be ready for an arguement*
Il a dû montrer les dents à ses deux adversaires. Je suis conciliant, mais je montre les dents quelquefois.

19 **Faire le bilan de** *To strike the balance*
Le marchand fait le bilan de la semaine. Les administrateurs font le bilan de l'année.

20 **Se laisser emporter à la colère** *To give way to anger*
Mon intervention ne lui a pas plu, et il s'est laissé emporter à la colère. Il se laisse facilement emporter à la colère.

. . . .

RÉPONDEZ AUX QUESTIONS SUIVANTES
EN EMPLOYANT LES EXPRESSIONS ÉTUDIÉES

1 Pensez-vous pouvoir convaincre cet homme?
2 Aimez-vous ce genre d'aventure?
3 Pourquoi envoyez-vous une autre circulaire?
4 Comment s'est terminée toute cette histoire?
5 Qu'a-t-il fait pour se venger?
6 Est-ce qu'elle parle beaucoup en compagnie?
7 Que pensez-vous de cette marque de bicyclette?
8 Pourquoi était-il si fâché contre vous?
9 Est-ce qu'on pourrait y aller demain seulement?
10 Avez-vous l'intention d'accepter cette gentille invitation?
11 Donnez-vous beaucoup de liberté à votre fils?
12 Qu'est-ce que vous avez aimé le plus hier soir?
13 Pourquoi y a-t-il tant d'accidents de la circulation?
14 Sont-ils encore très optimistes?
15 Pourquoi a-t-il perdu sa cause?
16 Pourquoi hésite-t-il tant?
17 Qu'est-ce que je dois faire pour avoir la paix avec elle?
18 Êtes-vous toujours conciliant avec tout le monde?
19 Que font les marchands le samedi soir?
20 Comment a-t-il réagi à votre intervention?

VOCABULAIRE SPÉCIAL DE CETTE LEÇON

bride — bridle
comme ça — like that
se venger — to revenge
marque — make, brand
feu d'artifice — firework
convaincre — to convince
confier — to give, to entrust

clou — nail
discours — speech
amende — fine
maire — mayor
entreprendre — to undertake, to start
fâché — angry, mad

FAITES DES PHRASES ORALES ET ÉCRITES
AVEC LES EXPRESSIONS SUIVANTES

le clou de la soirée — faire le bilan de — se laisser emporter à la colère — essuyer un refus — finir en queue de poisson — laisser la bride au cou — mettre la pédale douce

Leçon 69

01 À bas les pattes! *Hands down! No fighting here!*
À bas les pattes! tu ne me fais pas peur. Il a répondu à son agresseur: « À bas les pattes! »

02 À beaucoup près *By far*
C'était à beaucoup près le plus arrogant du groupe. Cette auto est à beaucoup près la plus dispendieuse du genre.

03 À bon droit *With good reason*
C'est à bon droit qu'il a réclamé son dû. Il a obtenu ce qu'il voulait, et c'est à bon droit.

04 Avoir des idées bien arrêtées *To have settled ideas (decided views)*
Il a des idées bien arrêtées sur la peine de mort. Ces femmes ont des idées bien arrêtées sur l'avortement.

05 Avoir le dernier mot *To have the last word*
Il veut toujours avoir le dernier mot dans une discussion. C'est toujours elle qui a le dernier mot.

06 Couper le vin *To blend wine with water*
Il faudra couper ce vin, car il est très amer. J'aime bien couper mon vin; ça se boit mieux.

07 Faire chaud au coeur *To please*
Quand j'entends un tel mot, cela me fait chaud au coeur. Ça me fait chaud au coeur de recevoir des condoléances.

08 Coiffer sainte Catherine *To be twenty-five and not yet married*
Contrairement à toutes ses soeurs, elle coiffe sainte Catherine. Comme elle coiffe sainte Catherine, elle n'aime pas les sorties.

09 Le bien commun *Public wealth*
Dans cette affaire, il faudrait d'abord penser au bien commun. Le bien commun passe souvent avant les libertés individuelles.

10 Moyennant quoi *In return for which, in consideration of which*
Ramasse 500 $, moyennant quoi tu pourras être libéré. Il lui a offert un pot-de-vin, moyennant quoi il a été promu.

11 Un vieux loup de mer *A tough old veteran*
Il ne craint pas les tempêtes; c'est un vieux loup de mer. C'est un vieux loup de mer qui n'a peur de rien.

12 De même que, ainsi que *And also, as well as*
Il a été condamné, de même que ses trois complices. Ils m'ont engagé pour se travail, ainsi que trois autres amis.

13 Être plus mal en point *To be worse off*
Personne n'était plus mal en point que moi après cette corvée. Ce soir-là, elle était plus mal en point que les autres jours.

14 En moyenne *An average of*
Il dépense en moyenne 60 $ par semaine. Il boit, en moyenne, une caisse de bière par semaine.

15 En avoir (prendre) pour son compte *To get it in the neck*
Je crois qu'il en a eu pour son compte avec ce gaillard. Il a abandonné, car il en avait pris pour son compte.

16 Faire des coq-à-l'âne *To skip from one subject to another*
Il fait toujours des coq-à-l'âne quand il converse. Je n'aime pas causer avec elle, car elle fait des coq-à-l'âne

17 Faire la chasse aux sorcières *To witch hunt*
Certains politiciens s'amusent à faire la chasse aux sorcières. Depuis ce jour-là, les policiers font la chasse aux sorcières.

18 Faire tache d'huile *To spread, to influence*
C'est un mauvais exemple qui fera tache d'huile. Cette mode fait déjà tache d'huile dans toute la région.

19 Ne plus avoir sa tête à soi *To be out of one's mind, to be half-crazy*
Il n'avait plus sa tête à lui, depuis quelques années. Pardonnez-lui, car elle n'a plus sa tête à elle, la pauvre vieille !

20 Il se trouve que *It happens that*
Il se trouve que c'est lui qui a obtenu cet emploi. Il se trouve que c'est elle qui a été nommée présidente.

. . . .

RÉPONDEZ AUX QUESTIONS SUIVANTES
EN EMPLOYANT LES EXPRESSIONS ÉTUDIÉES

 1 A-t-il résisté à son agresseur?
 2 Est-ce que c'est une auto qui coûte cher?
 3 A-t-il tout obtenu?
 4 Que pense-t-elle de la peine de mort?
 5 Aimez-vous discuter avec cet homme?
 6 Prenez-vous du vin en mangeant?
 7 Aimez-vous entendre ce beau mot de ce vieil ami?
 8 Pourquoi n'aime-t-elle pas les sorties en fin de semaine?
 9 Qu'est-ce qui est le plus important, selon vous?
10 Comment a-t-il obtenu cette promotion?
11 A-t-il peur d'aller seul sur la mer?
12 Ont-ils engagé plusieurs employés dans ce grand bureau?
13 Comment te sentais-tu après cette longue corvée?
14 Boit-il beaucoup de bière depuis sa maladie?
15 Sais-tu pourquoi il a tout abandonné?
16 Tu n'aimes pas sa conversation?
17 Pourquoi ce politicien fait-il tant d'accusations?
18 Que penses-tu de cette nouvelle mode?
19 Pourquoi m'insulte-t-il si souvent?
20 Ont-ils nommé une autre présidente?

VOCABULAIRE SPÉCIAL DE CETTE LEÇON

dispendieux — expensive
dû — due, money
peine de mort — capital punishment
avortement — abortion
truc — trick, gadget
pareil — similar, such

ramasser — to gather, to raise
pot-de-vin — bribe
engager — to hire
corvée — task, fatigue party
gaillard — tall man
causer — to chat

FAITES DES PHRASES ORALES ET ÉCRITES
AVEC LES EXPRESSIONS SUIVANTES

en moyenne — à bas les battes! — il se trouve que — faire des coq-à-l'âne —
de même que — avoir le dernier mot — faire tache d'huile — couper le vin —
le bien public

Leçon 70

01 Ce n'est pas la tête à Papineau   *He (she) is not bright (smart, intelligent)*
Il n'est pas très influent; ce n'est pas la tête à Papineau. Ce n'est pas la tête à Papineau, même si elle est devenue ministre.

02 Ici-bas   *In the world, on earth*
Tout le monde cherche le bonheur ici-bas, mais en vain. Ce n'est pas toujours drôle ici-bas, mais c'est la vie!

03 Il n'en va pas de même pour   *It is quite different for*
Il n'en va pas de même pour les autres membres du groupe. Il n'en va pas de même pour les non-syndiqués.

04 Va donc savoir quand!   *How can you know?*
On peut gagner le gros lots un jour, mais va donc savoir quand! L'inflation finira un jour, mais va donc savoir quand!

05 Il n'y a pas de presse   *There is no hurry*
Prenez votre temps pour y aller, car il n'y a pas de presse. Il n'y a pas de presse, vous irez quand vous serez libre.

06 Poste restante   *General delivery*
Comme je n'ai pas d'adresse fixe, écrivez: Poste restante. Mettez: Poste restante sur l'enveloppe, et j'irai la chercher à la poste.

07 Être en rogne   *To have a grouse, to be in a temper*
Je suis en rogne depuis qu'on m'a annoncé ma mise à pied. Elle était en rogne quand elle a appris la mauvaise nouvelle.

08 S'appeler... tout court   *To be called plain...*
Ce n'est pas très compliqué; il s'appelle Jean, tout court. Elle s'appelle Jeanne, tout court, et non pas Marie-Jeanne.

09 Ouï dire   *To hear that*
J'ai ouï dire qu'il allait démissionner de son poste. Nous avons ouï dire qu'ils déménagent à Québec.

10 En avoir chaud   *To be really afraid, to be scared stiff*
Quand je le rencontre j'en ai encore chaud. Elle en a chaud les fois qu'elle voit ce policier.

11 Ne pas être de taille   *To be no match, not to be cut out for*
L'adversaire n'était pas de taille à affronter ce géant. Bien des boxeurs ne sont pas de taille à faire face au champion.

12 La Fête des Morts   *All Souls' Day*
La Fête des Morts n'est pas célébrée comme auparavant. À la Fête des Morts, on pense à tous les défunts de la famille.

13 Le cas échéant   *In that case, if it shoud happen*
Le cas échéant, on fera appel à l'armée pour maintenir l'ordre. On ne pourra pas fêter cela en public, le cas échéant.

14 Le plus cocasse de l'histoire   *The strangest part of it*
Et le plus cocasse de l'histoire, c'est qu'il n'est pas mort. Le plus cocasse de l'histoire, c'est qu'il m'ont joué un tour.

15 Prix de revient   *Cost price, manufacturing cost*
Il faudra établir le prix de revient de tous ces produits. Il y a trop de marge entre le prix de revient et le prix de vente.

16 Drapeau en berne   *Flag at half-mast*
Ils vont mettre le drapeau en berne pour vint et un jours. À la mort du Président, tous les drapeaux sont en berne.

17 Mettre de l'avant   *To propose, to suggest*
C'est lui qui a mis cette idée de l'avant. Je vais mettre ce projet de l'avant et puis, vous le surveillerez.

18 Prendre du mieux   *To recover, to feel better*
La malade prend du mieux depuis une semaine. Elle a été opérée et elle prend du mieux de jour en jour.

19 S'entendre comme larrons en foire   *To be as thick as thieves*
Ces deux escrocs s'entendent comme larrons en foire. Fais bien attention, car ils s'entendent comme larrons en foire.

20 S'amuser joliment   *To have a marvellous time*
Même s'il en manquait plusieurs, on s'est joliment amusé. Ils se sont joliment amusés sur la plage pendant ce long congé.

. . . .

RÉPONDEZ AUX QUESTIONS SUIVANTES
EN EMPLOYANT LES EXPRESSIONS ÉTUDIÉES

1 Ne donne-t-il pas satisfaction en tant que ministre?
2 Peut-on trouver le bonheur sur la terre?
3 Est-ce que les membres du syndicat ont gagné leur cause?
4 Est-ce que le phénomène de l'inflation diminue?
5 Est-ce que je dois y aller tout de suite?
6 Où dois-je vous adresser ma lettre?
7 Pourquoi sembles-tu de mauvaise humeur?
8 Dois-je écrire Jean-Paul ou Jean-Baptiste?
9 Ont-ils l'intention de déménager bientôt?
10 Est-ce que tu crains ce grand policier quand tu les rencontres?
11 Qui peut faire face au champion?
12 Vas-tu au cimetière quelquefois?
13 Et si les gardiens de prison décidaient de faire la grève?
14 Est-il mort ou vivant? Quelle est la vérité?
15 Pourquoi les aliments coûtent-ils si cher?
16 As-tu vu des drapeaux partout?
17 As-tu quelque chose à proposer?
18 Est-ce que ta vieille mère va bien?
19 Est-ce que je dois leur faire confiance?
20 Qu'avez-vous fait en fin de semaine?

VOCABULAIRE SPÉCIAL DE CETTE LEÇON

bonheur — happiness
drôle — funny, interesting
gros lot — jackpot
mise à pied — layoffing
démissionner — to resign
déménager — to move, to transfer
affronter — to face, to fight

géant — giant
auparavant — formerly
jouer un tour — to play a trick
surveiller — to look after
escroc — swindler
plage — beach

FAITES DES PHRASES ORALES ET ÉCRITES
AVEC LES EXPRESSIONS SUIVANTES

j'ai ouï dire que — le cas échéant — poste restante — prendre du mieux — le prix de revient — il n'y a pas de presse — j'en ai chaud — on s'est joliment amusé

Leçon 71

01 Se tromper de numéro *To dial the wrong number*
Excusez-moi, je me suis trompé de numéro. Vous vous êtes trompés de numéro.

02 Jeter de l'huile sur le feu *To add fuel to the fire*
Ce discours un peu extrémiste a jeté de l'huile sur le feu. Cette loi anti-syndicale va jeter de l'huile sur le feu.

03 Laisser tomber quelqu'un *To let someone go, to forget someone*
Il n'est pas si important, laissez-le tomber. Laissez-la tomber et ne vous occupez pas d'elle.

04 Baptême de l'air *First flight*
Ce voyage au Mexique constitue mon baptême de l'air. Comme c'est mon baptême de l'air, j'ai un peu peur.

05 Le diable est aux vaches *All hell is let loose*
Le diable est aux vaches depuis le départ du gardien. Il y a des mouches, il fait chaud et le diable est aux vaches.

06 Le jour tire à sa fin *The day is drawing to its close*
Heureusement que le jour tire à sa fin, je suis très fatigué. Patientez encore quelques minutes, le jour tire à sa fin.

07 Lors même que *Even if*
Essayez de le convaincre lors même qu'il résisterait. Écrivez-lui encore lors même qu'il ne répondrait plus.

08 Manger du curé *To be violently anti-clerical*
C'est un vieil athée qui mange souvent du curé. Depuis quelques années, presque tous mangent du curé.

09 Mettre à toutes les sauces *To be assigned to every kind of work*
Ils m'ont mis à toutes les sauces depuis deux ans. On l'a mis à toutes les sauces, mais il s'en est bien tiré.

10 Mal tourner *To go bad (sour)*
Malgré tous mes efforts, ce projet a bien mal tourné. Votre fille tournera mal si vous ne la surveillez pas.

11 **Par le truchement de la radio (de la télé)**   *By means of the radio (TV)*
On a entendu ce beau discours par le truchement de la radio.
C'est par le truchement de la télé qu'on a pu voir la partie.

12 **Ne tenir qu'à un cheveu**   *To be hanging by a hair*
Leur mariage ne tient qu'à un cheveu. Sa vie ne tient qu'à un cheveu; il est dans le coma.

13 **Ouvrir la marche**   *To open the way*
Je connais la forêt et je vais ouvrir la marche. C'est monsieur le maire qui ouvrira la marche.

14 **Paraître à la barre**   *To appear before the court (at the bar)*
Il devra paraître à la barre jeudi prochain. On lui a demandé de paraître à la barre dans cette cause.

15 **Par la force des choses**   *Through force of circumstance*
Par la force des choses, il devra finir par consentir. Ils devront accepter les conditions fixées, par la force des choses.

16 **Payer en espèces sonnantes**   *To pay in hard cash (in coin)*
Il a payé tout son compte en espèces sonnantes. Pas de chèques, vous devrez payer en espèces sonnantes.

17 **Cogner (planter) des clous**   *To fall asleep*
Vers dix heures, elle commence déjà à cogner des clous. Je ne dors pas dans le train, mais je plante des clous.

18 **Être d'attaque**   *To have plenty of pluck, to be game*
Je me suis beaucoup entraîné et je sens que je suis d'attaque.
Êtes-vous d'attaque? Alors, allons-y.

19 **Se prendre pour**   *To take oneself for*
Pour qui vous prenez-vous? Pour le Prince de Galles? Elle se prend pour une autre, cette orgueilleuse.

20 **Accoucher d'une souris**   *To have a deceiving result*
Il avait de grands plans, mais son projet a accouché d'une souris.
Tout le monde est déçu, car son grand projet a accouché d'une souris.

. . . .

RÉPONDEZ AUX QUESTIONS SUIVANTES
EN EMPLOYANT LES EXPRESSIONS ÉTUDIÉES

1 Est-ce bien à moi que vous voulez parler?
2 Que pensez-vous de ce long discours très animé?
3 Est-ce que je dois continuer d'écouter cet homme?
4 Êtes-vous déjà allé au Mexique en avion?
5 Pourquoi tant de bruit et de désordre dans ce camp d'été?
6 Il n'est pas encore cinq heures?
7 Pourquoi lui écrire, puisqu'il ne répond jamais?
8 Pourquoi es-tu fâché contre ce vieux paroissien?
9 Pourquoi as-tu changé d'emploi si souvent?
10 Es-tu content des résultats de ton entreprise?
11 Alors, avez-vous pu voir le combat de boxe?
12 Est-ce vrai qu'il veulent divorcer?
13 Qui va nous conduire dans cette grande forêt?
14 Est-ce qu'il devra aller à la cour?
15 Est-ce qu'il va finir par consentir?
16 Est-ce que je pourrai vous donner un chèque?
17 Dans le train, dormez-vous habituellement?
18 Avez-vous confiance en cette personne?
19 Est-ce que vous aimez votre voisine?
20 Pourquoi ses associés semblent-ils très déçus?

VOCABULAIRE SPÉCIAL DE CETTE LEÇON

discours — speech
mouches — flies
curé — parish priest
s'en tirer — to get through
souris — mouse
accoucher — to give birth

compte — bill
cogner — to hit, to strike
clou — nail
tromper — to cheat
orgueilleux — proud
s'endormir — to fall asleep

FAITES DES PHRASES ORALES ET ÉCRITES
AVEC LES EXPRESSIONS SUIVANTES

mal tourner — baptême de l'air — cogner des clous — ne tenir qu'à un cheveu — se tromper de numéro — par la force des choses — paraître à la barre

01 Connaître la musique   *To know all the tricks*
N'essayez pas de le surprendre, car il connaît la musique. Elle connaît trop bien la musique pour croire ce que vous dites.

02 La belle affaire !   *Is that all !*
C'est tout ce que vous apportez? La belle affaire! Est-ce que c'est la seule raison de votre retard? La belle affaire?

03 À plat ventre   *Flat on one's stomach*
Ce petit garçon dort toujours à plat ventre. Elle est tombée à plat ventre sur le trottoir glacé.

04 Battre la semelle   *To stamp one's feet*
En hiver, parfois il faut battre la semelle. Il battait la semelle au coin de la rue en attendant l'autobus.

05 Promettre monts et merveilles   *To promise someone wonders*
(the moon and the stars)
Il promet monts et merveilles, et puis il ne fait rien. Pendant les élections, souvent on promet monts et merveilles.

06 Faire ses amitiés à   *To remember oneself to*
N'oubliez pas de faire mes amitiés à votre soeur. Il m'a prié de vous faire ses amitiés.

07 Faire des gorges chaudes   *To gloat over, to scoff at*
Elle se croit si intelligente qu'elle fait des gorges chaudes. Elle ont fait des gorges chaudes à ceux qui les critiquaient.

08 C'est un canard   *That's false news*
Il nous le dit très sérieusement, mais c'est un canard. Ne croyez pas cette nouvelle, car c'est un canard.

09 Forcer la note   *To exaggerate, to overdo it*
Quand vous dites deux cents, vous forcez un peu la note. Vous forcez la note quand vous donnez des statistiques.

10 Sauf le respect que je vous dois   *With all due respect to you*
Sauf le respect que je vous dois, je dis que vous avez tort. Ce sont de vrais menteurs, sauf le respect que je vous dois.

11 Ne pas en rester là *To go farther, not to stop there*
Après les insultes reçues, nous n'en resterons pas là. Il n'en restera pas là et il verra sûrement un avocat.

12 Prendre quelqu'un au mot *To take someone at his word*
Ne me prenez pas toujours au mot quand je parle. Attention, car je vais vous prendre au mot.

13 Aller chercher chicane *To pick a quarrel*
Il va chercher chicane pour la moindre critique à son égard. Je n'aime pas les gens qui vont toujours chercher chicane.

14 Manger à belles dents *To eat heartily, to criticize openly*
Quand il parle de cet ennemi, il le mange à belles dents. En présence de si belle compagnie, je mange à belles dents.

15 Remettre les pieds *To return to, to go back again to*
On vous demande de ne plus remettre les pieds ici. Le juge lui a dit de ne plus remettre les pieds au club.

16 Être en brouille avec *To be on bad terms with*
Il est toujours en brouille avec tous ses voisins. Je n'aime pas ceux qui sont en brouille avec tout le monde.

17 Avoir des sautes d'humeur *To blow hot and cold, to be flighty*
Elle a des sautes d'humeur et elle énerve toutes ses amies. Comme il est très nerveux, il a souvent des sautes d'humeur.

18 Payer l'impôt sur le revenu *To pay Income tax*
Chaque année, tous les citoyens paient l'impôt sur le revenu. Personne n'aime payer l'impôt sur le revenu.

19 Se mêler de politique *To dabble in politics*
Trop de gens ne se mêlent pas assez de politique. Certains professeurs se mêlent trop de politique en classe.

20 Un de ces quatre matins *One of these days*
Un de ces quatre matins, nous partirons pour la pêche. Un de ces quatre matins, tu me verras arriver en motoneige.

EXERCICES DE LA LEÇON 72

· ·

RÉPONDEZ AUX QUESTIONS SUIVANTES
EN EMPLOYANT LES EXPRESSIONS ÉTUDIÉES

1 Pensez-vous réellement qu'elle va me croire?
2 Vous a-t-elle donné une raison pour son retard?
3 Comment a-t-elle pu se casser le nez?
4 A-t-il eu froid en attendant l'autobus?
5 Est-ce que les candidats promettent beaucoup en temps d'élections?
6 Est-ce que vous allez visiter votre soeur?
7 Comment se sont-elles comportées envers les critiques?
8 Est-ce que je dois croire la dernière nouvelle?
9 Vous ne croyez pas qu'il y en avait au moins deux cents?
10 Ai-je raison ou tort dans cette circonstance?
11 Allez-vous faire la paix avec vos deux voisins?
12 Et si je promettais de t'aider généreusement?
13 Vous avez l'air de ne pas aimer ce genre de personne?
14 Qu'est-ce qu'il dit de son grand ennemi?
15 Est-ce qu'il pourra retourner dans le même club?
16 Quels sont ses rapports avec ses voisins?
17 Comment sais-tu que cet homme est très nerveux?
18 Alors, tu remplis toi aussi ta formule d'impôt?
19 Pourquoi tant de gens ne vont jamais voter?
20 Quand viendras-tu me voir dans la montagne?

VOCABULAIRE SPÉCIAL DE CETTE LEÇON

trottoir glacé — icy sidewalk
parfois — sometimes
canard — duck
avoir tort — to be wrong
menteur — liar
paix — peace

à son égard — toward him
énerver — to irritate, to bore
citoyen — citizen
pêche — fishing
se comporter — to behave
au moins — at least

FAITES DES PHRASES ORALES ET ÉCRITES
AVEC LES EXPRESSIONS SUIVANTES

c'est un canard — manger à belles dents — à plat ventre — être en brouille
avec — avoir des sautes d'humeur — prendre quelqu'un au mot — connaître
la musique — forcer la note

Leçon 73

01 À la diable   *Hurriedly, in a harum-scarum sort of way*
Je n'ai jamais aimé le travail fait à la diable. Reprends ce travail de français, car il est fait à la diable.

02 Prendre à contre-pied   *To take someone (something) the wrong way*
Le chien courait après le lièvre, mais il l'a pris à contre-pied. Il a pris toutes mes remarques à contre-pied.

03 Peu ou prou   *More or less*
Après mes critiques, il est revenu peu ou prou sur sa décision. Il est peu ou prou intéressé à poursuivre ce travail.

04 En goguette   *In a festive way, in a jolly mood*
Après cette belle soirée, ils sont tous partis en goguette. Après voir pris plusieurs verres ensemble, ils étaient en goguette.

05 Il n'est pas séant de   *It is not convenient (proper) to*
Il n'est pas séant de dire cela en compagnie. Il n'est guère séant de se conduire ainsi envers sa femme.

06 Traiter par-dessous la jambe   *To treat someone with contempt*
Je regrette beaucoup, mais elle m'a traité par-dessous la jambe. Il n'est pas poli de traiter ses amis par-dessous la jambe.

07 Payer quelqu'un de retour   *To reciprocate, to return*
Il lui a payé de retour toutes ses gentillesses. Aide-moi, et je saurai te payer de retour un jour non lointain.

08 N'avoir cesse de répéter   *Not to stop repeating*
Elle n'a eu cesse de répéter qu'elle m'aimait beaucoup. Je n'aurai de cesse de leur répéter que je les admire.

09 Le fin fond de   *The very end of*
Ils arrivaient avec leurs chameaux du fin fond du désert. Il y avait une tempête qui arrivait du fin fond de la forêt.

10 Avoir le pied à l'étrier   *To be ready for any emergency*
Fiez-vous à lui; il a toujours le pied à l'étrier. Ils ne seront pas en retard, car ils ont toujours le pied à l'étrier.

11 **Avoir la tête sur les épaules** *To be realistic*
C'est un homme sérieux qui a la tête sur les épaules. Il faut avoir la tête sur les épaules dans ces circonstances.

12 **Ne pas être né d'hier** *Not to be born yesterday*
Je le sais très bien, je ne suis pas né d'hier. Tu ne lui apprendras rien de nouveau; il n'est pas né d'hier.

13 **En avoir par-dessus la tête** *To be fed up (up to the ears) with*
J'en ai par-dessus la tête avec toutes vos histoires stupides. J'ai du travail par-dessus la tête depuis quelques semaines.

14 **Se mettre en tête de** *To decide to*
Elle s'est mise en tête de faire ce grand voyage toute seule. Je me suis en tête de terminer ce travail avant Noël.

15 **Ne pas vouloir en démordre** *Not to let go an idea*
Il est bien têtu et il ne veut pas en démordre. J'ai décidé ainsi et je ne veux pas en démordre.

16 **Recourir aux bons offices de** *To call on someone's aid*
Si c'est trop compliqué, je vais recourir à vos bons offices. Ils ont recouru aux bons offices du nouveau ministre.

17 **Décrocher le grand succès** *To make a big hit*
Grâce à sa persévérance, elle a décroché le grand succès. Leur invention a décroché le grand succès.

18 **Risquer le tout pour le tout** *To put everything at stake*
Dans une telle circonstance, il faut risquer le tout pour le tout. Il est au désespoir et il risque le tout pour le tout.

19 **Période (ère) de vaches maigres** *It is lean times*
Dans plusieurs pays africains, c'est une période de vaches maigres. Pendant une ère de vaches maigres, il faut se priver.

20 **Ne pas reculer d'une semelle** *Not to give an inch*
Il s'est montré obstiné et n'a pas voulu reculer d'une semelle. Cet homme têtu ne recule jamais d'une semelle.

. . . .

RÉPONDEZ AUX QUESTIONS SUIVANTES
EN EMPLOYANT LES EXPRESSIONS ÉTUDIÉES

1 Est-ce que je dois refaire ce travail?
2 A-t-il accepté tes remarques à ce sujet?
3 Devra-t-il prendre une autre décision?
4 Étaient-ils tous contents de leur soirée?
5 Que penses-tu de sa conduite envers les femmes?
6 Pourquoi sembles-tu fâché contre elle?
7 Est-ce que je peux t'aider dans cette circonstance pénible?
8 Est-ce que tu admires leur grande générosité?
9 D'où venait cette grande tempête de sable?
10 Penses-tu qu'il va réussir dans sa nouvelle entreprise?
11 Pourquoi lui confies-tu cette tâche difficile?
12 Est-ce que c'est du nouveau pour toi?
13 Êtes-vous très occupé au mois de septembre?
14 Quand penses-tu pouvoir terminer ce livre?
15 Est-ce que tu vas changer d'idée avant longtemps?
16 Pensez-vous pouvoir réussir assez facilement?
17 Qu'est-ce que cela leur a rapporté?
18 Dans une telle circonstance, que faut-il faire?
19 Quelle est la situation dans certains pays d'Afrique?
20 A-t-il fini par changer d'idée?

VOCABULAIRE SPÉCIAL DE CETTE LEÇON

se conduire — to behave
lointain — far, remote
sable — sand
étrier — stirrup
soirée — evening, party
pénible — painful, sad

vantardise — boast, bragging
régime — diet
conseiller — to advise
désespoir — despair
têtu — stubborn
tâche — job, task

FAITES DES PHRASES ORALES ET ÉCRITES
AVEC LES EXPRESSIONS SUIVANTES

ne pas être né d'hier — à la diable — risquer le tout pour le tout — se mettre
en tête de — du fin fond de — avoir la tête sur les épaules — ne pas reculer
d'une semelle — en avoir par-dessus la tête

Leçon 74

01 À bride abattue   *At full gallop (tilt)*
Le cheval a traversé tout le quartier à bride abattue. Il était en retard et il menait son cheval à bride abattue.

02 Accès interdit   *No admittance*
N'entre pas là, c'est écrit sur la porte: Accès interdit. Le chantier est au complet, et l'on a écrit: Accès interdit.

03 Avoir plusieurs cordes à son arc   *To have several things to one's bow*
C'est un homme très instruit qui a plusieurs cordes à son arc. Avoir plusieurs cordes à son arc est très utile dans la vie.

04 Aller au ralenti   *To go slowly (in slow motion)*
Je vais au ralenti quand je vois une courbe. Il faut aller au ralenti quand on devient plus vieux.

05 Boucler son budget   *To make both ends meet*
Cette famille n'arrive pas à boucler son budget à la fin du mois. Avec cette augmentation, je pourrai boucler mon budget mensuel.

06 Arriver à comprendre   *To succeed in understanding*
Je n'arrive pas à comprendre comment cela peut se faire. Tu ne fais pas assez attention, et tu n'arriveras jamais à comprendre.

07 Attacher le grelot   *To bell the cat, to take the first step*
Comme personne n'osait parler, c'est lui qui a attaché le grelot. Il faudra quelqu'un pour attacher le grelot dans cette affaire.

08 Au bout de   *At the end of, after*
Au bout d'un quart d'heure, il était épuisé. Vous verrez les résultats au bout de l'année.

09 Pâtes molles   *Indolent (listless) people*
L'homme énergique n'aime pas avoir affaire à des pâtes molles. Mes étudiants sont paresseux, de vraies pâtes molles!

10 Au sein de   *In the heart of, inside, within*
Il y aura plusieurs changements au sein du Cabinet fédéral. Au sein des partis politiques, il y a souvent des disputes.

11 **Avoir l'oreille basse** *To be crest-fallen (depressed)*
Après sa visite au directeur, il avait l'oreille basse. Il a l'oreille basse à cause des remarques du gérant.

12 **Avoir la bougeotte** *To be fidgety, always on the move*
C'est une personne qui a la bougeotte; elle voyage sans cesse. Elle ne peut pas rester chez elle; elle a vraiment la bougeotte.

13 **Avoir la tête comme un volcan** *To be bursting with plans*
Malgré son vieil âge, il a la tête comme un volcan. Elle a la tête comme un volcan et ne s'arrête jamais.

14 **Blanchir sous le harnais** *To grow gray in the service*
Il a blanchi sous le harnais et il a bien mérité sa retraite. J'ai blanchi sous le harnais, mais je me sens encore dynamique.

15 **Le bec dans l'eau** *In the lurch, on a string*
Il n'a pas eu de récompense et il se retrouve le bec dans l'eau. Je suis resté le bec dans l'eau après avoir perdu mon emploi.

16 **Reprendre du poil de la bête** *To be one's own self again, to have another go*
Faites attention, car il a repris du poil de la bête. Depuis leur défaite, ils ont repris du poil de la bête.

17 **Avoir le gousset bien garni** *To have a well-lined purse*
Quand il voyage, il a toujours le gousset bien garni. De nos jours, il faut avoir le gousset bien garni en tout temps.

18 **Esprit de clocher** *Parochialism*
Je ne fréquente pas les gens qui ont un esprit de clocher. Avoir l'esprit de clocher démontre une étroitesse d'esprit.

19 **Avoir des hauts et des bas** *To have ups and downs*
Elle a un caractère difficile et elle a des hauts et des bas. Il a des hauts et des bas; il faut savoir le prendre.

20 **Avoir les yeux braqués sur** *To keep a close watch on*
Le gardien a toujours les yeux braqués sur les prisonniers. Je déteste les gens qui ont toujours les yeux braqués sur moi.

. . . .

RÉPONDEZ AUX QUESTIONS SUIVANTES
EN EMPLOYANT LES EXPRESSIONS ÉTUDIÉES

1 As-tu vu un beau cheval en ville, aujourd'hui?
2 Est-ce que je pourrai trouver du travail sur ce chantier?
3 Pourquoi apprendre tant de choses?
4 Vas-tu toujours à la même vitesse en auto?
5 Est-ce que cette nouvelle augmentation de salaire va t'aider?
6 Est-ce que je pourrai finir par comprendre ce problème?
7 Qui va parler de cette affaire délicate?
8 Est-ce que je pourrai en voir les résultats un beau jour?
9 Est-ce que les élèves sont toujours bien attentifs?
10 Qu'est-ce qui va arriver à la suite de ces deux démissions?
11 Pourquoi semble-t-il abattu ce matin?
12 Est-ce que ta jeune soeur voyage beaucoup?
13 Est-il vrai qu'il travaille plus de 14 heures par jour?
14 Est-il bien content de prendre sa retraite?
15 Après avoir perdu ton emploi qu'est-ce que tu as fait?
16 Dois-je craindre ce jeune adversaire?
17 Faut-il beaucoup d'argent pour vivre, de nos jours?
18 Aimes-tu les gens qui n'ont qu'une seule idée fixe?
19 Est-elle toujours aussi nerveuse qu'aujourd'hui?
20 Pourquoi lui as-tu dit de s'occuper d'autre chose?

VOCABULAIRE SPÉCIAL DE CETTE LEÇON

quartier — district, section
chantier — construction area
arc — bow
instruit — learned
oser — to dare
épuisé — exhausted
abattu — depressed

pâte — dough
harnais — harness
récompense — reward
voilé — veiled, obscure
gousset — wallet
étroitesse d'esprit — narrow-mindedness

FAITES DE PHRASES ORALES ET ÉCRITES
AVEC LES EXPRESSIONS SUIVANTES

au bout de — au sein de — accès interdit — avoir le bec à l'eau — avoir l'oreille basse — avoir la bougeotte — avoir l'esprit de clocher — attacher le grelot

01 Avoir un pied dans la tombe   *To be very old, to be at death's door*
Il ne peut pas faire ce voyage, il a déjà un pied dans la tombe. Il a un pied dans la tombe, mais il est encore très actif.

02 Ça, par exemple! *That's a bit much!*
Ça, par exemple! ça dépasse un peu les limites. Ça, par exemple! je ne m'y serais jamais attendu.

03 Applaudir à tout casser *To bring down the house with applause*
À la fin du concert, toute la foule a applaudi à tout casser. Cette chanteuse a été applaudie à tout casser.

04 Tomber sous la main *To come across*
C'est un livre qui m'est tombé sous la main pendant le voyage. Je suis à lire un gros livre qui m'est tombé sous la main.

05 Ce n'est pas bien rose *It is a grim situation*
Parfois, ce n'est pas bien rose dans la vie de tous les jours. Ce n'est pas bien rose quand la mère doit faire vivre la famille.

06 Ce sont autant de voleurs! *They are nothing better than a pack of thieves*
Ne vous fiez pas à ces vendeurs, ce sont autant de voleurs! Je n'aime pas beaucoup certains garagistes qui sont autant de voleurs.

07 D'accord, allez-y! *All right, go ahead!*
D'accord, allez-y, si vous en avez le courage et le temps. Moi, je reste ici; quant à vous, d'accord, allez-y!

08 Il importe au premier chef que *It is essential that*
Il importe au premier chef que vous le disiez à la police. Il importe au premier chef que les délégués votent pour lui.

09 Emprunter une rue *To go along a street*
Il ne faut pas emprunter les rues à sens unique. Empruntez la troisième rue à gauche, puis tournez à droite.

10 De suite *In succession, in a row*
Elle m'a téléphoné trois fois de suite. Elle m'a écrit trois fois de suite pour la même chose.

11 **Dès lors**   *Ever since, consequently*
Dès lors, il faudra que vous en preniez une autre. Il n'a jamais plus recommencé dès lors.

12 **De tout mon (son) coeur**   *Very willingly, with all one's heart*
C'est de tout mon coeur que je vous le permets. Elle me l'a donné de tout son coeur.

13 **De tous côtés**   *On all sides*
Les ennemis s'approchaient de tous côtés. Il a regardé de tous côtés avant de s'avancer.

14 **Faire déborder le vase**   *To go beyond the limits, to make the glass overflow*
Une seule provocation pourrait faire déborder le vase. Attention, votre attitude peut faire déborder le vase.

15 **De plain-pied avec**   *Easily, quickly, on a level with*
Il faudra entrer de plain-pied dans le sujet de la discussion. Le salon se trouve de plain-pied avec le jardin.

16 **Quel est le chemin qui conduit à . . .?**   *Which way is it to . . .?*
Quel est le chemin qui conduit à Montréal? Pourriez-vous me dire quel est le chemin qui conduit à la fête populaire.

17 **Être au bout de son fuseau (fil)**   *To be exhausted, to be at the end of one's resources*
Je vais m'arrêter, car je suis au bout de mon fuseau. Vous êtes au bout de votre fil, allez vous reposer.

18 **En avoir plein le dos (son casque)**   *To be fed up with (sick of)*
J'en ai plein le dos de toutes vos insultes provocantes. Après trois ans de mariage, elle en avait déjà plein son casque.

19 **En avoir soupé de**   *To be fed up with*
J'en ai soupé de toutes vos histoires stupides. Il en a soupé de toutes les promesses de son député.

20 **Coucher quelqu'un sur son testament**   *To mention someone in one's will*
Je vous ai couché sur mon testament. Chers neveux, soyez sûrs d'être couchés sur mon testament.

· ·

RÉPONDEZ AUX QUESTIONS SUIVANTES
EN EMPLOYANT LES EXPRESSIONS ÉTUDIÉES

1   Est-ce que le grand-père fera le voyage avec la famille?
2   Avez-vous su qu'il avait abandonné sa femme et ses enfants?
3   Est-ce que les musiciens ont bien joué?
4   Où as-tu pris ce beau livre que je cherche depuis longtemps?
5   Savais-tu que madame X a beaucoup de tracas avec ses enfants?
6   Que penses-tu de certains garagistes de notre quartier?
7   Est-ce qu'on peut aller à la pêche ce soir?
8   Faut-il avertir la police?
9   Comment faire pour arriver au Parlement?
10 As-tu reçu une lettre de cette personne?
11 Savais-tu que cette route n'est pas la plus courte?
12 Nous donneriez-vous la permission d'y aller?
13 Pourquoi les soldats ont-ils tiré?
14 Me conseilles-tu de prendre une autre attitude?
15 Le salon est-il au premier étage?
16 Que lui avez-vous demandé?
17 Est-ce qu'il y a encore beaucoup de travail à faire?
18 Pourquoi a-t-elle demandé le divorce?
19 Pourquoi a-t-il accusé son député?
20 À qui allez-vous laisser toute cette fortune, cher oncle?

VOCABULAIRE SPÉCIAL DE CETTE LEÇON

s'y attendre — to expect
se fier à — to trust
emprunter — to borrow
fuseau — spindle
conseiller — to advise

député — member of Parliament
tracas — worries, problems
quartier — district, section
avertir — to tell
tirer — to shoot

FAITES DES PHRASES ORALES ET ÉCRITES
AVEC LES EXPRESSIONS SUIVANTES

de tout mon coeur — de tous côtés — en avoir soupé de — ce n'est pas bien
rose — avoir un pied dans la tombe — être au bout de son fuseau — emprunter une rue

01 Réclamer à cor et à cri   *To clamour for*
C'est à cor et à cri qu'ils ont réclamé plus de sévérité. Ils ont réclamé la libération du chef à cor et à cri.

02 C'est un homme brûlé   *A man who has lost his reputation*
Il a beaucoup mis dans cette affaire; maintenant c'est un homme brûlé. Il a fait trop de déclarations; c'est un homme brûlé.

03 Jeter (donner) une douche d'eau froide   *To throw water on someone's enthusiasm*
Cette décision a jeté une douche d'eau froide sur tous les partisans. Cela ne peut que donner une bonne douche d'eau froide aux optimistes.

04 En bloc   *As a whole, wholesale*
Les membres du Cabinet ont tous décidé de démissionner en bloc.
Je vais acheter toutes ces pommes de terre en bloc.

05 Boire à grands (longs) traits   *To drink in big gulps, to guzzle*
Il avait bien soif et il a tout bu à grands traits. Il boit toujours sa bière à longs traits.

06 Briller par son absence   *To be conspicuous by one's absence*
Ce député brille généralement par son absence à tous les comités. C'est étrange, mais elle brille souvent par son absence.

07 Casser la croûte   *To have a snack (quick lunch)*
Le long de la route, nous casserons la croûte ensemble à l'ombre.
À midi, je n'ai pas faim et je me contente de casser la croûte.

08 Chauffer à blanc   *To heat white-hot*
Avant de battre le fer, il faut le chauffer à blanc. Ils l'ont chauffé à blanc pour l'obliger à avouer son crime.

09 Coucher (mettre) en joue   *To aim at with a rifle (gun)*
Avant de tirer sur cette pauvre bête, il se couche bien en joue.
Le chasseur se met en joue pour ne pas manquer ce lièvre.

10 Ça se voit à l'oeil nu !   *That's obvious (clear)!*
N'insistez pas davantage, ça se voit à l'oeil nu ! Ne me dites pas l'âge de cette femme, ça se voit à l'oeil nu !

11 Ce n'est pas de la petite bière   *It is no trifle, it is important*
Prenez la chose au sérieux, car ce n'est pas de la petite bière. Ce n'est pas le premier venu; ce n'est pas de la petit bière.

12 Ce qu'il est convenu d'appeler   *What one usually calls*
C'est ce qu'il est convenu d'appeler aujourd'hui des conventions. C'est ce qu'il est convenu d'appeler un gentil homme.

13 C'est pour le coup que   *It is then that*
C'est pour le coup qu'ils vont s'apercevoir que nous avons raison. C'est pour le coup que vous verrez que je suis bien décidé.

14 Revenir à   *To cost*
Cela vous revient à dix dollars si vous prenez ceci. Le plus gros vous reviendra à vingt dollars.

15 Avoir de l'aplomb   *To be a cool hand*
Même s'il est jeune, il a beaucoup d'aplomb. Il se présente bien et il a de l'aplomb.

16 Manger du bout des lèvres (dents)   *To eat without appetite*
Quand elle est de mauvaise humeur, elle mange du bout des lèvres. Elle mange du bout des dents ce soir, car elle est fatiguée.

17 Laisser à la traîne   *To leave undone (in a mess)*
Elle laisse tout à la traîne dans sa chambre quand elle part. Il n'a pas d'ordre et laisse tout à la traîne partout.

18 À la sauvette   *On the sly*
Nous avons dû manger à la sauvette hier, car nous partions. Elle est passée me saluer à la sauvette, hier soir.

19 Mettre un navire à l'eau   *To launch a ship*
C'est avec beaucoup de faste qu'ils ont mis le navire à l'eau. Ils ont mis le navire à l'eau, et il a coulé.

20 Se faire laver la tête   *To call someone down*
Il s'est fait laver la tête par le professeur. Elle n'était pas contente de se faire laver la tête en public.

. . . .

RÉPONDEZ AUX QUESTIONS SUIVANTES
EN EMPLOYANT LES EXPRESSIONS ÉTUDIÉES

1 Comment ont-ils réagi à l'emprisonnement de leur chef?
2 Croyez-vous qu'il s'en remettra?
3 Que penses-tu de cette décision finale?
4 Est-ce que plusieurs ministres ont démissionné?
5 A-t-il bu tout son verre d'eau froide?
6 Est-elle toujours assidue à ses cours?
7 Prends-tu un gros repas à midi?
8 A-t-il avoué immédiatement?
9 Que faut-il faire avant de tirer sur un animal?
10 Dois-je vous dire son âge exact?
11 Est-ce une chose si importante?
12 Pourquoi tant de cérémonies inutiles?
13 Allez-vous leur prouver que vous avez raison?
14 Lequel me conseillez-vous de prendre?
15 Avez-vous rencontré ce jeune homme?
16 Mange-t-elle de bon appétit généralement?
17 Est-ce qu'elle a beaucoup d'ordre dans sa chambre?
18 Est-elle venue me voir ces jours-ci?
19 À quelle cérémonie a-t-elle assisté hier après-midi?
20 Pourquoi est-il fâché contre ce professeur?

VOCABULAIRE SPÉCIAL DE CETTE LEÇON

démissionner — to resign
briller — to shine
à l'ombre — in the shade
fer — iron
essuyer — to wipe

avouer — to confess, to admit
tirer — to shoot
lièvre — rabbit, hare
s'apercevoir — to realize
enseignement — teaching

FAITES DES PHRASES ORALES ET ÉCRITES
AVEC LES EXPRESSIONS SUIVANTES

briller par son absence — c'est pour le coup que — en bloc — à cor et à cri — avoir de l'aplomb — laisser à la traîne — casser la croûte — mettre un navire à l'eau

01 Entrer en ligne de compte *To take into account*
N'oubliez pas que tout cela doit entrer en ligne de compte. Ces considérations ne peuvent pas entrer en ligne de compte.

02 Prix courant *List price*
Le prix courant de cet article est de 25,00 $. Cette maison se vend bien en deça du prix courant.

03 Entre nous deux *In confidence, confidentially*
Entre nous deux, nous pouvons dire qu'elle est un peu sotte. Je te le dis, mais tout cela doit rester entre nous deux.

04 Passer à côté de *To miss*
Il est passé à côté de cette difficulté et ne l'a pas vue. Vous n'y êtes pas, vous passez à côté de la question.

05 Tondre sur les oeufs (un oeuf) *To skin a flint, to be a miser*
Il est très riche, mais il tond sur les oeufs. Je n'aime pas mon patron, car il est toujours à tondre un oeuf.

06 En avoir ras le bol *To be fed up (disgusted) with*
Avec toutes ces histoires, je commence à en avoir ras le bol. J'en ai déjà ras le bol; arrête de m'agacer.

07 Faire acte de présence *To put in an appearance*
Je suis bien occupé, mais je suis venu faire acte de présence. Venez au moins faire acte de présence, si vous ne pouvez rester.

08 Voler de ses propres ailes *To depend on oneself, to stand on one's own feet*
Maintenant que tu as bien appris, tu peux voler de tes propres ailes. Depuis qu'il l'a quittée, elle vole de ses propres ailes.

09 Lâcher prise *To let go one's hold*
On a bien discuté, mais elle n'a pas voulu lâcher prise. Si vous lâchez prise, vous êtes perdu pour toujours.

10 Faire chou blanc *To draw a blank*
J'ai bien visé pour tuer ce lièvre, mais j'ai fait chou blanc. Il pensait bien réussir à ce concours, mais il a fait chou blanc.

11 **Bâton de vieillesse** *Staff (prop) of one's old age*
Tu es mon bâton de vieillesse, mon cher neveu. Heureusement
que son fils est son bâton de vieillesse!

12 **Faire la grasse matinée** *To sleep late*
Au lieu d'aller travailler, il préfère faire la grasse matinée. Je ne
fais jamais la grasse matinée, même pas le dimanche.

13 **Être très mal élevé** *To be badly brought up*
Faut-il être mal élevé pour dire une chose pareille! Il faut être
mal élevé pour répondre ainsi à sa mère.

14 **Ne pas s'en tenir à** *Not to be satisfied with*
Je lui ai fait une concession, mais il ne s'en est pas tenu là. Tenez-
vous-en là, et ne répondez plus.

15 **N'en tenir qu'à** *To depend only on*
Il n'en tient qu'à vous d'y aller ou de rester ici. Il peut faire comme il voudra; il n'en tient qu'à lui.

16 **Reprendre son train-train** *To resume the humdrum daily life*
Après mes vacances annuelles, je reprends mon train-train. J'ai eu
un long repos et maintenant, je reprends mon train-train.

17 **Avoir peur à sa peau** *To fear for one's skin*
Il ne s'approche pas de ce groupe, car il a peur à sa peau. Il a peur
à sa peau parce que son père est très sévère.

18 **Je vous la donne en trois** *I give you three chances to guess*
Vous ne le savez pas, et je vous la donne en trois. Je vous la donne en trois, mais je ne vous aiderai pas.

19 **Joindre l'utile à l'agréable** *To combine business with pleasure*
Pour que tout aille bien, il faut joindre l'utile à l'agréable. Il faut
joindre l'utile à l'agréable, même en temps de vacances.

20 **Jeter son dévolu sur** *To fix one's choice upon*
Ils ont jeté leur dévolu sur le troisième candidat. Elle a jeté son
dévolu sur une chose plus agréable.

EXERCICES DE LA LEÇON 77

RÉPONDEZ AUX QUESTIONS SUIVANTES
EN EMPLOYANT LES EXPRESSIONS ÉTUDIÉES

1 Est-ce que je peux inclure ces dernières considérations?
2 Combien coûte cet appareil?
3 Que penses-tu de cette jeune fille rousse?
4 A-t-elle bien compris ce que vous lui avez dit?
5 Est-ce vrai qu'il a tant d'argent, ce vieillard?
6 Es-tu fatigué d'entendre ces propos vulgaires?
7 Est-ce que je dois vraiment assister à la réunion de demain?
8 Pensez-vous qu'il fera l'affaire?
9 Pensez-vous qu'il vaille mieux lui résister?
10 A-t-il réussi à son dernier concours?
11 Grand-père, est-ce que vous m'aimez beaucoup?
12 Est-ce que tu te lèves de bonne heure le dimanche matin?
13 As-tu compris quand je lui ai dit qu'elle était laide?
14 Est-il vrai qu'il a accusé son pire adversaire?
15 Est-ce que je dois y aller, moi aussi?
16 Est-ce que vous allez beaucoup mieux maintenant?
17 Pourquoi se tient-il loin des autres?
18 Est-ce que je peux essayer de deviner?
19 Tu travailles, même pendant ta période de vacances?
20 Pourquoi a-t-elle changé d'emploi une autre fois?

VOCABULAIRE SPÉCIAL DE CETTE LEÇON

sot — stupid, crazy
rester — to remain
patron — boss, chief
agacer — to annoy, to bore, to tease
au moins — at least
propos — talks
laid — ugly

tromper — to cheat
viser — to aim
concours — competition, exam
pareil — similar, like that
vieillard — old man
deviner — to guess

FAITES DES PHRASES ORALES ET ÉCRITES
AVEC LES EXPRESSIONS SUIVANTES

voler de ses propres ailes — faire la grasse matinée — entre nous deux — il a peur à sa peau — reprendre son train-train — tondre les oeufs — faire chou blanc — jeter son dévolu sur — en avoir ras le bol

01 Salle des pas perdus   *Lobby*
Plusieurs députés discutent dans la salle des pas perdus. En attendant, certains se promènent dans la salle des pas perdus.

02 Lever le coude   *To lift one's elbow*
Il aime lever le coude plus souvent qu'à son tour. Elle ne mariera pas cet homme, car il lève trop le coude.

03 Laisser pour compte   *To leave high and dry, to refuse*
Il a laissé pour compte cette marchandise qu'il avait achetée. On m'a laissé pour compte lorsqu'on a vu que je résistais.

04 Mettre (mêler) son grain de sel   *To intervene irrelevantly*
Elle met son grain de sel partout et elle nous énerve. Il faut qu'il mêle son grain de sel dans tout ce qu'on dit.

05 Manquer de bagout   *Not to have the gift of gab*
Quand vient le temps de s'expliquer, il manque de bagout. Elle manque de bagout quand il s'agit de se faire valoir.

06 Muet comme une carpe   *As dumb as an oyster*
Devant le juge, il est resté muet comme une carpe. Pendant toute l'enquête, il est resté muet comme une carpe.

07 Mettre les points sur les i   *To dot the i's, to speak plainly*
La prochaine fois, veuillez mettre les points sur les i. Je suis bien sérieux et je mets les points sur les i.

08 Ne pas être à la hauteur de   *Not to be up to a task*
Ce ministre n'est pas à la hauteur de la situation. Le maire a détré qu'il n'était pas à la hauteur de la situation.

09 N'en déplaise à   *With due reference to, with all due respect to*
N'en déplaise à personne, mais je dois être très franc. Je vais vous le dire, n'en déplaise à qui que ce soit.

10 À la pelle (pelletée)   *In great quantity, by heaps*
Vous cherchez quelques cailloux; on en trouve à la pelle. Engagez donc un chômeur car on en trouve à la pelletée.

11 Savoir de quel bois quelqu'un se chauffe *To know what metal one is made of*
Il est bien têtu, et tous savent de quel bois il se chauffe. Il est bon que vous sachiez de quel bois je me chauffe.

12 Piquer au vif *To cut to the quick*
Elle a été piquée au vif par mes paroles. Mes remarques ont semblé le piquer au vif.

13 Pas si bête! *Not that silly! Not such a fool!*
C'est lui qui a dit ça? Pas si bête! Il m'a dit qu'il l'avait fait tout seul. Pas si bête!

14 Par la voie des airs *By air, by plane*
Les troupes furent transportées par la voie des airs. On transporta les blessés par la voie des airs.

15 Parler gras *To speak with a strongly marked r*
Beaucoup de gens de Québec parlent gras. Elle parle gras, et l'on reconnaît d'où elle vient.

16 Quitte à *Even if, at the risk of*
Faisons-le de cette façon, quitte à recommencer plus tard. Je lui donne mon travail tel quel, quitte à le reprendre.

17 Qu'à cela ne tienne! *Never mind that!*
Ils disent qu'ils ne oeuvent y aller; qu'à cela ne tienne! Qu'à cela ne tienne! je vais essayer quand même.

18 Que l'on ne s'y trompe pas! *No mistake about it!*
Que l'on ne s'y trompe pas, je n'accepterai jamais la solution! Il n'y aura pas de compromis; que l'on ne s'y trompe pas!

19 Ruer dans les brancards *To rebel, to protest*
Bien des employés ne sont pas contents et ruent dans les brancards. Il n'est jamais satisfait et rue toujours dans les brancards.

20 Partir du bon pied *To make a good start*
Après deux échecs, il est parti du bon pied. Il est parti du bon pied même s'ils ont refusé de l'aider.

EXERCICES DE LA LEÇON 78

. . . .

RÉPONDEZ AUX QUESTIONS SUIVANTES
EN EMPLOYANT LES EXPRESSIONS ÉTUDIÉES

1 Que font-ils en attendant le grand discours?
2 Est-ce qu'elle a l'intention de le marier?
3 Est-ce qu'ils vous ont admis dans leur groupe?
4 Pourquoi cette femme vous énerve-t-elle?
5 Vous a-t-il donné assez d'explications?
6 A-t-il répondu aux questions du juge?
7 Es-tu vraiment sérieux cette fois-ci?
8 Que disent-ils de leur nouveau maire?
9 Est-ce que tu n'es pas un peu trop franc dans cette déclaration?
10 Et si je ne trouvais personne pour faire ce travail?
11 Croyez-vous qu'ils finiront par le convaincre?
12 Pourquoi semble-t-elle de mauvaise humeur?
13 Est-ce que quelqu'un lui a offert de l'aide?
14 Qu'est-ce qu'on fait avec les trois blessés dans cet accident?
15 Comment savez-vous qu'elle vient de la région de Québec?
16 Comment allons-nous faire ce travail?
17 Croyez-vous vraiment que vous allez réussir?
18 Pourrons-nous en arriver à un compromis, cette fois?
19 Cette augmentation lui donne-t-elle satisfaction?
20 Est-ce que les échecs l'ont découragé?

VOCABULAIRE SPÉCIAL DE CETTE LEÇON

coude — elbow
énerver — to irritate
se vanter — to brag, to boast
enquête — inquiry
caillou — pebble
échec — failure

chômeur — jobless
pelle — shovel
têtu — stubborn
de cette façon — in this way
tel quel — as it is
discours — speech

FAITES DES PHRASES ORALES ET ÉCRITES
AVEC LES EXPRESSIONS SUIVANTES

piquer au vif — par la voie des airs — parler gras — on en trouve à la pelle —
lever le coude — mettre son grain de sel — quitte à recommencer — muet
comme une carpe

01 Se mettre sur son quant à soi *To give oneself airs*
Quand il nous a vus, il s'est mis sur son quant à soi. Elle aime se mettre sur son quant à soi dans les soirées.

02 Faire corps avec *To be an integral part of*
Cet homme jure qu'il fait corps avec le groupe. C'est une partie qui fait corps avec l'ensemble.

03 Remettre le pied à l'étrier *To set back to work*
Il faudra remettre le pied à l'étrier, après ce long voyage. Après un mois de vacances, je remets les pied à l'étrier.

04 Payer tribut à la nature *To pay the debt of nature, to die*
Il a dû payer tribut à la nature, lui aussi. Je ne m'en fais pas, car chacun doit payer tribut à la nature.

05 Passer à un cheveu de *To be within a hair's breadth of*
Il a passé à un cheveu de se faire frapper par cette voiture. Dans cet accident, il a passé à un cheveu de se faire tuer.

06 Passer à tabac *To beat up, to give a rough handling*
Ils ont été passés à tabac par les policiers. Il s'est révolté, et ils l'ont passé à tabac.

07 Porter un toast à *To drink to someone's health*
Nous allons porter un toast à l'heureux élu. Tous se sont levés pour lui porter un toast.

08 Prendre le taureau par les cornes *To take the bull by the horns*
Prenez le taureau par les cornes, car c'est une situation critique. Ne craignez pas de prendre le taureau par les cornes.

09 Soigner aux petits oignons *To take great care of*
Dans cet hôpital, on est soigné aux petits oignons. Cette vieille tante soigne le malade aux petits oignons.

10 S'embarquer dans une galère *To get involved in a bad business*
Avec cet adversaire, vous vous embarquez dans une vraie galère. Je regrette de m'être embarqué dans cette galère.

11 Sur ses vieux jours *In one's old age, when old*
Elle prendra soin de lui sur ses vieux jours. Sur mes vieux jours, je pense pouvoir écrire mes mémoires.

12 **Traîner dans la boue**   *To drag through the mire*
Depuis quelques mois, ils le traînent dans la boue. Ses adversaires s'amusent à la traîner dans la boue.

13 **Se réveiller de mauvais poil**   *To awake in a bad mood*
Comme il s'est réveillé de mauvais poil, il est assez nerveux. Quand je me réveille de mauvais poil, je suis très impatient.

14 **Si je ne m'abuse**   *If I am not mistaken*
Si je ne m'abuse, je crois que vous êtes son frère. C'est lui qui m'a insulté, si je ne m'abuse.

15 **Se tirer d'un mauvais pas**   *To get out of a scrape (of trouble)*
Il est fin et il saura se tirer de ce mauvais pas. Il n'est pas toujours facile de se tirer d'un mauvais pas.

16 **Se croire sorti de la cuisse de Jupiter**   *To think no small beer of oneself, to have a very high opinion of oneself*
C'est une orgueilleuse qui se croit sortie de la cuisse de Jupiter. Depuis sa promotion, il se croit sorti de la cuisse de Jupiter.

17 **Tambour battant**   *Vigorously, with drums beating*
Il est revenu de sa conquête, tambour battant. Il entre toujours en classe tambour battant.

18 **Tenir de**   *To take after*
Comme il tient bien de son père, il est artiste dans l'âme. Elle tient de sa mère et elle est très sensible.

19 **Feuille de chou**   *Rag*
Je n'achète jamais une telle feuille de chou. Ça ne vaut pas la peine de lire cette feuille de chou.

20 **Tourner le fer dans la plaie**   *To rub it in*
Il est cynique et aime tourner le fer dans la plaie. Ne vous amusez pas à tourner le fer dans la plaie.

. . . .

RÉPONDEZ AUX QUESTIONS SUIVANTES
EN EMPLOYANT LES EXPRESSIONS ÉTUDIÉES

1 Comment a-t-il réagi quand il vous a vus?
2 Fait-elle partie de cet organisme?
3 Retournes-tu au travail lundi matin?
4 As-tu peur de la grippe, toi aussi?
5 A-t-il eu peur dans cet accident?
6 Comment les deux policiers l'ont-ils traité?
7 Qu'est-ce qu'ils ont fait à la fin du banquet?
8 Que dois-je faire dans une telle circonstance?
9 Est-ce qu'on est bien dans ce grand hôpital?
10 Vous avez l'air de regretter cette aventure?
11 Que ferez-vous sur vos vieux jours?
12 Que dit-on de lui dans les journaux de la région?
13 Pourquoi est-il si nerveux et impatient aujourd'hui?
14 Est-ce que vous me reconnaissez?
15 Croyez-vous que je vais pouvoir me tirer de ce mauvais pas?
16 Comment est-il depuis sa promotion?
17 Est-ce que ton professeur est enthousiaste?
18 Pourquoi pleure-t-elle si souvent?
19 Qu'est-ce qu'il y a sur la première page du journal?
20 Pourquoi répète-t-il toujours la même accusation?

VOCABULAIRE SPÉCIAL DE CETTE LEÇON

étrier — stirrup
frapper — to hit
élu — elected
galère — slave-ship
se vanter — to brag, to boast
fin — smart, clever

pas — step, pace
orgueilleuse — a proud woman
sensible — sensitive
chou — cabbage
plaie — wound

FAITES DES PHRASES ORALES ET ÉCRITES
AVEC LES EXPRESSIONS SUIVANTES

soigner aux petits oignons — si je ne m'abuse — tenir de son père — passer à tabac — passer à un cheveu de — se réveiller de mauvais poil — tourner le fer dans la plaie — se tirer d'un mauvais pas — prendre le taureau par les cornes

01 Avoir le pied marin   *To be a good sailor (free of sea-sickness)*
Il n'a jamais le mal de mer, car il a le pied marin. Je n'aime pas les bateaux parce que je n'ai pas le pied marin.

02 Sortir en coup de vent   *To leave in a whirlwind*
Il est sorti en coup de vent sans rien dire à personne. Elle a eu peur et elle est sortie en coup de vent.

03 Couper au plus court   *To take a short cut, to hurry*
Je suis en retard et je vais couper au plus court. Il coupe au plus court en passant sur mon beau gazon.

04 Prendre ses jambes à son coup   *To take to one's heels*
Il a eu peur de l'ours et il a pris ses jambes à son coup. Il prend ses jambes à son coup chaque fois qu'il voit un gros chien.

05 Histoire à dormir debout   *Incredible (boring) story*
Je commence à bâiller, car c'est une histoire à dormir debout. Je ne l'écoute pas puisque c'est une histoire à dormir debout.

06 Mettre les bouchées doubles   *To work at double speed*
Le temps passe, et il va falloir mettre les bouchées doubles. Mettez les bouchées doubles si vous voulez finir cette semaine.

07 Usé jusqu'à la corde   *Threadbare*
C'est un vieux vêtement usé jusqu'à la corde. Il a toujours recours à des arguments usés jusqu'à la corde.

08 Ne pas savoir à quel saint se vouer   *Not to know which way to turn*
Je me trouve dans le pétrin et je ne sais pas à quel saint me vouer. Il ne sait plus à quel saint se vouer pour obtenir un emploi.

09 Devoir une fière chandelle à   *To owe a debt of gratitude to*
Je vous dois une fière chandelle à la suite de cette faveur. Il doit une fière chandelle au médecin qui lui a sauvé la vie.

10 Rire du bout des lèvres   *To give a forced laugh*
Il rit du bout des lèvres, car il n'est pas très satisfait. Pour faire comme les autres, il rit du bout des lèvres.

11 **Ne pas en croire un traître mot**   *Not to believe a word of it*
Même s'il insiste, je n'en crois pas un traître mot. On ne croit jamais un traître mot de ce qu'il promet.

12 **Mettre le cap sur**   *To steer (head) for*
Nous allons mettre le cap sur un port de la rive sud. Le navire a mis le cap sur l'île Minorque.

13 **Boire comme un trou**   *To drink like a fish*
Cette femme n'est pas très heureuse, car son mari boit comme un trou. Depuis qu'il a perdu son emploi il boit comme un trou.

14 **Tirer avantage de quelque chose**   *To turn something to account*
En acceptant cette entente, vous allez tirer avantage de la situation. Il ne faudrait pas tirer avantage de cette situation pénible.

15 **Pêcher en eau trouble**   *To fish in troubled water, to act in a state of agitation*
Certains partis politiques aiment pêcher en eau trouble. Les agitateurs ont toujours aimé pêcher en eau trouble.

16 **Aussitôt dit, aussitôt fait**   *No sooner said than done*
Avec lui, tout est précis; aussitôt dit, aussitôt fait. Il est fidèle à ses promesses; aussitôt dit, aussitôt fait.

17 **À propos de tout et de rien**   *For the least little thing*
Il se fâche à propos de tout et de rien. Elle est soupçonneuse à propos de tout et de rien.

18 **Avoir la tête près du bonnet**   *To be hot-headed, to get angry*
Elle est bien nerveuse et elle a souvent la tête près du bonnet. Je n'aime pas sa compagnie, car il a toujours la tête près du bonnet.

19 **Frapper d'un droit de douane**   *To impose (levy) a duty on*
Ces marchandises sont toutes frappées d'un droit de douane. Ce genre d'article n'est pas frappé d'un droit de douane.

20 **C'est de bonne guerre**   *It is fair play*
C'est de bonne guerre de se défendre contre les bandits armés. Ça peut paraître très violent, mais c'est de bonne guerre.

RÉPONDEZ AUX QUESTIONS SUIVANTES
EN EMPLOYANT LES EXPRESSIONS ÉTUDIÉES

1 Aimez-vous les longs voyages en bateau?
2 Qu'a-t-elle fait en voyant le gros chien dans le coin?
3 Que fais-tu parfois quand tu es en retard pour l'école?
4 Qu'a fait le fils du chasseur en voyant l'ours?
5 Vous ne l'écoutez pas quand il parle?
6 Est-ce qu'on va finir ce travail cette semaine?
7 Vous a-t-il convaincu d'agir?
8 Est-ce qu'il espère pouvoir se trouver un autre emploi?
9 Pourquoi me remerciez-vous si cordialement?
10 Est-ce que son rire est bien sincère?
11 Est-ce que tu le crois quand il insiste à te convaincre?
12 Où est allé le navire en quittant le port?
13 Est-ce qu'il va souvent à la taverne du coin?
14 Comment compte-t-il réussir le coup?
15 Comment se comportent certains agitateurs?
16 Croyez-vous à tout ce qu'il promet?
17 Est-ce que ton jeune professeur se fâche souvent?
18 Pourquoi fuyez-vous sa compagnie?
19 Monsieur le douanier, cet article me coûtera-t-il plus cher?
20 Ont-ils agi trop violemment?

VOCABULAIRE SPÉCIAL DE CETTE LEÇON

mal de mer — sea-sickness
gazon — lawn, grass
ours — bear
bâiller — to yawn
pétrin — mess
rive — coast
se comporter — to behave

fidèle — faithful
se fâcher — to get angry
soupçonneux — suspicious
lutte — wrestling
parfois — sometimes
chasseur — hunter
fuir — to avoid, to flee away

FAITES DES PHRASES ORALES ET ÉCRITES
AVEC LES EXPRESSIONS SUIVANTES

usé jusqu'à la corde — mettre le cap sur — boire comme un trou — couper au plus court — une histoire à dormir debout — mettre les bouchées doubles — prendre ses jambes à son cou

Leçon 81

01 Payer de sa personne *To incur risks, not to spare oneself*
Dans les organisations, il faut toujours payer de sa personne. Si tu
entres dans ce mouvement, il faudra payer de ta personne.

02 En pays de connaissance *Among familiar faces*
Dans les réunions, on se trouve presque toujours en pays de connaissance. On se trouve en pays de connaissance quand on rencontre des amis.

03 Doubler le cap de *To be on the shady (wrong) side of*
Il est encore énergique, même s'il a doublé le cap de la soixantai-
ne. Elle a doublé le cap de la cinquantaine, même si elle ne le dit
pas.

04 Avoir l'accent du pays *To have a local accent*
Les Acadiens ont toujours un certain accent du pays. Les Marseillais ont un fort accent du pays.

05 Fortune bien assise *Well-established fortune*
Grâce à une fortune bien assise, il peut se permettre de voyager.
Il a beaucoup travaillé et jouit d'une fortune bien assise.

06 Tendre la perche à *To lend a helping hand to*
Comme il était dans le pétrin, je lui ai tendu la perche. Il est très
généreux et il tend toujours la perche à quelqu'un.

07 Savoir à quoi s'en tenir *To know what to do*
Dans un tel cas, j'aimerais bien savoir à quoi m'en tenir. Il ne sait
jamais à quoi s'en tenir dans les difficultés.

08 Faire du porte-à-porte *To sell from door to door*
Il fait du porte-à-porte le soir pour gagner sa vie. Je suis timide et
je n'aime pas faire du porte-à-porte.

09 Un tiens vaut mieux que deux tu l'auras *A bird in the hand is
worth two in the bush*
Prends-le sans hésiter, car un tiens vaut mieux que deux tu l'auras.
Répète ce proverbe: Un tiens vaut mieux que deux tu l'auras.

10 Aux grands maux, les grands remèdes *Desperate ills call for desperate remedies*
Ne craignez pas cette opération: aux grands maux, les grands remèdes. Aux grands mots, les grands remèdes, soyez résigné.

11 **Plier bagage**   *To pack up and be for*
Nous devrons plier bagage avant la fin du mois d'avril. Les vacances sont finies, et il nous faut plier bagage.

12 **Ne pas savoir par quel bout prendre quelqu'un**   *Not to know how to manage with someone*
On ne sait pas par quel bout prendre certains élèves en classe. Il est si étrange qu'on ne sait pas par quel bout le prendre.

13 **Se regarder comme des chiens de faïence**   *To stare at each other*
Ces deux adversaires se regardaient comme des chiens de faïence. Certaines personnes jalouses se regardent comme des chiens de faïence.

14 **Jeter un froid**   *To cast a chill*
Ces remarques ont jeté un froid entre les belles-soeurs. Je me tais, car je ne veux pas jeter un froid dans la parenté.

15 **Avoir en chantier**   *To have in progress*
Ce professeur a deux ou trois publications en chantier. Il a une bonne douzaine des maisons en chantier dans la région.

16 **Tâter le terrain**   *To throw out a feeler*
Il faudra tâter le terrain avant d'établir ce programme. Faites signer une pétition pour tâter le terrain.

17 **Sortir quelqu'un d'un mauvais pas**   *To get someone out of a scrape*
Pour le sortir d'un mauvais pas, je vais lui prêter mille dollars. C'est mon vieil oncle qui m'a sorti de ce mauvais pas.

18 **Faire la bouche fine (la petite bouche)**   *To be finicky*
Elle fait toujours la bouche fine au restaurant. Elle fait la petite bouche quand elle mange ailleurs.

19 **Ne plus être dans le coup**   *To be old-fashioned*
Il n'est plus dans le coup et il n'aime pas la musique pop. C'est un vieux traditionaliste qui n'est plus dans le coup.

20 **Sous le signe de**   *The keynote of*
Cette rencontre politique s'ést déroulée sous le signe de la cordialité. Le colloque s'est déroulé sous le signe de l'amitié.

EXERCICES DE LA LEÇON 81

. . . .

RÉPONDEZ AUX QUESTIONS SUIVANTES
EN EMPLOYANT LES EXPRESSIONS ÉTUDIÉES

1 Est-ce que je devrai travailler dans ce mouvement de jeunesse?
2 Connais-tu beaucoup de monde ici, dans cette réunion régionale?
3 Quel âge peut avoir cette dame qui semble encore jeune?
4 Comment savez-vous qu'il est Marseillais?
5 Qui va s'occuper de tous les détails des funérailles?
6 Pourquoi avez-vous essayé de l'aider?
7 Est-ce un homme qui a beaucoup d'initiative?
8 Que fait-il le soir, après son travail de la journée?
9 Est-ce que je dois prendre ce qu'on m'offre?
10 Est-ce que je dois me résigner à être opéré?
11 Quand avez-vous l'intention de déménager?
12 Quelle attitude adoptez-vous à son égard?
13 Est-ce que les deux adversaires se sont parlé?
14 Pourquoi te tais-tu dans de telles circonstances?
15 Est-ce que ce constructeur bâtit beaucoup de maisons?
16 Quand avez-vous l'intention d'établir ce nouveau programme?
17 Qui t'a aidé dans cette situation difficile?
18 Pourquoi mange-t-elle si peu en voyage?
19 Est-ce que ton oncle Charles est bien moderne?
20 Que penses-tu de la rencontre qui a eu lieu hier?

VOCABULAIRE SPÉCIAL DE CETTE LEÇON

dans le pétrin — in a mess
gagner — to win, to earn
plier — to fold
faïence — chinaware
belle-soeur — sister-in-law
à son égard — with him

se taire — to keep silent
tâter — to feel, to touch
maux — ills, evils
entrepreneur — contractor
jeunesse — youth
déménager — to move, to transfer

FAITES DES PHRASES ORALES ET ÉCRITES
AVEC LES EXPRESSIONS SUIVANTES

avoir l'accent du pays — jeter un froid — tendre la perche à — faire la petite
bouche — avoir en chantier — payer de sa personne — plier bagages — sortir
d'un mauvais pas — ne plus être dans le coup

01 Pousser les hauts cris   *To scream one's head off, to complain*
Chaque fois que sa mère la réprimande, elle pousse les hauts cris.
À la vue de cette démolition, ils ont poussé les hauts cris.

02 Prendre son repas (manger) sur le pouce   *To grab a bite on the run*
Comme c'est encore très loin, nous prendrons notre repas sur le pouce. Nous sommes pressés et nous mangerons sur le pouce.

03 Travailler d'arrache-pied   *To work steadily*
Il travaille d'arrache-pied pour préparer son dernier examen. Pour terminer ce programme, nous devrons travailler d'arrache-pied.

04 Mettre à rude épreuve   *To tax sorely, to put to the test*
Ils ont mis ma patience à rude épreuve dans ce cas. Cet obstacle va mettre votre courage à rude épreuve.

05 Mi-figue, mi-raisin   *Wavering half one thing and half the other*
Je n'aime pas du tout les gens qui sont mi-figue, mi-raisin. Il est sans volonté, et ses décisions sont mi-figue, mi-raisin.

06 Tirer une épine du pied à   *To rid someone of his cares*
En faisant cela, vous me tirerez une épine du pied. Vous m'avez tiré une épine du pied en me rendant ce service.

07 Faire des pieds et des mains   *To exert oneself to the utmost*
Ils ont fait des pieds et des mains pour obtenir cette promotion. Je ferai des pieds et des mains pour ne pas perdre mon emploi.

08 Ne pas avoir un sou vaillant   *Not to have a red cent*
Il est sans travail depuis un an et il n'a pas un sou vaillant. Elle voudrait tout acheter, mais elle n'a pas un sou vaillant.

09 Boire à tire-larigot   *To drink like a fish*
Dans les réunions d'amis, il boit souvent à tire-larigot. Quand il fait très chaud, beaucoup de gens boivent à tire-larigot.

10 Rester dans la note   *To be absolutely proper, not to exaggerate*
Faites ce que vous voudrez, mais restez dans la note. Amusez-vous bien tout en restant dans la note.

11 **De concert avec**   *In agreement with*
Nous établirons le programme de concert avec les autorités. Préparons l'anniversaire de concert avec tous les parents.

12 **Gagner du terrain**   *To gain ground, to progress*
Son idée a gagné du terrain depuis les dernières élections. Continuez, car votre idée gagne du terrain chaque jour.

13 **N'en pas faire d'autres**   *To always make mistakes*
Ne soyez pas surpris; ils n'en font pas d'autres. Ce sont des gens assez sots qui n'en font pas d'autres.

14 **Perdre le nord**   *To lose one's bearings (cool)*
Quand il boit trop il perd le nord. Elle perd facilement le nord quand elle se fâche.

15 **Avoir la tête ailleurs**   *To have one's mind on something else*
Il ne comprend jamais, car il a toujours la tête ailleurs. Soyez plus attentifs, vous avez toujours la tête ailleurs.

16 **À l'image de**   *In the likeness of*
Son travail est à l'image de ses efforts. Elle a tenté de faire une oeuvre à l'image des plus grands.

17 **Dire tout ce qu'on a sur le coeur**   *To say everything one has on one's chest*
Écoute, je vais te dire tout ce que j'ai sur le coeur en ce moment. Elle m'a dit tout ce qu'elle avait sur le coeur.

18 **Homme à tout faire**   *Jack-of-all-trades, handyman*
Demandez-lui de réparer cela, c'est un homme à tout faire. Confiez-lui ce travail délicat, c'est un homme à tout faire.

19 **Y tenir comme à la prunelle de ses yeux**   *To prize like the apple of one's eye*
Je ne peux pas vous les donner, car j'y tiens comme à la prunelle de mes yeux. J'y tiens comme à la prunelle de mes yeux et je les cache.

20 **Passer au peigne fin**   *To search carefully, to examine*
Les policiers ont passé toute la région au peigne fin. Les rues avoisinantes ont été passées au peigne fin.

RÉPONDEZ AUX QUESTIONS SUIVANTES
EN EMPLOYANT LES EXPRESSIONS ÉTUDIÉES

1 Quelle a été la réaction des citoyens en face de cette démolition?
2 Est-ce que nous allons manger au prochain restaurant?
3 Finirons-nous le programme de chimie avant la fin de l'année?
4 Est-ce que je pourrai affronter cet obstacle?
5 Est-ce un homme bien énergique?
6 Êtes-vous satisfait de ce que j'ai fait pour vous?
7 Est-il vrai que vous allez perdre votre emploi?
8 Est-ce que votre voisin a beaucoup d'argent?
9 Est-ce un homme qui boit beaucoup en compagnie?
10 Est-ce que nous pouvons aller à cette grande soirée d'amis?
11 Qui va établir le programme de ce festival?
12 Pensez-vous que je pourrai fonder un nouveau parti politique?
13 Êtes-vous surpris de toutes les bêtises qu'ils font?
14 Pourquoi vous a-t-elle insulté de cette façon?
15 Je n'ai pas compris; pouvez-vous répéter?
16 Comment faire pour réussir un beau tableau?
17 Quelles confidences vous a-t-elle faites, hier soir?
18 À qui pourrais-je confier ce travail assez délicat?
19 Pourriez-vous me donner ces boucles d'oreilles en souvenir?
20 Pourront-ils trouver les trois prisonniers qui se sont échappés?

VOCABULAIRE SPÉCIAL DE CETTE LEÇON

épine – thorn
se fâcher – to get angry
ailleurs – elsewhere
chimie – chemistry
boucles d'oreilles – earrings

pleurer – to cry, to weep
confier – to commit, to give
peigne – comb
affronter – to face, to overcome
bêtise – nonsense, blunder

FAITES DES PHRASES ORALES ET ÉCRITES
AVEC LES EXPRESSIONS SUIVANTES

rester dans la note – perdre le nord – mettre à rude épreuve – passer au peigne fin – avoir la tête ailleurs – pousser les hauts cris – tirer une épine du pied – de concert avec – manger sur le pouce

Leçon 83

01 **Rire sous cape**   *To laugh in (up) one's sleeve*
Inutile de rire sous cape, je l'ai vu faire. Comme il est très hypocrite, il rit souvent sous cape.

02 **Prendre à coeur de**   *To set one's heart on*
Il a pris à coeur d'aider ce pauvre handicapé. Elle a pris à coeur de continuer ses cours de piano.

03 **Jurer comme un charretier**   *To swear like a trooper*
Il ne se contrôle pas et il jure comme un charretier. Veux-tu bien cesser de jurer comme un charretier.

04 **Bien nous (lui) en a pris de**   *It was lucky for us (him) to*
Bien nous en a pris de chercher là où personne n'avait regardé. Bien lui en a pris de ne pas accepter cette suggestion saugrenue.

05 **Mettre à feu et à sang**   *To ransack*
Les rebelles ont mis toute la ville à feu et à sang. Ils ont tout mis à feu et à sang avant de s'enfuir.

06 **En imposer à**   *To impose upon someone*
Elle est orgueilleuse et veut en imposer à tout le monde. Voulant en imposer à tout le monde, il se fait haïr.

07 **Ne faire qu'un avec**   *To be hand in glove together*
Ces deux associés ne font qu'un, et tout va bien. Il ne fait qu'un avec le patron depuis sa promotion.

08 **Tout porte à croire que**   *Everything indicates that*
Tout porte à croire qu'il va démissionner avant longtemps. Malgré les prévisions, tout porte à croire qu'il y aura des élections.

09 **Être de mise de**   *To be convenient (suitable) to*
Il est de mise d'y aller en apportant un cadeau. Il n'est pas de mise de parler ainsi en compagnie.

10 **Avoir son franc parler**   *To be outspoken*
C'est un homme énergique qui a toujours eu son franc parler. Comme elle a son franc parler, on la déteste en certains milieux.

11 **Ne coupez pas!**   *Don't cut me off! Hold the line!*
Ne coupez pas! il va vous répondre à l'instant. Ne me coupez pas, je reviens tout de suite!

12 Le plus clair de son temps *Most of one's time*
Il passe le plus clair de son temps à son bureau. Mon frère passe le plus clair de son temps à la pêche.

13 Semer la confusion *To cause confusion*
Cette fausse nouvelle a semé la confusion dans tout le quartier. Il se plaît à semer la confusion dans les esprits.

14 Des gens terre à terre *Down-to-earth people*
Elle n'aime pas beaucoup la compagnie des gens terre à terre. Les gens terre à terre ne s'occupent pas beaucoup de culture.

15 Se faire passer un sapin *To be cheated, to be had*
Elle est bien naïve et se fait passer souvent des sapins. Fais bien attention de ne pas te faire passer un autre sapin.

16 Secret de Polichinelle *Open secret*
C'est un secret de Polichinelle qu'il va divorcer. Croyez-moi bien, car c'est un secret de Polichinelle.

17 Piano à queue *Grand piano*
Nous lui avons acheté un piano à queue parce qu'elle aime la musique. Le piano à queue est très bien en vue dans le salon.

18 Avoir une panne d'essence *To run out of gas*
J'ai eu une panne d'essence le long de cette autoroute. Il n'y a rien de plus fâchant que d'avoir une panne d'essence.

19 As du volant *First-rate (ace) driver*
C'est un as du volant qui gagne presque toutes les courses. Il est devenu millionnaire comme as du volant.

20 Avoir l'estomac dans les talons *To have an empty feeling*
Je n'ai pas mangé depuis hier et j'ai l'estomac dans les talons. Après tant d'heures à marcher, j'ai l'estomac dans les talons.

EXERCICES DE LA LEÇON 83

. . . .

RÉPONDEZ AUX QUESTIONS SUIVANTES
EN EMPLOYANT LES EXPRESSIONS ÉTUDIÉES

1 Est-ce que tu l'as vu rire à cette occasion?
2 Est-ce qu'elle apprend encore le piano?
3 Est-il poli, en règle générale?
4 Comment l'avez-vous trouvé?
5 Les rebelles ont-ils fait beaucoup de dommages?
6 Est-ce que le nouveau patron a beaucoup d'amis?
7 Quels sont ses rapports avec son patron?
8 Pensez-vous qu'il y aura des élections générales?
9 Est-ce qu'on doit lui apporter un cadeau à cette occasion?
10 Comment se fait-il qu'elle semble ne pas avoir beaucoup d'amies?
11 Que vous a-t-il répondu?
12 Votre frère aime-t-il beaucoup la pêche?
13 Est-ce que je dois accepter ses explications?
14 Est-il vrai que les gens lisent moins qu'auparavant?
15 Est-ce que je dois accepter son offre de 500 $?
16 Comment avez-vous su qu'il a l'intention de divorcer?
17 Qu'est-ce que vous avez acheté là?
18 Pourquoi êtes-vous arrivé avec trois heures de retard?
19 C'est encore le même qui a gagné la course?
20 Vous semblez avoir plus faim que d'habitude?

VOCABULAIRE SPÉCIAL DE CETTE LEÇON

handicapé — handicapped
surveillant — watchman
saugrenu — ridiculous, absurd
s'enfuir — to escape, to flee
orgueilleux — proud
volant — steering-wheel
auparavant — formerly, before

haïr — to hate
démissionner — to resign
milieux — spheres, circles
sapin — fir-tree
fâchant — annoying
courses — races
talons — heels

FAITES DES PHRASES ORALES ET ÉCRITES
AVEC LES EXPRESSIONS SUIVANTES

être de mise de — des gens terre à terre — rire sous cape — piano à queue — prendre à coeur de — semer la confusion — ne faire qu'un avec — mettre à feu et à sang — avoir son franc parler

Leçon 84

01 Savoir gré de *To be very grateful to*
Je vous saurais gré de me le faire parvenir avant jeudi. Il vous en saura gré le reste de ses jours.

02 Payer les pots cassés *To pay for the damage*
Dans ce cas, c'est vous qui paierez les pots cassés. Vous devrez payer les pots cassés si vous ne faites pas attention.

03 Couru *Sought-after, popular*
C'est un spectacle très couru qui fait fureur présentement. Les discours de ce politicien sont très courus.

04 Rire à s'en tenir les côtes *To hold one's side from laughing*
C'était si drôle qu'il riait à s'en tenir les côtes. Les comédiens jouaient si bien que tout le monde riait à s'en tenir les côtes.

05 S'en tenir aux faits *To limit oneself to the facts*
Laissez de côté tous les détails, et tenons-nous-en aux faits. Tenons-nous-en aux faits, car il s'agit de tout prouver.

06 Peu lui chaut que *He (she) does not mind (care)*
Peu lui chaut que sa femme le laisse ou décide de rester avec lui. Peu lui chaut qu'on décide de l'opérer ou non.

07 Ce sont là mes oignons *That's my own business*
Ne vous mêlez pas de cela, car ce sont là mes oignons. Ce sont là mes oignons; alors, laissez-moi la paix.

08 Avoir une gueule de bois *To be in a bad mood, to have a hangover*
Il a une gueule de bois chaque fois qu'il boit un peu trop. Il a toujours une gueule de bois quand il passe me saluer.

09 À titre gratuit *Free, free of charge*
Il m'a offert un autre livre à titre gratuit. C'est à titre gratuit qu'elle nous a donné ces échantillons.

10 À ce que j'ai ouï dire *To judge by what I heard*
À ce que j'ai ouï dire par les témoins, ce n'est pas vrai du tout. Je crois qu'elle a raison, à ce que j'ai ouï dire.

11 À tout seigneur, tout honneur *Honour to whom honour is due*
À tout seigneur, tout honneur, m'a-t-il répondu. Il m'a fait entrer le premier en disant: à tout seigneur, tout honneur.

12 Avoir la bosse des affaires *To have a gift for business*
Ce jeune homme a vraiment la bosse des affaires, comme son père. Il a fait faillite, car il n'a pas du tout la bosse des affaires.

13 Avoir une face de carême *To have a dismal (wan) face*
En compagnie, il a toujours une face de carême. Cesse d'avoir cette face de carême quand tu rencontres des amis.

14 À la bonne vôtre! *Here is to you! Cheers!*
À la bonne vôtre! dit-il en levant son verre de champagne. Lorsqu'on reçoit à un cocktail, on dit souvent: À la bonne vôtre!

15 Boire le calice jusqu'à la lie *To drink life to the leap*
Sois résignée, et bois ton calice jusqu'à la lie. Cette pauvre malade est résignée à boire son calice jusqu'à la lie.

16 Prendre quelqu'un en dédain *To look down on someone*
Je vais le prendre en dédain s'il continue d'agir de la sorte. Avec ses airs hautains, il prend tout le monde en dédain.

17 En dents de scie *Serrated, saw-toothed*
Les édifices se détachent en dents de scie sur le ciel. Elle est instable; elle fonctionne en dents de scie.

18 Maison de carton *Cardboard box of a house*
C'est une vraie maison de carton que vous avez achetée là. Je me suis débarrassé de cet immeuble; c'était une maison de carton.

19 Moulin à paroles *Chatterbox*
Pas moyen de placer un mot, c'est un vrai moulin à paroles! C'est un moulin à paroles comme on en voit rarement.

20 Avoir le feu sacré *To have one's heart in one's work*
C'est un bon propagandiste qui a vraiment le feu sacré. Ayant le feu sacré, il est reparti pour les missions d'Afrique.

· ·

RÉPONDEZ AUX QUESTIONS SUIVANTES
EN EMPLOYANT LES EXPRESSIONS ÉTUDIÉES

1 Est-ce que je dois rendre service à ce pauvre diable?
2 Et si je laissais tomber ce gros paquet par distraction?
3 Irez-vous entendre son discours?
4 Avez-vous bien aimé la comédie qu'on a jouée hier soir?
5 Est-ce qu'on peut y ajouter quelques détails supplémentaires?
6 Acceptera-t-il qu'on l'opère tout de suite?
7 Est-ce que je peux vous aider à terminer ce travail?
8 Est-ce qu'il est bien gentil envers vous?
9 Combien avez-vous payé ces quelques échantillons?
10 Est-ce vraiment elle qui a raison dans cette dispute?
11 A-t-il été bien gentil envers vous l'autre jour?
12 Votre voisin a-t-il vendu son commerce?
13 Passes-tu d'agréables moments en sa compagnie?
14 Qu'est-ce qu'on dit quand on lève son verre dans une réunion?
15 Comment accepte-t-elle sa maladie?
16 Est-il gentil avec tout le monde?
17 Comment se présente l'affaire?
18 Quand avez-vous acheté cette maison?
19 Avez-vous pris part à la longue discussion chez elle?
20 Fait-il beaucoup de propagande pour le nouveau mouvement?

VOCABULAIRE SPÉCIAL DE CETTE LEÇON

parvenir — to arrive, to get
échantillon — specimen
côtes — ribs
gueule — face
envers — towards

témoin — witness
faillite — bankruptcy
carême — lent
moulin — mill
ouïr — to hear

FAITES DES PHRASES ORALES ET ÉCRITES
AVEC LES EXPRESSIONS SUIVANTES

payer les pots cassés — ce sont là mes oignons — avoir la bosse des affaires —
avoir le feu sacré — en dents de scie — avoir une gueule de bois — à titre gratuit — prendre quelqu'un en dédain

Leçon 85

01 Cela ne tient pas debout   *It does not make sense*
Tu dis que ça coûte 2 000 $; ça ne tient pas debout! S'il est nommé président de la compagnie, ça ne tient pas debout!

02 Crier haro sur le baudet   *To cry shame, to denounce*
Sois moins cynique et ne crie pas toujours haro sur le baudet. Il crie toujours haro sur le baudet, car il est impatient.

03 Témoin à charge   *Witness for the prosecution*
J'ai été appelé à être témoin à charge au cours de ce procès. Le témoin à charge n'a pas tenu le coup; il s'est effondré.

04 Le coup de pied de l'âne   *The most unkindest cut of all*
Donner le coup de pied de l'âne à son meilleur ami, ce n'est pas très gentil. Il a été traître; c'est le coup de pied de l'âne.

05 Très comme il faut   *Very distinguished*
Vous aurez affaire à des gens très comme il faut dans ce cas-là. Fréquentez-la, c'est une personne très comme il faut.

06 Dans la fleur de l'âge   *In the prime of life*
Elle est morte dans la fleur de l'âge, à 35 ans. Soyez plus optimiste, vous êtes encore dans la fleur de l'âge.

07 Dans les petites boîtes (petits pots) les meilleurs onguents   *Good things are packed in small parcels*
Dans les petites boîtes les meilleurs onguents; ne soyez pas timide. Tu es trop petit? Dans les petits pots les meilleurs onguents!

08 Y être pour beaucoup   *To have a great deal to do with*
Elle est très hypocrite; elle y est pour beaucoup dans cette affaire. Il y est pour beaucoup, et ne blâmez pas trop son père.

09 En appeler au peuple   *To call for an election*
Le Premier Ministre a décidé d'en appeler au peuple cet automne. Il va en appeler au peuple pour renforcir son gouvernement.

10 Vivre en intelligence avec   *To be on friendly terms with*
Dans les familles, on ne vit pas toujours en intelligence. Le chien vit souvent en intelligence avec les chats.

11 Être aux anges   *To be highly delighted, to walk on air*
Il était vraiment aux anges quand il a su qu'il avait été promu.
Elle était aux anges le soir de cet anniversaire.

12 Fort mal priser   *Not to like that*
Il a fort mal prisé cette remarque de son patron. Elle a fort mal
prisé l'attitude se son fiancé dans ce cas-là.

13 Être dans tous ses états   *To be really upset*
Elle était dans tous ses états quand elle a appris cette nouvelle. Il
était dans tous ses états après avoir été insulté de la sorte.

14 Être à couteaux tirés   *To be at loggerheads*
Ces deux adversaires sont souvent à couteaux tirés. Elle est à couteaux tirés avec son beau-père.

15 En avoir à souhait   *To have everything to one's liking*
Quand elle veut de l'argent, elle en a à souhait. Ne lui donnez pas
une bague, elle en a à souhait.

16 En guise d'exemple   *As an example*
En guise d'exemple, je vous mentionnerai un cas. Il m'a cité deux
noms, en guise d'exemples.

17 Et quand cela serait?   *Should it be so? If it were so?*
Et quand cela serait, que pourriez-vous dire d'autre? Et quand cela serait, quelle décision prendriez-vous?

18 Savoir ce qui pend à l'oreille   *To know what one is in for*
Elle a peur, car elle sait ce qui lui pend à l'oreille. Il ne dit rien,
car il sait ce qui lui pend à l'oreille.

19 Battre à l'unisson   *To be in unison with*
Leurs deux coeurs battaient vraiment à l'unisson. Lors de cette
fête, tous les coeurs battaient à l'unisson.

20 Être dans la peau d'un personnage   *To live a character*
Pour bien jouer cette pièce il faut être dans la peau du personnage. Elle réussit bien son rôle, car elle est dans la peau du personnage.

. . . .

RÉPONDEZ AUX QUESTIONS SUIVANTES
EN EMPLOYANT LES EXPRESSIONS ÉTUDIÉES

1 Si je te disais qu'il sera nommé président la semaine prochaine?
2 Pourquoi condamne-t-il toujours son pauvre patron?
3 A-t-elle été convoquée à ce procès?
4 Comment a-t-il traité son ami?
5 Comment sont les gens que tu m'as présentés l'autre jour?
6 À quel âge est-elle morte?
7 Comme je suis très court, ai-je raison d'être timide?
8 Est-ce que je dois blâmer la fille aussi?
9 Que dit-on dans le journal ce soir?
10 Est-ce que ton chien s'accorde bien avec ton gros chat?
11 Était-il content de recevoir une si belle promotion?
12 Pourquoi était-elle fâchée contre son jeune fiancé?
13 Quelle fut sa réaction à cette nouvelle?
14 Quelle est son attitude envers son beau-père?
15 Est-ce que je peux lui offrir une bague en cadeau?
16 A-t-il mentionné d'autres cas particuliers?
17 Il n'a pas accepté vos excuses?
18 Pourquoi ne dit-il rien à son pauvre père?
19 Les invités semblaient-ils heureux et satisfaits?
20 As-tu vu comme elle joue bien son rôle dans cette pièce?

VOCABULAIRE SPÉCIAL DE CETTE LEÇON

baudet — donkey
hedbo — weekly paper
étage — floor, storey
promu — promoted
priser — to appraise

beau-père — father-in-law
bague — ring
pièce — play
peau — skin
de la sorte — such, likewise

FAITES DES PHRASES ORALES ET ÉCRITES
AVEC LES EXPRESSIONS SUIVANTES

en appeler au peuple — être à couteaux tirés avec — en avoir à souhait — dans la fleur de l'âge — être aux agnes — crier haro sur le baudet — en guise d'exemple — battre à l'unisson — des gens très comme il faut

01 Avoir un parti pris   *To have an obstinate opinion*
Je crois bien qu'ils ont un parti pris contre moi. Je n'aime pas ceux qui ont un parti pris contre tout.

02 Être pris la main dans le sac   *To be caught red-handed*
En faisant du vol à l'étalage, elle a été prise la main dans le sac. Les trois voleurs de bijoux ont été pris la main dans le sac.

03 Être à cheval sur les principes   *To be a stickler for principles*
C'est un homme plutôt sévère, toujours à cheval sur les principes. Cette mère a cessé d'être à cheval sur les principes.

04 Être dans le coup   *To be involved, to participate*
Il est dans le coup avec trois autres bandits. Il ne veut pas être dans le coup avec les autres criminels.

05 Ne pas être de tout repos   *Not to be easy, not to be reliable*
C'est un travail qui n'est pas de tout repos. Ce commis est un peu sournois; il n'est pas de tout repos.

06 Être en rupture de ban avec   *To break one's ban with*
Il est en rupture de ban avec les autorités religieuses. Cette religieuse est en rupture de ban avec sa communauté.

07 Avoir du sang de navet   *To be a listless (slack) kind of fellow*
On ne peut rien en tirer; il a du sang de navet. Rien ne l'énerve; il a du sang de navet.

08 Aller aux urnes   *To vote, to go to the polls*
Les citoyens iront aux urnes vers la fin du mois. On va aux urnes pour la troisième fois en quatre ans.

09 Faire un brin de toilette   *To wash up*
Je vais faire un brin de toilette avant de sortir. Va faire un brin de toilette avant de recevoir ces visiteurs.

10 Faire cavalier seul   *To act alone, to be independent*
N'essaie pas de l'aider, car il aime faire cavalier seul. Il voyage jamais avec quelqu'un, car il aime faire cavalier seul.

11 **Faire avaler des couleuvres** *To heap all sorts of insults*
Elle a voulu me faire avaler des couleuvres, mais je me suis défendu. Il avale des couleuvres sans rien dire; il est trop timide.

12 **Faire la bombe (noce)** *To go on a spree*
Pendant cette longue fin de semaine, ils ont fait la bombe au chalet. Ceux qui aiment faire la noce se ruinent la santé.

13 **Messager de malheur** *Bird of ill omen, bearer of bad news*
C'est un vrai messager de malheur qui nous apporte des mauvaises nouvelles. Quel messager de malheur! il attire les catastrophes.

14 **On ne sait jamais quelle mouche le (la) pique** *One never knows what puts him (her) in a temper*
Il est toujours impatient; on ne sait jamais quelle mouche le pique. On ne sait pas quelle mouche la pique, et elle est devenue insupportable.

15 **En passer plusieurs par les mains** *To have many to deal with*
Je connais ces documents, il m'en passe plusieurs par les mains. Elle est habituée, car il lui en passe plusieurs par les mains.

16 **Ne pas laisser d'être serviable** *To be really obliging*
Ils semblent égoïstes, mais ils ne se laissent pas d'être serviables. Elle est avare, mais elle ne laisse pas d'être serviable.

17 **Il y a quelque chose qui cloche** *There is something not quite right*
Je ne suis pas satisfait, car il y a quelque chose qui cloche. Examine-le bien, car il y a quelque chose qui cloche dans le moteur.

18 **Il y va de votre honneur** *Your honour is at stake*
N'acceptez pas cette offre; il y va de votre honneur. Il y va de votre honneur si vous fréquentez de tels amis.

19 **Avoir passé par les cadres** *To have risen from the ranks*
Ses succès ne sont pas dus au hasard; il a passé par les cadres. Il faut avoir passé par les cadres pour parvenir à ce poste.

20 **Se bercer d'illusions** *To deceive oneself*
Vous vous bercez d'illusions si vous croyez qu'il va vous aider. Il se berce d'illusions quand il se croit aimé de tous.

RÉPONDEZ AUX QUESTIONS SUIVANTES
EN EMPLOYANT LES EXPRESSIONS ÉTUDIÉES

1 Pourquoi ne leur parles-tu jamais?
2 Pourquoi le détective l'a-t-il arrêté?
3 Pourquoi cet homme n'est pas pas aimé dans son entourage?
4 Pourquoi a-t-il abandonné la bande?
5 Est-ce que ce commis a la confiance de son patron?
6 Est-il vrai qu'il ne fréquente plus son église?
7 Est-ce un employé énergique?
8 Est-ce qu'il y aura encore des élections?
9 Qu'est-ce qu'elle a dit à son mari il y a un instant?
10 Penses-tu que je pourrai lui offrir mon aide?
11 Pourquoi as-tu pitié de ce pauvre jeune homme?
12 Qu'ont-ils fait pendant le week-end?
13 Vous a-t-il annoncé une autre mauvaise nouvelle?
14 Comment est-il depuis son retour de l'hôpital?
15 Pourrais-tu m'aider à examiner ces documents?
16 Que penses-tu de ta vieille voisine d'en face?
17 Comment va ta voiture depuis qu'elle a été réparée?
18 Est-ce que je peux accepter cette offre de lui?
19 Comment a-t-elle pu se rendre là?
20 Penses-tu qu'il va pouvoir m'aider à payer mes dettes?

VOCABULAIRE SPÉCIAL DE CETTE LEÇON

vol à l'étalage — shoplifting
bijoux — jewels
ardu — hard
commis — clerk, employee
sournois — cunning
avaler — to swallow
fidèle — faithful

couleuvre — grass-snake
avare — miser
fréquenter — to visit, to attend
se bercer — to rock oneself
entourage — neighbourhood
bande — gang

FAITES DES PHRASES ORALES ET ÉCRITES
AVEC LES EXPRESSIONS SUIVANTES

être pris la main dans le sac — aller aux urnes — il y a quelque chose qui cloche — être dans le coup — faire la noce — avoir du sang de navet — faire un brin de toilette

Leçon 87

01 Je n'en reviens pas! *I am really surprised (amazed)*
C'est elle qui a dit cela? Je n'en reviens pas! Tu ne l'as payé que
5,00 $? Je n'en reviens pas!

02 Entendre un tout autre son de cloche *To hear another version*
Tu dis qu'elle a refusé; et moi, j'ai entendu un tout autre son de
cloche. J'ai entendu un tout autre son de cloche; je crois que tu
te trompes.

03 S'en vouloir de ne pas *To be angry for not*
Je m'en voudrais de ne pas l'avoir dit plus tôt. Vous vous en voudrez de ne pas avoir essayé une autre fois.

04 La goutte qui fait déborder le vase *The straw that breaks*
the camel's back
N'ajoute rien, car ce sera la goutte qui fera déborder le vase. Tu
as trop parlé; c'est la goutte qui fait déborder le vase.

05 Mise en tutelle *Trusteeship*
Le syndicat a été mis en tutelle par le gouvernement. Ils ont mis
en tutelle cette ville avant qu'elle ne fasse faillite.

06 Tables d'écoute *Wire-tapping*
La police se sert de plus en plus des tables d'écoute. On voudrait
mettre les tables d'écoute hors la loi: c'est un rêve!

07 Se prêter à la discussion *To lend itself to discussion*
Ce n'est pas compliqué, car la question se prête bien à la discussion. Attendons un peu; le sujet ne se prête pas à la discussion.

08 Prendre de vitesse *To outstrip, to overtake*
Si vous continuez à hésiter, ils vont vous prendre de vitesse. Ils
ont tout fait pour nous prendre de vitesse.

09 Se mettre au beau *To be clearing up*
Préparons le pique-nique; le temps se met au beau. Attends que le
temps se mette au beau avant de partir.

10 Faire quelque chose de gaieté de coeur *To do something very*
willingly
Ce n'est pas de gaieté de coeur que je te dis cela, mon fils. Nous
le ferons de gaieté de coeur, car tu le mérites bien.

11 **Le temps est à la pluie** *It looks like rain*
Apportez votre parapluie, car le temps est à la pluie ce matin.
N'arrose pas les fleurs; le temps est à la pluie.

12 **Marcher rondement (à merveille)** *To go briskly (very well)*
Il y a beaucoup de touristes, et nos affaires marchent rondement.
Il fait beaucoup d'argent; il semble que ça marche à merveille.

13 **Mettre au jour** *To bring to light*
Elle a mis au jour un gros garçon de huit livres et demie. Tout ce
scandale à été mis au jour par deux jeunes journalistes.

14 **Mettre la main au collet** *To arrest, to lay hands on someone*
Ils n'ont pas encore mis la main au collet des deux fuyards. Ils
ont mis la main au collet du chef de la bande.

15 **Mettre la patte dessus** *To find out something, to grab someone*
Je n'ai pas réussi à mettre la patte dessus; j'ai dû le perdre. Heureusement que la police a mis la patte dessus.

16 **Mener un gros train de vie** *To live in style*
Ils mènent un gros train de vie depuis leur retraite. Pour une simple employée, elle mène un gros train de vie.

17 **Faire échouer** *To bring about the failure of*
Votre nonchalance fera échouer le projet. C'est une mauvaise ges-
tion qui a fait échouer cette entreprise.

18 **Manger son pain blanc le premier** *To begin with the cake*
Il ne faut jamais manger son pain blanc le premier. Vous mangez
votre pain blanc le premier; ne vous plaignez donc pas.

19 **Mettre la lumière sous le boisseau** *To hide one's light under a
bushel, to hide the truth*
Sois moins timide, et ne mets pas la lumière sous le boisseau. Elle
est trop fière; elle devrait mettre la lumière sous le boisseau.

20 **Mettre un frein à** *To curb, to bridle*
Le Conseil d'administration a mis un frein à l'expérience en cours.
Ils n'ont pas voulu mettre un frein à leurs demandes.

RÉPONDEZ AUX QUESTIONS SUIVANTES
EN EMPLOYANT LES EXPRESSIONS ÉTUDIÉES

1   Est-ce qu'on t'a dit que je l'ai payé seulement 5,00 $?
2   Lucien t'a-t-il dit que sa soeur Marie a refusé l'offre ?
3   Pourquoi veux-tu essayer une autre fois ?
4   Est-ce que je pourrais ajouter quelques mots ?
5   Pourquoi les syndiqués ne sont-ils pas contents ?
6   Est-ce que les policiers peuvent se servir des tables d'écoute ?
7   Pourrait-on en discuter ce soir ?
8   Êtes-vous sorti vainqueur de l'épreuve ?
9   Voudrais-tu partir avant cinq heures ?
10 Pourquoi me parles-tu ainsi, mon père ?
11 Puis-je aller arroser vos belles fleurs ?
12 Comment vont les affaires, cet été ?
13 Qui a fait connaître ce grand scandale ?
14 Est-ce que les fuyards ont été arrêtés ?
15 Est-ce que tu as retrouvé ton porte-monnaie ?
16 Est-il vrai qu'elle roule en Cadillac ?
17 Qu'est-ce qui n'a pas marché ?
18 Est-ce que la vie est dure de nos jours ?
19 Devrais-je leur dire qui je suis ?
20 Y a-t-il encore beaucoup de projets à l'étude ?

VOCABULAIRE SPÉCIAL DE CETTE LEÇON

goutte – drop
faillite – bankruptcy
coude – elbow
arroser – to water, to sprinkle
oser – to dare

collet – collar
patte – leg, paw
mener – to lead, to have
en colère – angry

FAITES DES PHRASES ORALES ET ÉCRITES
AVEC LES EXPRESSIONS SUIVANTES

mettre au jour – mise en tutelle – mettre la patte dessus – mettre un frein
à – mettre la main au collet – s'en vouloir de ne pas – mener un gros train
de vie – un tout autre son de cloche

01 Ne plus en pouvoir *To be fed up, to be exhausted*
N'en pouvant plus, j'ai décidé de quitter le groupe. Elle a réclamé son divorce parce qu'elle n'en pouvait plus.

02 On a (eut) vite fait de dire que *It was easy to say that*
On a vite fait de dire qu'il s'était trompé d'adresse. On eut vite fait de dire qu'ils étaient tous des imbéciles.

03 Faire prendre des vessies pour des lanternes *To pull the wool over someone's eyes*
Ne le crois pas, il veut te faire prendre des vessies pour des lanternes. Impossible de lui faire prendre des vessies pour des lanternes.

04 Donner (offrir) prise à *To give a hand to (for)*
Cela pourrait donner prise aux critiques de l'Opposition. Ces décisions peuvent offrir prise aux plaintes des employés.

05 Pas moyen de *It is not possible, there is no means to*
Pas moyen de lui parler à son bureau; il n'est jamais là. Il n'y a pas moyen de l'atteindre au téléphone, car il est toujours absent.

06 Prendre sur soi de *To take upon oneself to*
Je vais prendre sur moi de le lui dire le plus tôt possible. Il faudra que tu prennes sur toi de lui annoncer la nouvelle.

07 Tomber sous le coup de la loi *To come under the law*
C'est une autre violation qui tombe sous le coup de la loi. Une telle diffamation tombe sous le coup de la loi.

08 Parler sec *Not to mince one's words*
Il est gentil, mais je trouve qu'il parle toujours sec. « Vous parlez sec, vous », me dit-il en me voyant pour la première fois.

09 Prêter main forte à *To give a helping hand to*
Il a prêté main forte à son frère ruiné par un incendie. Il faudra prêter main forte aux sinistrés de cette région dévastée.

10 Quand ça chante à quelqu'un *When one feels like it*
Je m'amuse en compagnie, mais seulement quand ça me chante. Aujourd'hui, ça ne lui chante pas de vous accompagner au cinéma.

11 Beaucoup de bruit pour rien! *Much ado about nothing!*
Beaucoup de bruit pour rien! on dirait que vous êtes cinquante ici. Il n'est rien arrivé; beaucoup de bruit pour rien!

12 Rompre en visière avec *To fall out with, to quarrel openly*
Ils ont rompu en visière avec le chef du groupe. Ce groupe a rompu en visière avec le président du parti.

13 Le grand monde *High society*
Elle fréquente le grand monde depuis des années. Son passage dans le grand monde a été de courte durée.

14 Refiler (passer) un rossignol *To palm off a piece of junk*
Il a voulu me refiler un rossignol, mais je m'en suis aperçu. N'essayez pas de lui passer un rossignol; il est trop fin.

15 Se taper les cuisses d'aise *To be overjoyed (very satisfied)*
Il était si heureux du résultat qu'il se tapait les cuisses d'aise. Elle a si bien réussi à son examen qu'elle se tape les cuisses d'aise.

16 S'en lécher les babines *To smack one's lips*
C'était si bon qu'il s'en léchait les babines. J'ai tellement hâte de manger que je m'en lèche les babines.

17 S'attirer les foudres de *To bring anger upon oneself*
Vous allez vous attirer les foudres du patron en disant cela. En faisant cela, elle s'est attiré les foudres de son vieux père.

18 S'amuser tout son soûl *To enjoy oneself to one's heart content*
Nous nous sommes amusés à notre saoûl, hier soir. Elle s'est amusée à son saoûl pendant ses vacances.

19 Saigner à blanc *To clean out*
En demandant une telle somme vous me saignez à blanc. Il a été saigné à blanc en donnant une telle rançon aux voleurs.

20 Être appelé à *To be destined for*
Ce nouveau directeur est appelé à un brillant avenir au sein de la compagnie. Ce produit est appelé à faire fureur.

RÉPONDEZ AUX QUESTIONS SUIVANTES
EN EMPLOYANT LES EXPRESSIONS ÉTUDIÉES

1 Est-il vrai qu'il a demandé son divorce?
2 Pourquoi sont-ils allés frapper à votre porte?
3 Ont-ils cru ce que tu leur as dit l'autre jour?
4 Que penses-tu des dernières décisions du patron?
5 Lui as-tu parlé clairement?
6 Qui aura le courage de le lui dire?
7 Pourquoi devra-t-il payer une autre amende?
8 Quelle a été son impression en vous rencontrant?
9 Est-ce qu'on va faire quelque chose pour ces sinistrés?
10 Vous n'avez pas l'intention de chanter à cette fête de famille?
11 Qu'est-ce qui se passe ici?
12 Est-ce que tous les membres du parti son bien unis?
13 Trouvez-vous qu'elle se présente bien?
14 Pourrais-je essayer de lui vendre mon auto?
15 Était-elle contente de ses résultats d'examen?
16 Pourquoi son vieux père semblait-il si furieux?
17 Avez-vous hâte de manger cette belle tarte encore chaude?
18 A-t-elle passé de bonnes vacances?
19 Faudra-t-il lui payer la somme de deux mille dollars?
20 Que pensez-vous de ce nouveau produit?

VOCABULAIRE SPÉCIAL DE CETTE LEÇON

se tromper — to mistake, to be wrong
mouche — fly
atteindre — to reach
diffamation — libel, slander
incendie — fire
frapper — to knock, to hit

s'apercevoir — to realize
fin — smart, wise
cuisse — thigh
lécher — to lick
foudre — thunderbolt
amende — fine

FAITES DES PHRASES ORALES ET ÉCRITES
AVEC LES EXPRESSIONS SUIVANTES

quand ça me chante — pas moyen de — parler sec — s'amuser à son saoûl — s'en lécher les babines — que de bruit pour rien! — refiler un rossignol — s'attirer les foudres de — donner prise à

Leçon 89

01 Se faire du sang de crapaud *To worry, to get upset*
Elle se fait du sang de crapaud pour la moindre chose. Ne vous faites pas du sang de crapaud à mon sujet.

02 Sous l'égide de *Under the sponsorship (auspices) of*
Ils le feront sous l'égide de la nouvelle association. Ils ont décidé de le faire sous l'égide du Prince.

03 Effacer de sa mémoire *To blot out of one's memory*
Il faudra effacer cet épisode de votre mémoire. Quoi que vous fassiez, vous ne pourrez effacer cela de votre mémoire.

04 Se tenir au garde-à-vous *To stand to attention*
Pendant la parade, tous les soldats se tenaient au garde-à-vous. On se tient au garde-à-vous quand on passe les troupes en revue.

05 S'en tirer à bon compte *To pull through, to manage easily*
Avec une telle amende, il s'en est tiré à bon compte. Tu t'en tires à bon compte; considère-toi chanceux.

06 Se répandre comme une traînée de poudre *To spread like wildfire*
Cette nouvelle s'est répandue comme une traînée de poudre. Ces potins se répandront comme une traînée de poudre.

07 Tenir les cordons de la bourse *To hold the purse-strings*
Chez lui, c'est la femme qui tient les cordons de la bourse. Va le voir, car c'est lui qui tient les cordons de la bourse.

08 Avoir le coeur sur la main *To wear one's heart on one's sleeve*
Comme elle est généreuse! Elle a le coeur sur la main. Il a le coeur sur la main et il pourrait tout donner.

09 Tomber à point *To happen at the right moment*
Ça tombe à point, car je n'avais plus d'argent. Ça tombe à point, car je n'aurai pas le temps plus tard.

10 Tomber dans les bras de Morphée *To fall asleep*
Quand je me couche, je tombe immédiatement dans les bras de Morphée. Elle est tombée dans les bras de Morphée; elle n'entend rien.

11 Boire tout d'un trait   *To drink in one gulp*
Il avait bien soif et il a bu tout d'un trait. Quand il a un verre de bière, il le boit tout d'un trait.

12 S'accorder (s'entendre) comme chien et chat   *To live a cat-and-dog life, to live like cat and dog*
Ils s'accordent comme chien et chat et se disputent toujours. Ils ne sont jamais ensemble, car ils s'entendent comme chien et chat.

13 Se faire une idée   *To imagine things*
Elle n'est pas malade, c'est une idée qu'elle se fait. Il n'est pas persécuté, c'est une idée qu'il se fait.

14 Se défaire de   *To give away, to get rid of*
Il s'est défait de tous les instruments inutiles de sa cave. Elle s'est défait de son gros mal de gorge en une semaine.

15 Se livrer à des manèges   *To use tricks (stratagems)*
Il se livre à de nombreux manèges pour nous convaincre. Elle se livre à bien des manèges pour obtenir ce qu'elle veut.

16 Dans la semaine des quatre jeudis   *In a month of Sundays*
Je suis fatigué de vous; vous me reverrez dans la semaine des quatre jeudis. Cela ne peut arriver que dans la semaine des quatre jeudis.

17 S'y faire la main   *To acquire the knack of something*
Je vais m'y faire la main peu à peu, et puis on verra. Elle s'y est fait la main en très peu de temps.

18 Courir à sa perte   *To go to the dogs*
De cette façon, cette jeune fille court certainement à sa perte. Il n'écoute pas ses conseils, et il court à sa propre perte.

19 Se mettre au blanc pour   *To do a lot for, to do too much*
Quel ingrat! et dire que je me suis mis au blanc pour l'aider. Pauvre femme, elle s'est mise au blanc pour ses enfants!

20 Perdre la carte   *To go out of one's mind*
Pauvre vieux, il a perdu la carte depuis quelques semaines! Ayant perdu la carte, il a été placé dans une maison de santé.

EXERCICES DE LA LEÇON 89

. . . .

RÉPONDEZ AUX QUESTIONS SUIVANTES
EN EMPLOYANT LES EXPRESSIONS ÉTUDIÉES

1 Pourquoi semble-t-elle toujours inquiète et nerveuse?
2 Comment vont-ils organiser ce festival annuel?
3 Se souvient-il encore de ce terrible accident?
4 As-tu vu comment les soldats se tenaient bien droit?
5 Quelle amende as-tu dû payer?
6 Que penses-tu de tous ces potins de la soirée?
7 Dans cette famille, qui s'occupe des comptes et de l'argent?
8 Est-ce que c'est un homme bien généreux?
9 Est-ce que je peux te payer ma dernière dette?
10 Est-ce que tu t'endors assez vite?
11 Comment? Il a déjà bu toute sa bière?
12 Comment se fait-il qu'on ne les voie jamais ensemble?
13 Est-il vrai qu'elle se croit toujours persécutée?
14 A-t-elle encore mal à la gorge?
15 En général, est-ce qu'il obtient ce qu'il demande?
16 Est-ce qu'une telle chose peut vraiment arriver?
17 Êtes-vous prêt à me faire de très bonnes tartes?
18 Que penses-tu de la conduite de cette jeune fille émancipée?
19 T'a-t-il rendu l'argent que tu lui avais prêté?
20 Où est leur grand-père?

VOCABULAIRE SPÉCIAL DE CETTE LEÇON

amende – fine
potins – gossips
mal de gorge – sore throat
tout à l'heure – a while ago

ingrat – ungrateful
maison de santé – mental hospital
au courant – informed
s'endormir – to fall asleep

FAITES DES PHRASES ORALES ET ÉCRITES
AVEC LES EXPRESSIONS SUIVANTES

avoir le coeur sur la main – s'accorder comme chien et chat – se mettre au
blanc pour – s'y faire la main – sous l'égide de – tomber à point – se livrer
à des manèges – tomber dans les bras de Morphée

01 Marcher sur la corde raide *To walk on a tightrope*
Il a des difficultés et il marche souvent sur la corde raide. Il marche sur la corde raide et il risque beaucoup.

02 Campagne-éclair *Very quick campaign, blitz*
Il y aura une campagne-éclair pour recueillir des fonds. Comme nous sommes en retard, il s'agira d'une campagne-éclair.

03 Enfant d'un autre lit *Stepchild*
Ce n'est pas son vrai fils, c'est l'enfant d'un autre lit. Il n'est pas mon frère, c'est l'enfant d'un lautre lit.

04 Un je-ne-sais-quoi *An indefinable something*
C'est un je-ne-sais-quoi que je ne peux pas expliquer. Il m'a raconté un je-ne-sais-quoi d'assez mystérieux.

05 Vol à main armée *Armed robbery*
C'est l'auteur d'un vol à main armée assez audacieux. J'ai été victime d'un vol à main armée, il y a une semaine.

06 Avoir un oeil au beurre noir *To have a black eye*
J'ai un oeil au beurre noir depuis ce coup de poing. Il s'est battu et il a un oeil au beurre noir.

07 Ne pas tirer à conséquence *To be of no importance*
Ce geste est très grave, mais cela ne tire pas à conséquence. Vos agissements ne tirent pas à conséquence.

08 Un nom à coucher dehors *A name never heard of*
Je ne me rappelle pas, car c'est un nom à coucher dehors. C'est un nom à coucher dehors que je ne peux pas écrire.

09 Économie de bouts de chandelle *Nickle-and-dime savings*
C'est une économie de bouts de chandelle qui ne rime à rien. Tu irrites tout le monde avec tes économies de bouts de chandelle.

10 Hors de combat *Out of action*
Cette terrible épreuve l'a mis hors de combat. Il en faudrait beaucoup plus pour me mettre hors de combat.

11 S'y prendre à deux fois *To try twice*
Je m'y suis pris à deux fois avant de le résoudre. Avant de comprendre le mécanisme, il s'y est pris à deux fois.

12 Tourner à la pagaille   *To become a riot (mess)*
Cette assemblée assez mouvementée va tourner à la pagaille. Si tu n'interviens pas, ça va tourner à la pagaille.

13 Tourner casaque   *To turn one's coat*
Ce député de l'Opposition a tourné casaque aux élections. Il n'aimait pas le président du parti et il a tourné casaque.

14 Toucher du bois   *To keep one's fingers crossed, to touch wood*
Touchez du bois sinon ça va vous porter malheur. Il faut toucher du bois si vous êtes superstitieux.

15 Entrer en vigueur   *To come into force*
Cette loi va entrer en vigueur dès la semaine prochaine. Le nouveau règlement n'est pas encore entré en vigueur.

16 Traduire en justice   *To prosecute*
Il sera traduit en justice pour cet acte criminel. Ils seront traduits en justice à la suite de cet attentat.

17 Rester sur le plancher des vaches   *To stay on terra firma, to deal very simply*
Pour que tous comprennent, je resterai sur le plancher des vaches. Reste sur le plancher des vaches et ne fais pas le poète.

18 Faire encore des siennes   *To be up to one's old tricks*
Il a encore fait des siennes avec cette pauvre bonne. L'ouragan a fait des siennes dans cette région.

19 Taillé à coups de hache   *Rough-hewn, with a rough face*
C'est un homme peu sympathique, taillé à coups de hache. Il a l'air bien dur avec son visage taillé à coups de hache.

20 Tirer une affaire au clair   *To clear a matter up*
Il faudra tirer cette affaire au clair avant longtemps. Si tu veux que j'accepte, nous devrons tirer cette affaire au clair.

. . . .

RÉPONDEZ AUX QUESTIONS SUIVANTES
EN EMPLOYANT LES EXPRESSIONS ÉTUDIÉES

1 Il semble très préoccupé. A-t-il des problèmes importants?
2 Comment vont-ils recueillir tous les fonds nécessaires?
3 Il ne vous ressemble pas; est-ce votre frère?
4 Qu'est-ce qu'il t'a raconté, hier soir dans le salon?
5 Pourquoi sembles-tu si nerveux depuis quelques jours?
6 Comment? Quelqu'un t'a frappé à la figure?
7 Est-ce qu'il y aura des conséquences?
8 Pourrais-tu m'écrire son nom et son prénom?
9 Ne pourrait-on pas épargner un peu de ce côté-là?
10 Pourquoi ne le voyons-nous plus?
11 As-tu fini par résoudre ce problème?
12 Est-il mieux que j'intervienne tout de suite?
13 Pourquoi a-t-il changé de parti politique?
14 Que font les personnes superstitieuses?
15 Faut-il suivre le nouveau règlement municipal?
16 Et maintenant, quel sera leur sort?
17 Allez-vous faire un grand discours solennel?
18 Pourquoi la bonne n'est-elle pas contente?
19 Est-ce que tu aimes ce genre d'homme?
20 Pourras-tu accepter mes dernières propositions?

VOCABULAIRE SPÉCIAL DE CETTE LEÇON

éclair — lightning
recueillir — to raise, to get
coup de poing — blow, punch
rimer — to mean
règlement — by-law, regulation
bonne — maid
digne de — worthy of
prénom — first name
sort — destiny, end

désormais — from now on
résoudre — to solve
mouvementé — lively, animated
porter malheur — to bring bad luck
ouragan — hurricane
attentat — criminal attempt
épargner — to save
hache — axe

FAITES DES PHRASES ORALES ET ÉCRITES
AVEC LES EXPRESSIONS SUIVANTES

vol à main armée — tourner casaque — entrer en vigueur — tourner à la pagaille — traduire en justice — campagne-éclair — un nom à coucher dehors — hors de combat — avoir un oeil au beurre noir

Leçon 91

01 Suite et fin *Conclusion*
Regarde à la dernière page, c'est écrit: suite et fin. Lis les remarques où c'est écrit: suite et fin.

02 Tout à fait dans le genre de *Very much like*
C'est tout à fait dans le genre de ce que je cherchais. Ce n'est pas tout à fait le genre qui me plaît.

03 Être en règle *To be in order, to be settled*
Regardez dans mon passerport; tout est en règle. J'ai lu son testament, et il est en règle.

04 Tenir bon *To hold on, not to give up*
Même si c'est très difficile, ne lâchez pas, tenez bon. Il faut tenir bon jusqu'à la fin, et vous serez récompensé.

05 Tenir rigueur de quelque chose à quelqu'un *To hold a grudge against someone*
Vous ne me tiendrez pas rigueur de cette remarque, j'espère bien. Restez bien tranquille; je ne vous en tiendrai pas rigueur.

06 Tremper dans une affaire (scandale) *To be involved in*
On dit partout qu'il a même trempé dans cette affaire sordide. Il n'a pas trempé dans ce scandale; on l'accuse injustement.

07 Tirer de l'aile *To be exhausted (in bad shape)*
Elle n'est pas très forte et elle tire de l'aile. Je tire parfois de l'aile à la fin d'une longue journée.

08 Traiter d'égal à égal *To treat as an equal*
Il est très honnête et me traite d'égal à égal. Ça fait plaisir de se faire traiter d'égal à égal.

09 Se sentir mal en train *To feel in no laughing mood*
Je me sens mal en train après cette semaine de tracas. Je n'ai pas envie de m'amuser ce soir, car je me sens mal en train.

10 Laver son linge sale en famille *To wash one's dirty linen at home*
Une autre fois, vous laverez votre linge sale en famille. Les gens qui lavent leur linge sale en famille sont bien élevés.

11 **Ventre affamé n'a pas d'oreilles**   *A hungry man will not listen to reason*
Ne lui parle pas, car ventre affamé n'a pas d'oreilles. Ventre affamé n'a pas d'oreille; cesse de l'interroger.

12 **Intérêts courus**   *Accrued interest*
Les intérêts courus à ce jour dépassent votre mise de fonds. Vous devrez payer la note, soit le capital et les intérêts courus.

13 **Vivre sur un plus petit pied**   *To live on a smaller scale*
Ils ont des ennuis; ils devraient vivre sur un plus petit pied. Ils vivent sur un plus petit pied depuis cet incendie.

14 **Être tenu de répondre**   *To be forced to answer*
Vous êtes tenu de répondre aux questions du juge. Je ne suis pas tenu de répondre à toutes les questions.

15 **Voyage de noces**   *Honey-moon*
Ils ont fait leur voyage de noces aux chutes Niagara. Ils feront un beau voyage de noces.

16 **Assister à un défilé de mode**   *To attend a fashion show*
Elle va assister à ce défilé de mode car elle est couturière. Elle aime beaucoup assister à tous les défilés de mode.

17 **Un hôtel aux petits soins**   *A hotel with excellent service*
Nous sommes descendus dans un bel hôtel aux petits soins. Nous nous reposerons dans un hôtel aux petits soins.

18 **Tout flanquer par terre**   *To throw everything on the floor*
La bonne était fâchée et elle a tout flanqué par terre. Il a flanqué tous mes livres par terre.

19 **Travailler (être) à son compte**   *To be self-employed*
Il n'a pas de commis puisqu'il travaille à son compte. Je suis à mon compte; je n'ai pas de patron.

20 **Le payer**   *To pay for it*
Ce manque de délicatesse, tu me le paieras un jour. Tu vas me le payer avant longtemps, espèce d'ingrat!

. . . .

RÉPONDEZ AUX QUESTIONS SUIVANTES
EN EMPLOYANT LES EXPRESSIONS ÉTUDIÉES

1 Où se trouve le paragraphe dont tu parles?
2 Mais tu ne l'achètes pas aujourd'hui?
3 Êtes-vous prêt à partir pour ce long voyage?
4 C'est bien difficile; est-ce que je dois continuer?
5 Est-ce qu'il y a quelque chose à craindre?
6 Pourquoi parle-t-on de lui dans les journaux?
7 Comment est-elle depuis son opération?
8 Vous a-t-il bien reçu?
9 Es-tu vraiment fatigué?
10 Pourquoi se protègent-ils toujours mutuellement?
11 N'a-t-il rien compris de ce que je lui ai dit?
12 Combien lui doit-elle en tout?
13 Ne penses-tu pas qu'ils devraient épargner un peu plus?
14 Est-ce que je dois répondre à toutes les questions?
15 Où sont-ils allés après leur mariage?
16 Où va-t-elle ce soir avec sa grande amie?
17 Où passerez-vous ces deux belles semaines?
18 Qu'est-ce qu'il a fait avec tous tes livres?
19 Pour qui travailles-tu habituellement?
20 Es-tu fâché contre moi depuis quelque temps?

VOCABULAIRE SPÉCIAL DE CETTE LEÇON

testament — will
lâcher — to let go, to give up
tremper — to soak
tracas — worries, problems
las — tired
nigaud — stupid, crazy

chutes — falls
couturière — milliner
descendre — to go, to lodge
commis — clerk, employee
manque — lack

FAITES DES PHRASES ORALES ET ÉCRITES
AVEC LES EXPRESSIONS SUIVANTES

tirer de l'aile — tenir bon — tout flanquer par terre — être en règle — se sentir mal en train — suite et fin — tremper dans une affaire — laver son linge sale en famille — tenir rigueur

01 Fonder un foyer *To start a family*
Il a décidé de fonder un foyer l'année prochaine. Fonder un foyer est une chose sérieuse, et il faut y penser.

02 Virer de bord *To tack, to come about*
À cause de la tempête, le navire a viré de bord. Comme je m'étais trompé de route, j'ai viré de bord.

03 Ne pas tenir en place *To be fidgety, to be always moving*
C'est un enfant nerveux qui ne tient pas en place. Il a si hâte de partir qu'il ne tient pas en place.

04 Des contes de bonne femme *Old wives' tales*
Ce sont des contes de bonne femme qui ne m'intéressent pas. Il ne faut pas croire à ces contes de bonne femme.

05 Faire fiasco *To fizzle out, not to succeed*
Tous ses plans ont fait fiasco jusqu'ici; il est malchanceux. J'ai fait fiasco malgré tous mes efforts.

06 Se faire prendre à son propre jeu *To fall into one's own trap*
Il s'est fait prendre à son propre jeu et il est bien déçu. Il n'est pas assez rusé et il se fait prendre à son propre jeu à tout coup.

07 Suite au prochain numéro *To be continued in our next issue*
Suite au prochain numéro, si vous voulez en savoir davantage. Lis bien à la dernière page, c'est écrit: suite au prochain numéro.

08 Prendre pour de l'argent comptant *To take for Gospel truth*
Il a pris cela pour de l'argent comptant. Il est bien naïf et prend tout pour de l'argent comptant.

09 Voilà qui s'appelle jouer *That's something like playing*
Regarde-le faire; voilà qui s'appelle jouer! Voilà qui s'appelle jouer! il mérite bien le championnat.

10 Passer (entrer) en fraude *To smuggle in*
La Gendarmerie a saisi de la marchandise passée en fraude. Ils ont été chassés parce qu'ils étaient entrés en fraude.

11 Savoir se faire valoir *To know how to get admiration*
C'est un homme qui sait se faire valoir en public. Il est est trop modeste et ne sait pas se faire valoir.

12 À la guerre comme à la guerre *One must take the rough with the smooth*
Quand c'est dur, il faut répéter: À la guerre comme à la guerre! À la guerre comme à la guerre! ne te décourage pas.

13 Tuer le veau gras *To prepare a banquet, to celebrate*
Pour cet anniversaire, il faudra tuer le veau gras. As-tu pensé à tuer le veau gras pour cette circonstance?

14 Être pris au dépourvu *To be caught off one's guard*
Comme il est nonchalant, il est souvent pris au dépourvu. C'est un homme prévoyant qui n'est jamais pris au dépourvu.

15 Partir en guerre contre *To fight over something*
Il est parti en guerre contre trois de ses voisins. Il est colérique et part en guerre contre tout le monde.

16 En vase clos *Secretly*
Ce projet a été élaboré en vase clos par plusieurs entrepreneurs. Le programme de la soirée sera préparé en vase clos.

17 Du coup *Suddenly, all of a sudden*
Du coup, ils se sont retrouvés dans la rue. Du coup, il se trouvait à renier toutes ses actions.

18 Avoir le gosier sec *To be really thirsty*
Donne-moi une bière, je commence à avoir le gosier sec. J'ai le gosier sec, aurais-tu un bon verre d'eau froide?

19 Livrer bataille *To fight*
Il a fallu livrer bataille à tout le monde pour cela. Nous avons livré bataille jusqu'au bout, mais nous n'avons rien gagné.

20 Mettre hors de ses gonds *To make someone lose his temper*
Avec cette remarque, il m'a vraiment mis hors de mes gonds. Cette réponse a mis le professeur hors de ses gonds.

RÉPONDEZ AUX QUESTIONS SUIVANTES
EN EMPLOYANT LES EXPRESSIONS ÉTUDIÉES

1 Pourquoi tarde-t-il à se marier?
2 Pourquoi es-tu revenu ici au lieu de continuer?
3 Est-ce qu'il désire vraiment partir aujourd'hui?
4 Pourquoi ne l'écoutes-tu pas plus attentivement?
5 As-tu réussi dans tes plans?
6 Pourquoi cette déception?
7 Est-ce que cette histoire est finie?
8 Est-ce qu'il t'a vraiment cru?
9 Pourquoi l'admires-tu autant?
10 Comment ont-ils apporté cet instrument jusqu'ici?
11 Que pensez-vous de sa grande humilité?
12 Avez-vous envie de laisser vos études?
13 Qu'allez-vous faire à l'occasion de cet anniversaire?
14 Pourquoi lui as-tu demandé de parler à ta place?
15 A-t-il un caractère bien sociable?
16 Es-tu au courant de ce nouveau projet?
17 Que vous est-il arrivé?
18 Qu'est-ce que je pourrais t'offrir en ce moment?
19 A-t-il accepté vos propositions?
20 Le professeur est-il bien fâché?

VOCABULAIRE SPÉCIAL DE CETTE LEÇON

navire — steamship
virer — to turn
conte — short story
déçu — disappointed
veau — calf
être au courant de — to be informed

nonchalant — careless
prévoyant — foreseeing
colérique — choleric, peppery
entrepreneur — contractor
gosier — throat

FAITES DES PHRASES ORALES ET ÉCRITES
AVEC LES EXPRESSIONS SUIVANTES

passer en fraude — faire fiasco — virer de bord — livrer bataille — en vase clos — ne pas tenir en place — avoir le gosier sec — savoir se faire valoir — se prendre à son propre jeu

01 Faire partie nulle   *To tie, to draw*
Ils ont fait partie nulle lors de la dernière rencontre. À la surprise générale, ils ont fait partie nulle.

02 Adorer le veau d'or   *To worship the golden calf*
Ce sont des gens bien ambitieux qui adorent le veau d'or. Adorer le veau d'or est un des grands maux de la société moderne.

03 Ce n'est que partie remise   *The pleasure is only deferred*
Ce n'est que partie remise, nous nous reprendrons plus tard. On se verra la semaine prochaine, ce n'est que partie remise.

04 Nettoyage en règle   *Complete (thorough) cleaning*
Le syndicat a enfin décidé de faire un nettoyage en règle. Il devra faire un nettoyage en règle dans son cabinet.

05 Se dresser sur son séant   *To sit up*
La malade a enfin pu se dresser sur son séant. Il se dressa sur son séant pour regarder dehors.

06 Tourner en rond *Not to know what to do, to go around in circles*
Je ne fais que tourner en rond, je ne sais pas où commencer. Il tourne en rond depuis ce matin; il ne sait que faire.

07 En règle générale   *As a rule*
En règle générale, il vient toujours le mardi soir. Il se satisfait de mon travail, en règle générale.

08 Tenir comme nul et non avenu   *To consider null and void*
Son excuse a été considérée comme nulle et non avenue. Je tiendrai comme nul et non avenu tout ce que tu diras.

09 Soulever un tollé général   *To raise a general outcry*
Cette décision du ministre a soulevé un tollé général. Il a soulevé un tollé général quand il a annoncé cette nouvelle.

10 Rentrer dans ses frais   *To cover one's expenses*
Je suis bien content, car j'ai pu rentrer dans mes frais. Il ne rentrera pas dans ses frais; il a trop dépensé.

11 Tour pendable   *Abominable trick*
Il m'a joué un tour pendable que je n'oublierai jamais. C'est un tour pendable qu'elle ne lui pardonnera pas.

12 Peser le pour et le contre   *To weigh the pros and cons*
Je vais peser le pour et le contre avant de me décider. Il faudra peser le pour et le contre avant de lui répondre.

13 Se casser le nez   *To be balked*
Il a essayé de me tromper, mais il s'est cassé le nez. Il a été trop audacieux et il s'est cassé le nez.

14 Par manière d'acquit   *For form's sake*
Il m'a envoyé cette réponse par manière d'acquit. Elle est allée les visiter par manière d'acquit.

15 Mentir comme un arracheur de dents   *To lie through one's teeth*
Ne le crois pas, car il ment comme un   arracheur de dents. Il se vante de mentir comme un arracheur de dents.

16 Se mettre à l'aise   *To make oneself comfortable*
Mettez-vous à l'aise et faites comme chez vous. Il faut vous mettre à l'aise, car nous commençons bientôt.

17 Avoir de l'allure   *To have style*
C'est une personne qui a de l'allure; elle fait tout très bien. Vous avez de l'allure; alors, n'hésitez pas à y aller.

18 Faire ses premières armes   *To go through a first experience*
Il est encore jeune et il fait ses premières armes. Il va faire ses premières armes avant de demander une faveur.

19 Faire quelque chose à la barbe de   *To do something to someone's face*
Il est effronté et il le fait à la barbe de tout le monde. Il a osé faire cela à la barbe de son professeur.

20 Voir trente-six chandelles   *To see stars*
Je suis tombé sur la patinoire et j'ai vu trente-six chandelles. C'est un coup de poing qui m'a fait voir trente-six chandelles.

. . . .

RÉPONDEZ AUX QUESTIONS SUIVANTES
EN EMPLOYANT LES EXPRESSIONS ÉTUDIÉES

1   Les Russes ont-ils gagné hier soir?
2   Pourquoi n'aimes-tu pas ces gens-là?
3   Alors, vous ne viendrez pas nous voir ce soir?
4   Que feront-ils après ce scandale?
5   Comment va le malade aujourd'hui?
6   Es-tu très occupé ce matin?
7   Quand vient-il à sa leçon de piano?
8   Est-ce que je peux ajouter quelque chose pour m'excuser?
9   Comment ont-ils accepté cette décision?
10 Est-ce que ton organisation a bien marché?
11 Pourquoi es-tu fâché contre lui?
12 Quand vas-tu prendre une décision finale?
13 Pourquoi vous moquez-vous de lui?
14 Est-elle allée les visiter chez eux?
15 Dois-je croire ce qu'il m'a dit de faire?
16 Puis-je enlever mon veston?
17 Que pensez-vous d'elle?
18 A-t-il l'intention de demander une augmentation de salaire?
19 Est-ce qu'il a fait cela en public?
20 T'a-t-il frappé bien fort?

VOCABULAIRE SPÉCIAL DE CETTE LEÇON

lors de — at the time of
rencontre — game
maux — evils
se reprendre — to resume
tromper — to cheat
enlever — to remove, to take off

arracher — to draw, to pull out
se vanter — to brag, to boast
effronté — arrogant
oser — to dare
patinoire — skating-rink
coup de poing — punch

FAITES DES PHRASES ORALES ET ÉCRITES
AVEC LES EXPRESSIONS SUIVANTES

rentrer dans ses frais — tourner en rond — faire partie nulle — un nettoyage
en règle — avoir de l'allure — voir trente-six chandelles — se mettre à l'aise
— ce n'est que partie remise

01 Comme de juste *Of course, naturally*
Comme de juste, il réclame ce qui lui est dû. Comme de juste, il ne pouvait pas dire le contraire.

02 Faire pencher la balance de son côté *To turn the scales in one's favor*
Le juge a fait pencher la balance de con côté. Avec mes arguments, je ferai pencher la balance de mon côté.

03 Fondre en larmes *To dissolve in tears*
En entendant ce verdict, elle a fondu en larmes. Il a fondu en larmes quand il le revit après tant d'années.

04 Propre comme un sou neuf *Neat as a pin*
Tous ses outils sont toujours propres comme un sou neuf. Le plancher de son salon est propre comme un sou neuf.

05 Mettre au propre (net) *To recopy*
C'est un brouillon que je vais mettre au propre plus tard. Je dois encore mettre ce long devoir au net.

06 Autant en emporte le vent *It is all idle talk*
Il parle beaucoup, mais autant en emporte le vent. Ne crois pas tout ce qu'il dit; autant en emporte le vent!

07 Faire la cour à *To court, to woo*
Il me semble qu'il lui fait la cour depuis très longtemps. En effet, je fais la cour à cette jolie demoiselle.

08 Prêter à fonds perdus *To lend without security (hope)*
On nous a demandé de prêter à fonds perdus pour la paroisse. Le curé a demandé de bien vouloir prêter à fonds perdus.

09 Ne pas perdre des yeux *Not to let out of one's sight*
Ne les perdez pas des yeux pendant mon absence. Elle ne l'a pas perdu des yeux pendant toute la cérémonie.

10 Voix mal assurée *Unsteady voice*
Il s'est adressé à moi d'une voix mal assurée. C'est d'une voix mal assurée qu'elle m'a demandé de quitter.

11 **Avoir vent de** *To have an inkling of, to get wind of*
Avez-vous eu vent de sa dernière décision? Je n'ai pas eu vent de ses plans pour l'été.

12 **Se mettre en frais de** *To put oneself out to*
Il s'est mis en frais de servir tous ses invités. Ne vous mettez pas en frais de préparer tant de belles choses.

13 **Avoir fait son temps** *To have served its time*
Ma voiture est bonne, mais elle a fait son temps. Ayant fait son temps, il a décidé de démissionner.

14 **Avoir quelque chose derrière la tête** *To have something in the back of one's mind*
Il ne dit pas tout, je crois qu'il a quelque chose derrière la tête. Fais attention, car il a quelque chose derrière la tête.

15 **En raconter des vertes et des pas mûres** *To tell stories that would make a monkey blush*
Il en a raconté des vertes et des pas mûres, et j'ai bien ri. Va donc l'écouter, car il en raconte des vertes et des pas mûres.

16 **Être sur les dents** *To be done in, to be worn out*
Tout le monde est sur les dents après une telle journée. Après cette corvée, tout le monde est sur les dents.

17 **Entre chien et loup** *At dusk*
La collision a eu lieu entre chien et loup. J'aime bien faire ma promenade entre chien et loup, chaque soir.

18 **Faire un coup de tête** *To strike out with rash fury*
En quittant sa famille, elle a fait un autre coup de tête. Son père est désolé, car il a fait un autre coup de tête.

19 **Puits de science** *Well of knowledge*
Va le consulter, c'est un vrai puits de science. C'est un puits de science qui étonne tous ses disciples.

20 **Pleurer comme une Madeleine** *To cry like a baby, to cry profusely*
Après cette rupture, elle a pleuré comme une Madeleine. Elle a pleuré comme une Madeleine à la mort de sa mère.

. . . .

RÉPONDEZ AUX QUESTIONS SUIVANTES
EN EMPLOYANT LES EXPRESSIONS ÉTUDIÉES

1 A-t-il dit la même chose que vous?
2 Est-ce qu'on vous donnera raison?
3 Comment a-t-elle reçu le verdict?
4 Comment est le plancher de son grand salon?
5 As-tu fini ton long travail de philosophie?
6 Est-ce que je dois le croire quand il insiste?
7 Il y a longtemps que tu la connais?
8 Qu'est-ce que monsieur le curé a demandé à ses paroissiens?
9 Est-ce que je dois rester avec les enfants ce soir?
10 Était-il sûr de lui-même?
11 Qu'est-ce qu'il va faire l'été prochain?
12 Qu'est-ce que vous désirez manger ce soir?
13 Pourquoi as-tu l'intention de changer de voiture?
14 Est-ce que je dois lui faire confiance?
15 Que penses-tu de ce grand farceur?
16 Étiez-vous très fatigué hier soir?
17 Quand faites-vous votre promenade quotidienne?
18 Pourquoi son père semble-t-il si triste?
19 Est-ce que ses disciples l'admirent?
20 Comment a-t-elle accepté cette rupture inattendue?

VOCABULAIRE SPÉCIAL DE CETTE LEÇON

fondre – to melt, to dissolve
outils – tools
brouillon – rough copy
emporter – to carry away
démissionner – to resign
quotidien – daily

raconter – to tell
corvée – hard work
réclamer – to ask, to claim
pencher – to incline, to lean
rester – to remain
farceur – joker, comedian

FAITES DES PHRASES ORALES ET ÉCRITES
AVEC LES EXPRESSIONS SUIVANTES

faire la cour à – avoir fait son temps – comme de juste – faire un coup de tête – entre chien et loup – voix mal assurée – se mettre en frais de – fondre en larmes – propre comme un sou neuf

Leçon 95

01 Se répandre en un long discours (en invectives) *To launch into a long speech (into abuse)*
En guise de réponse, il s'est répandu en un long discours. Il ne l'a manque jamais et se répand en invectives contre elle.

02 Demoiselle d'honneur *Bridesmaid*
C'est ma jeune soeur qui sera sa demoiselle d'honneur. Les deux demoiselles d'honneur étaient très élégantes.

03 Avoir l'esprit court *To be of limited understanding*
Inutile d'insister, il ne comprend rien car il a l'esprit court. C'est une personne toquée qui a l'esprit court.

04 Se déchirer à belles dents *To tear someone's reputation to pieces*
En vidant leur sac, ils se sont déchirés à belles dents. Ces deux belles-soeurs se déchirent constamment à belles dents.

05 Accuser quelque chose *To appear*
Elle a vécu beaucoup d'épreuves et accuse ses quarante ans. Il accuse au moins trente ans.

06 Descente de police *Police raid*
Trente personnes ont été arrêtées lors de la descente de la police. Le crime a eu lieu avant la descente de la police.

07 Tomber raide mort *To drop dead*
Il a été frappé par la balle et il est tombé raide mort. Foudroyée par une crise cardiaque, elle est tombée raide morte.

08 L'affaire est dans le sac *It is as good as done, it's in the bag*
Ne te tracasse plus, car l'affaire est dans le sac. L'affaire est dans le sac, et maintenant il peut dormir en paix.

09 Mettre le doigt sur la plaie *To put one's finger on the sore*
Soyez énergique et franc; mettez le doigt sur la plaie. Il ne veut pas mettre le doigt sur la plaie; il est peureux.

10 Brûler la chandelle par les deux bouts *To burn the candle at both ends*
Il travaille fort et il brûle la chandelle par les deux bouts. Vous brûlez la chandelle par les deux bouts; reposez-vous un peu.

11 À ce train-là   *At the rate it is going, at that rate*
À ce train-là, les travaux ne finiront jamais. À ce train-là, tu ne seras pas prêt pour tes examens.

12 Voir du même oeil que   *To see eye to eye with*
Elle ne voit jamais les choses du même oeil que moi. Je ne vois pas les choses du même oeil que vous.

13 Faire double emploi   *To be a duplication, to be overlapping*
Ça fera double emploi, puisqu'il existe un projet de même nature. Changez ce mot qui fait double emploi avec l'autre.

14 S'adonner à la boisson   *To become addicted to drink*
Elle s'adonne à la boisson depuis la mort de son mari. Il s'adonne trop à la boisson, malgré les conseils de son médecin.

15 Faire faux bond   *To let down*
Il nous a fait faux bond et nous sommes partis sans lui. Ne faites pas faux bond comme l'autre jour, venez les rencontrer.

16 Avoir un appétit d'oiseau   *To eat like a bird*
Elle est bien grosse, pourtant elle a un appétit d'oiseau. Ce vieillard de 80 ans a un appétit d'oiseau.

17 Tirer à hue et à dia   *To go every which way*
Les chevaux tirent à hue et à dia parce que c'est trop lourd. Il tire à hue et à dia, car il ne sait pas ce qu'il veut.

18 Dévorer à belles dents   *To eat greedily, to tear someone's reputation to shreds*
Ils dévoraient ce lapin à belles dents. Il dévore tous ses adversaires à belles dents.

19 Paroles en l'air   *Idle talk, not serious*
Ne crains rien, ce sont des paroles en l'air. Ce sont des paroles en l'air qui ne me font pas peur.

20 Marcher (piler) sur les pieds de   *To step on someone's toes*
Ils est très violent, ne lui marchez pas sur les pieds. Il est furieux quand quelqu'un lui pile sur les pieds.

. . . .

RÉPONDEZ AUX QUESTIONS SUIVANTES
EN EMPLOYANT LES EXPRESSIONS ÉTUDIÉES

1. Comment a-t-il réagi à ces accusations?
2. Votre soeur assistera-t-elle au mariage de votre cousine?
3. Croyez-vous qu'il a bien compris?
4. Est-ce que ces deux belles-soeurs se voient souvent?
5. Quel âge lui donnez-vous?
6. Quand a eu lieu cet autre crime?
7. Comment est-elle morte?
8. Qu'est-ce que je pourrais faire dans ce cas difficile?
9. Pourquoi la situation ne change-t-elle pas?
10. Depuis quelque temps, je suis fatigué; que dois-je faire?
11. J'ai manqué deux semaines de cours; est-ce bien grave?
12. Pourquoi toutes ces discussions avec votre épouse?
13. Existe-t-il d'autres projets du genre?
14. Pourquoi est-il toujours malade et pâle?
15. Mais, il n'est pas allé à la chasse avec vous?
16. Est-ce que cette grosse femme mange beaucoup?
17. Pourquoi les chevaux avancent-ils si lentement?
18. En général, comment traite-t-il ses adversaires?
19. As-tu bien compris ce qu'il t'a dit hier soir?
20. Cet employé a-t-il bon caractère?

VOCABULAIRE SPÉCIAL DE CETTE LEÇON

demeure — home, residence
belle-soeur — sister-in-law
lors de — at the time of
foudroyé — struck down
crise cardiaque — heart attack
rentrer — to come back home

se tracasser — to worry
peureux — fearful
boisson — drink, beverage
bond — jump
vieillard — old man
plutôt — rather

FAITES DES PHRASES ORALES ET ÉCRITES
AVEC LES EXPRESSIONS SUIVANTES

tomber raide mort — faire faux bond — ce sont des paroles en l'air — faire double emploi — mettre le doigt sur la plaie — tirer à hue et à dia — s'adonner à la boisson — voir du même oeil que

01 Avoir le sang chaud   *To be quick-tempered*
Faites attention à ce que vous lui dites, il a le sang chaud. Gare à ses réactions, car il a le sang chaud.

02 Remède de bonne femme   *Old wives' remedy*
C'est un remède de bonne femme que je laisse aux naïfs. Ne me donnez pas cette médecine; c'est un remède de bonne femme.

03 À l'emporte-pièce   *Cutting, incisive*
Ce jeune juge émet des jugements à l'emporte-pièce. Cet orateur prononce de beaux discours à l'emporte-pièce.

04 Ne plus remettre les pieds chez   *Not to set foot again in*
Je ne remettrai plus jamais les pieds chez cet effronté. Je sais qu'elle ne remettra plus les pieds chez moi.

05 Un malheur en appelle un autre   *Misfortunes never come singly*
Comme on dit, un malheur en appelle un autre. Ce monsieur ne croit pas au dicton: Un malheur en appelle un autre.

06 Faire couler beaucoup d'encre   *To hear a lot about*
C'est un scandale qui fera couler beaucoup d'encre. C'est une guerre qui a fait couler beaucoup d'encre jusqu'ici.

07 Retomber en enfance   *To sink into one's second childhood*
Pauvre vieux! il retombe en enfance. Il a bonne santé, mais il est retombé en enfance depuis trois ans.

08 Être logé à la même enseigne   *To be in the same boat*
Ne te décourage pas, nous sommes logés à la même enseigne. Ces pauvres diables sont tous logés à la même enseigne.

09 Ne pas l'entendre de cette oreille   *Not to see things in that light*
Il croit avoir raison, mais je ne l'entends pas de cette oreille. Je ne l'entends pas de cette oreille, alors n'insiste pas.

10 Ne le savoir que par ouï-dire   *To know only by hearsay*
Je n'en suis pas très sûr, car je ne le sais que par ouï-dire. Elle ne le sait que par ouï-dire; le journal n'en parle pas.

11 Dévorer des yeux   *To devour with one's eyes*
Pendant toute la cérémonie, elle l'a dévoré des yeux. Il m'a dévoré des yeux pendant tout mon discours.

12 Prendre les devants   *To go on ahead*
C'est elle qui prend les toujours les devants; elle est très active.
C'est un patron énergique qui prend toujours les devants.

13 Être d'un commerce agréable   *To be easy to get on with, to be*
pleasant to deal with
Allez la voir, elle est d'un commerce agréable. Il semble bourru,
mais il est d'un commerce agréable.

14 Ne pas remuer le petit doigt   *Not to lift a finger for*
Il est si timide qu'il n'ose même pas remuer le petit doigt. Il a été
bien tranquille et il n'a pas remué le petit doigt.

15 Reprendre le dessus   *To recover, to improve, to get better*
Après cette faillite, il a fini par reprendre le dessus. Après trois
mois de convalescence, il reprend le dessus peu à peu.

16 Sauf cas de force majeure   *Except in the case of absolute neces-*
sity
Le ministre n'interviendra pas, sauf cas de force majeure. Sauf cas
de force majeure, il n'y aura pas de grève.

17 Mon petit doigt me l'a dit   *A little bird told me*
Ah! je le sais déjà, car mon petit doigt me l'a dit. Mon petit doigt
me l'a dit et j'en sais plus long que toi.

18 Passer outre à un ordre   *To ignore (overrule) an order*
Les grévistes ont passé outre à un ordre de la Cour. Les contesta-
taires ont passé outre aux ordres de la police.

19 Billet de faveur   *Complimentary ticket*
Je pourrai assister au spectacle car j'ai eu un billet de faveur. Il
n'y aura aucun billet de faveur pour cette représentation.

20 Se remettre en selle   *To re-establish oneself in business*
Ce petit commerçant s'est remis en selle après cet incendie. Ils
l'avaient congédié, mais il va se remettre en selle.

. . . .

RÉPONDEZ AUX QUESTIONS SUIVANTES
EN EMPLOYANT LES EXPRESSIONS ÉTUDIÉES

1 Dois-je lui dire les choses telles qu'elles sont?
2 Mais tu n'aimes pas cette médecine?
3 Cet orateur est-il bien convaincant?
4 Va-t-elle revenir pour te parler de cette affaire-là?
5 Que pense-t-il de cette triste nouvelle?
6 Que disent les gens de ce scandale qui fait tant de bruit?
7 Pourquoi répète-t-il toujours la même chose à tout le monde?
8 Que vais-je faire avec tous ces problèmes?
9 Approuvez-vous tout ce qu'il dit?
10 Es-tu bien sûr de cette nouvelle que tu annonces?
11 Était-il bien attentif pendant que tu parlais?
12 Qui a décidé de faire laver les murs du salon?
13 Êtes-vous allé le consulter?
14 A-t-il été bien gentil pendant notre longue absence?
15 Comment va-t-il depuis son opération?
16 Est-ce que le gouvernement va intervenir dans cette affaire?
17 Comment se fait-il? Tu le sais déjà?
18 Les grévistes vont-ils rentrer au travail demain?
19 Assisterez-vous à ce spectacle?
20 Est-ce qu'il va reprendre son emploi au bureau?

VOCABULAIRE SPÉCIAL DE CETTE LEÇON

effraction — breakthrough
prononcer — to deliver
discours — speech
effronté — impudent person
couler — to flow, to run
jusqu'ici — so far
manchettes — headlines

remuer — to move
faillite — bankruptcy
gréviste — striker
selle — saddle
congédier — to dismiss, to fire
convaincant — convincing

FAITES DES PHRASES ORALES ET ÉCRITES
AVEC LES EXPRESSIONS SUIVANTES

retomber en enfance — prendre les devants — reprendre le dessus — à l'emporte-pièce — billet de faveur — dévorer quelqu'un des yeux — faire couler beaucoup d'encre — ne plus remettre les pieds

01 Laver le plancher à grande eau *To wash the floor with lots of water*
Elle a le courage de laver le plancher à grande eau. De nos jours, il est rare qu'on lave le plancher à grande eau.

02 Une bonne fourchette *Someone who likes to eat very well*
Il aime les bons restaurants; c'est une bonne fourchette. C'est une bonne fourchette; invite-le à un endroit très chic.

03 Y aller un peu fort *To exaggerate*
Quand tu dis cinquante, tu y vas un peu fort. Vous y allez un peu fort en demandant 200 $.

04 Figure de proue *Figurehead*
Il fait figure de proue dans le domaine des affaires. Nous la suivrons, car c'est notre figure de proue.

05 Qu'on le veuille ou non *Willingly or not*
Qu'on le veuille ou non, c'est la décision qui a été prise. Qu'on le veuille ou non, nous devrons faire comme les autres.

06 Vous n'y êtes pas du tout *You are quite mistaken, wrong*
Vous n'y êtes pas du tout; il n'a pas dit cela. Ce n'est pas lui qui a dit cela; vous n'y êtes pas du tout.

07 Tomber à bras raccourcis *To hit with might and main*
Les policiers sont tombés à bras raccourcis sur le bandit. Le patron est tombé à bras raccourcis sur son employé.

08 Rendre coup pour coup *To return blow for blow*
Il était bien décidé et il lui a rendu coup pour coup. Je vais te rendre coup pour coup si tu m'attaques.

09 Boire (prendre) un coup de trop *To have a drop too much*
Comme d'habitude, il a pris un coup de trop hier soir. Regarde-le marcher, il a bu un coup de trop et il chancelle.

10 Se laisser manger (tondre) la laine sur le dos *To let oneseself be fleeced*
Je ne me laisserai pas manger la laine sur le dos par lui. Ne crains pas, elle ne se laissera pas tondre la laine sur le dos.

11 Y regarder à deux fois avant de *To think twice before*
Regardez à deux fois avant de prendre une telle décision. Elle va y regarder à deux fois avant de se marier avec lui.

12 Gros Jean comme devant *To be in the same situation*
Après deux mois d'attente, le voilà gros Jean comme devant. Malgré les promesses, il s'est retrouvé gros Jean comme devant.

13 Être vieux jeu *To be old-fashioned*
On rit beaucoup d'elle, car elle est plutôt vieux jeu. Cette dame est vieux jeu et elle a beaucoup d'ennemies.

14 Petits fours *Cup-cakes, petits fours*
Elle nous a reçus avec des petits fours. Je n'aime pas les gâteaux, mais j'adore les petits fours.

15 Y laisser des plumes *Not to come off unscathed*
Il est sorti vainqueur, mais il y a laissé des plumes. Faites bien attention, car vous y laisserez des plumes.

16 Éclairer la lanterne de quelqu'un *To give explanations to someone*
Si ce n'est pas simple, je vais éclairer votre lanterne. Je vais éclairer sa lanterne, car il ne semble pas comprendre.

17 Avoir toujours la larme à l'oeil *To be easily moved to tears*
Attention à vos remarques, car elle a toujours la larme à l'oeil. Il a toujours la larme à l'oeil ; on ne peut rien lui dire.

18 Faire du lèche-vitrines *To do window-shopping*
Je suis allé pour faire un peu de lèche-vitrines. Elle a fait du lèche-vitrines sans rien acheter de spécial.

19 Passer comme une lettre à la poste *To go through very easily*
C'est une résolution qui va passer comme une lettre à la poste. Ce projet de loi va passer comme une lettre à la poste.

20 Porter de l'eau à son moulin *To take grist to one's mill*
Il a dit cela pour porter plus d'eau à son moulin. C'est pour porter de l'eau à son moulin qu'il a écrit cela.

. . . .

RÉPONDEZ AUX QUESTIONS SUIVANTES
EN EMPLOYANT LES EXPRESSIONS ÉTUDIÉES

1   Êtes-vous bien occupé?
2   Aime-t-il manger, en général?
3   Est-ce trop de demander 200 $?
4   A-t-il bonne renommée dans le milieu?
5   Qu'est-ce que je devrai faire dans cette circonstance?
6   Saviez-vous que c'est précisément lui qui m'a dit cela?
7   Le voleur a-t-il eu le temps de s'enfuir?
8   Quelle sera alors ta réaction?
9   Est-il vrai qu'il s'est encore battu?
10 Penses-tu qu'elle va pouvoir se défendre?
11 A-t-elle vraiment l'intention de le marier?
12 A-t-il obtenu l'emploi qu'on lui avait promis?
13 Pourquoi ses voisines rient-elles de cette femme?
14 Aimez-vous les desserts?
15 A-t-il obtenu une victoire complète?
16 Est-ce que c'est assez clair?
17 As-tu remarqué comme il pleure souvent?
18 Es-tu allé en ville cet après-midi?
19 Que penses-tu de ce nouveau projet de loi?
20 Pourquoi a-t-il écrit cet article dans le journal?

VOCABULAIRE SPÉCIAL DE CETTE LEÇON

raccourci — shortened
coup — drink, shot
chanceler — to stagger
laine — wool
attente — waiting
pleurer — to cry, to weep

plume — feather
larme — tear
projet de loi — bill, law
moulin — mill
s'enfuir — to escape

FAITES DES PHRASES ORALES ET ÉCRITES
AVEC LES EXPRESSIONS SUIVANTES

petits fours — que tu le veuilles ou non — faire du lèche-vitrines — y laisser des plumes — figure de proue — ne pas se laisser manger la laine sur le dos — avoir toujours la larme à l'oeil

Leçon 98

01 Traite des blanches *White slavery*
On fait encore la traite des blanches dans les pays civilisés. La traite des blanches est clandestine, mais elle existe.

02 Enfoncer une porte ouverte *To tell what everybody knows*
En disant cela, vous voulez simplement enfoncer une porte ouverte. N'essaie pas d'enfoncer une porte ouverte, tout le monde le sait.

03 Porter aux nues *To praise to the skies*
Il estime bien son patron et il le porte aux nues. Il porte cet homme aux nues et vante tous ses mérites.

04 Se porter garant de *To guarantee, to vouch for*
Je me porte garant de tout ce qu'il vous dira. Ne craignez rien, je m'en porte garant.

05 Être en mauvaise posture pour *To be ill-situated (placed) to*
Vous êtes en mauvaise posture pour critiquer ce qu'il a fait. Le candidat est en mauvaise posture après le premier tour de scrutin.

06 Arriver à bon port *To arrive safely (duly)*
Ne vous inquiétez pas, ils vont arriver à bon port. La tempête ne les a pas empêchés d'arriver à bon port.

07 Mener un train d'enfer *To make a hellish noise*
Les motards ont mené un train d'enfer cette nuit. Avec cette musique ils mènent un vrai train d'enfer.

08 Chanter (chercher) pouilles à *To abuse, to harrass*
Il m'a chanté pouilles, et je ne sais pas pourquoi. Il n'est pas venu, et ils lui ont cherché pouilles.

09 Avoir le vent en poupe *To be on a lucky streak*
Il réussit très bien en affaires; il a le vent en poupe. Ayant le vent en poupe, ce mouvement social progresse vite.

10 Mettre le doigt entre l'arbre et l'écorce *To be involved in quarrels*
Il met le doigt entre l'arbre et l'écorce et ne sait que faire. Il est bien embarrassée puisqu'il a mis le doigt entre l'arbre et l'écorce.

11 Faire époque *To mark an era*
La signature de ce document fera certainement époque. Ce discours mémorable fera époque.

12 En prendre un coup *To be damaged (harmed)*
Sa réputation pourrait en prendre un coup assez grave. Attention, vous pourriez en prendre un coup plutôt dur.

13 Ne pas prendre *Not to work*
Il a bien insisté, mais son histoire n'a pas pris. N'insistez pas à le répéter, ça ne prend pas du tout.

14 À peu de chose près *Nearly, almost*
Ils ont atteint la somme désirée, à peu de chose près. Elle a réuni une cinquantaine d'amies, à peu de chose près.

15 Aller au plus pressé *To attend to the most pressing*
Je vais au plus pressé, car j'ai beaucoup de choses à faire. Allez au plus pressé si vous ne savez pas où commencer.

16 Se montrer bon prince *To be obliging, to be a good fellow*
J'ai été surpris, car il a su se montrer bon prince. Il s'est montré bon prince envers moi; c'est étrange.

17 Il est écrit que *It is fated that*
Il est écrit que ça se terminera très mal. Il est écrit que personne ne s'en sauvera.

18 Tout prendre au tragique *To take everything too seriously*
C'est curieux, elle prend tout au tragique, cette fille-là. Il a la manie de tout prendre au tragique; il est pessimiste.

19 Mettre sur le dos de *To pin on, to accuse*
Ils ont mis tout cela sur le dos du Premier Ministre. Elle a mis tout cela sur le dos du pauvre professeur.

20 Suivre comme des moutons de Panurge *To follow blindly*
Aucune initiative de leur part: ils suivent comme des moutons de Panurge. Ils suivent comme des moutons de Panurge en temps d'élections.

RÉPONDEZ AUX QUESTIONS SUIVANTES
EN EMPLOYANT LES EXPRESSIONS ÉTUDIÉES

1 Comment expliquer la disparition de certaines jeunes filles?
2 Crois-tu ce que je te dis en ce moment?
3 Est-ce qu'il va être d'accord avec son vieux patron?
4 Est-ce que je dois me fier à ses promesses?
5 Votre candidat espère-t-il gagner ses élections?
6 Ont-ils été pris dans la tempête?
7 As-tu entendu du bruit après minuit?
8 Est-il venu à la réunion générale des membres de l'association?
9 Que penses-tu du nouveau mouvement social de la paroisse?
10 Qu'est-ce qu'il a décidé de faire dans ce cas?
11 As-tu aimé le discours du président de la compagnie?
12 Est-ce que ce grand scandale va lui nuire?
13 As-tu cru ce qu'il t'a dit en secret?
14 Y avait-il beaucoup d'invitées chez elle, hier soir?
15 Par où dois-je commencer, ce matin?
16 As-tu été surpris de sa réponse?
17 Êtes-vous certain que ça se passera de cette façon?
18 Est-elle bien contente de tes décisions?
19 Qui les journalistes ont-ils accusé?
20 Pour quel parti vont-ils voter le mois prochain?

VOCABULAIRE SPÉCIAL DE CETTE LEÇON

traite — commerce, trade
enfoncer — to break open
nue — cloud
scrutin — ballot
motards — motorcyle-gang
poupe — stern, poop
nuire — to harm

écorce — bark
atteindre — to reach
cinquantaine — about fifty
plutôt — rather, quite
pouilles — lice
patron — boss, manager
se fier à — to trust, to rely

FAITES DES PHRASES ORALES ET ÉCRITES
AVEC LES EXPRESSIONS SUIVANTES

faire époque — ne pas prendre — porter aux nues — aller au plus pressé —
arriver à bon port — chanter pouilles à — en prendre un coup — avoir le vent
en poupe — tout prendre au tragique — se montrer bon prince

Leçon 99

01 Comme l'oiseau sur la branche *To have no fixed plans*
Il n'a aucun plan; il est un peu comme l'oiseau sur la branche. Ils n'ont pris aucune décision; ils sont comme l'oiseau sur la branche.

02 Brûler les étapes *To continue non-stop*
Pour finir ce travail à temps, ils brûlent les étapes. Il a brûlé les étapes et il a déjà terminé son projet.

03 Il y a une ombre au tableau *There is a fly in the ointment*
C'est un projet merveilleux, mais il y a une ombre au tableau. Je sais qu'elle fait de son mieux, mais il y a une ombre au tableau.

04 Lâcher la proie pour l'ombre *To lose the substance for the shadow*
Il n'est pas très sage de lâcher la proie pour l'ombre. Les rêveurs lâchent généralement la proie pour l'ombre.

05 Être sur la même longueur d'onde *To have the same feelings (opinion), to be on the same wave length*
Ne discutons pas, car nous ne sommes pas sur la même longueur d'onde. N'en parlons plus; vous n'êtes pas sur la même longueur d'onde que moi.

06 Avoir de l'esprit jusqu'au bout des ongles *To be very witty, to be a real clown*
C'est un jeune homme qui a de l'esprit jusqu'au bout des ongles. Elle a de l'esprit jusqu'au bout des ongles, et je l'aime bien.

07 Mettre une question aux voix *To put an issue to the vote*
Ils ont mis la question aux voix, et ils ont gagné. Nous allons mettre la question aux voix pour en avoir le coeur net.

08 L'oreille basse *Crest-fallen, with a flea in one's ear*
Après cette déception, il est parti l'oreille basse. Elle est partie l'oreille basse après un tel échec.

09 Faire un pas de clerc *To make an untimely step*
Malgré toute son expérience, il a fait un pas de clerc. N'ayant pas réfléchi, il a fait un pas de clerc.

10 Se mettre martel en tête *To worry*
Il se met martel en tête quand il a à prendre une décision. Comme elle n'a pas réussi, elle s'est mis martel en tête.

11 **Éventer (vendre) la mèche**   *To discover the plot, to let the cat out of the bag*
Heureusement que la police a réussi à éventer la mèche! C'est le voisin qui a vendu la mèche.

12 **Courber l'échine devant**   *To bow down to*
Je tiens à mes idées et je ne courberai l'échine devant personne. Pour avancer, faut-il courber l'échine devant le patron?

13 **Être tout ouïe**   *To be all ears (attention)*
Pendant que je parlais, ils étaient tout ouïe. Comme il ne parle pas fort, il faut être tout ouïe.

14 **Faire aller les langues**   *To set people's tongues wagging*
Cette décision du ministre dera aller les langues. Avec une telle conduite, il n'est pas étonnant qu'elle fasse aller les langues.

15 **Mourir à la besogne (tâche)**   *To die in harness*
Mon cher ami, ralentissez votre rythme ou vous allez mourir à la besogne. Il est mort à la tâche, et personne n'en a fait de cas.

16 **Y mettre le paquet**   *To risk everything*
Si tu veux l'obtenir, il faudra y mettre le paquet. J'y ai mis le paquet et je suis sûr de pouvoir l'avoir.

17 **C'est du pareil au même**   *It's always the same*
Avec ce patron, ça n'a pas changé; c'est du pareil au même. C'est du pareil au même, et n'essaie pas de me tromper avec ça.

18 **Traiter en parents pauvres**   *To give less consideration*
Cette région éloignée de la province est traitée en parents pauvres. Ils se plaignent d'être traités en parents pauvres.

19 **Ne pas arriver à la cheville de**   *Not to hold a candle to*
Le remplaçant n'arrive pas à la cheville du prédécesseur. Il ne lui arrive pas à la cheville, et il est très nerveux.

20 **Faire un mauvais parti à**   *To ill-treat someone*
Ils ont fait un mauvais parti au policier sur les lieux. Si le patron se présente, les grévistes lui feront un mauvais parti.

RÉPONDEZ AUX QUESTIONS SUIVANTES
EN EMPLOYANT LES EXPRESSIONS ÉTUDIÉES

1 Qu'est-ce qu'il va faire l'année prochaine?
2 Pourquoi se dépêchent-ils toute la journée?
3 Es-tu content du travail qu'elle t'a présenté?
4 Vas-tu préférer l'autre choix?
5 Est-ce que nous allons nous mettre d'accord sur le sujet?
6 Pourquoi aime-t-elle la compagnie de ce jeune homme?
7 Qu'est-ce que vous allez décider dans cette réunion?
8 Quelle a été sa réaction à un tel échec?
9 Comment peux-tu expliquer cette étrange erreur?
10 Pourquoi semble-t-il si préoccupé depuis quelque temps?
11 Comment ont-ils pu arrêter les deux voleurs?
12 Est-il bien vu dans le milieu?
13 Pourquoi tout le monde écoute-t-il si attentivement?
14 Quelles réactions sa politique a-t-elle suscitées?
15 Est-ce qu'elle travaille toujours ainsi?
16 Es-tu certain de pouvoir l'obtenir?
17 Est-ce qu'il y a eu beaucoup de changements au bureau avec lui?
18 Les habitants de cette région sont-ils très heureux?
19 Le directeur est-il satisfait du remplaçant de monsieur X?
20 Quelle est l'intention des grévistes pour la réunion de demain soir?

VOCABULAIRE SPÉCIAL DE CETTE LEÇON

étape – lap, distance
ombre – shadow
échec – failure
martel – hammer
lâcher – to let go

mèche – wick
ouïe – hearing
cheville – ankle
gréviste – striker
se dépêcher – to rush, to hurry

FAITES DES PHRASES ORALES ET ÉCRITES
AVEC LES EXPRESSIONS SUIVANTES

faire un pas de clerc – être tout ouïe – brûler les étapes – y mettre le paquet – éventer la mèche – il y a une ombre au tableau – c'est du pareil au même – traiter en parents pauvres

Leçon 100

01 Billet d'entrée *Admission ticket*
N'oubliez pas d'acheter votre billet d'entrée le plus tôt possible.
Les billets d'entrée de ce spectacle coûtent 15,00 $.

02 Ne plus tenir en place *Not to keep still, to be restless*
Après une demi-heure en classe, il ne tient plus en place. Elle ne
tient plus en place après vingt minutes en auto.

03 Faire place nette *To steal everything, to empty*
Les voleurs ont fait place nette, ne laissant que les murs. Plus
rien dans le réfrigérateur: ils ont fait place nette.

04 Avoir une araignée au plafond *To have a bee in one's bonnet*
Ne l'écoute pas, il a une araignée au plafond. Elle a une araignée
au plafond et ne le constate pas.

05 Avoir du plomb dans l'aile *To be in a bad way*
Cette nouvelle initiative ne marche pas; elle a du plomb dans l'aile. Ce mouvement va trop lentement; il a du plomb dans l'aile.

06 Travailler pour un salaire de famine *To work for starvation
wages*
Les ouvriers ne veulent plus travailler pour des salaires de famine.
Il a travaillé trop longtemps pour un salaire de famine; c'est fini!

07 À la pige *Free-lance*
Il a été engagé comme traducteur à la pige et il aime bien ça. Certains journalistes travaillent à la pige pendant la session.

08 Entre la poire et le fromage *At the end of the meal*
Il dira quelques mots aux invités entre la poire et le fromage. Entre la poire et le fromage, la conversation va bon train.

09 À la saint-glinglin *For ever and ever*
La décision a été renvoyée à la saint-glinglin. Il m'a dit qu'il se re-
poserait à la saint-glinglin.

10 Faire bon ménage *To get along (agree) with*
Chez moi, les deux chats font bon ménage avec le gros chien. Les
quatre étudiants font bon ménage dans cet appartement.

11 Traîner la savate   *To be down at heel, to drag along aimlessly*
C'est une pauvre famille de chômeurs qui traînent la savate.
Bien des gens traînent la savate dans cette région abandonnée.

12 Prendre une bonne cuite   *To get drunk*
Il a pris une autre bonne cuite pendant le long week-end. Quand
il prend une bonne cuite, il devient insupportable.

13 Mettre (placer) sur la sellette   *To call to account*
Ce pauvre ministre a été mis sur la sellette pendant l'enquête. Le
présumé auteur du crime a été placé sur la sellette.

14 Ne pas quitter d'une semelle   *To watch very closely*
Son garde du corps ne l'a pas quitté d'une semelle en voyage. Je
ne le quitte pas d'une semelle, car il ne voit rien.

15 Manquer d'esprit de suite   *To be lacking in sense of sequence*
Il ne réussit jamais, car il manque d'esprit de suite. Il n'a pas de
méthode; il manque d'esprit de suite partout.

16 Être suspendu aux lèvres de   *To hang on someone's words*
Les invités étaient suspendus aux lèvres de l'orateur. Qu'il parle
bien! tout le monde est suspendu à ses lèvres.

17 Se prendre pour le nombril du monde   *To think one is God's*
gift to man
Quel orgueilleux! il se prend pour le nombril du monde. Je déteste ceux qui se prennent pour le nombril du monde.

18 Sentir la moutarde monter au nez   *To feel oneself getting mad*
(angry)
Devant une telle insulte, j'ai senti la moutarde me monter au nez.
Il a senti la moutarde lui monter au nez en entendant cela.

19 L'emporter de justesse   *To have a narrow victory*
Ce boxeur l'a emporté de justesse sur son adversaire. Notre équipe l'a emporté de justesse, samedi soir.

20 Adversaire de taille   *Dreadful rival*
Il est risqué d'affronter un adversaire de taille comme lui. Ce bloc
de deux mille expressions est une adversaire de taille!

EXERCICES DE LA LEÇON 100

. . . .

RÉPONDEZ AUX QUESTIONS SUIVANTES
EN EMPLOYANT LES EXPRESSIONS ÉTUDIÉES

1 Viendras-tu avec moi au spectacle?
2 Cet enfant est-il vraiment nerveux?
3 Est-ce que les voleurs ont emporté plusieurs articles?
4 Comprends-tu bien ce qu'elle dit?
5 Est-ce que le nouveau mouvement progresse rapidement?
6 Pourquoi y a-t-il tant de grèves depuis quelques années?
7 Est-ce qu'il a un emploi présentement?
8 À la fin du repas, va-t-il adresser la parole?
9 Est-ce que ton patron a l'intention de se reposer cette année?
10 Sont-ils contents de l'appartement qu'ils ont trouvé?
11 Mais, cette famille n'a pas d'automobile?
12 Est-ce qu'il a toujours un si mauvais caractère?
13 A-t-il été interrogé par la police?
14 Pourquoi suivez-vous toujours ce vieil oncle?
15 Cette étudiante réussit-elle toujours?
16 Est-ce qu'il a bien parlé, entre la poire et le fromage?
17 Pourquoi détestes-tu un homme si intelligent?
18 Pourquoi vous êtes-vous fâché en sa compagnie?
19 Est-ce que ton équipe favorite a gagné la partie?
20 Que penses-tu de ces deux mille expressions idiomatiques?

VOCABULAIRE SPÉCIAL DE CETTE LEÇON

pion — pawn
araignée — spider
constater — to realize
plomb — lead
aller bon train — to go well
orgueilleux — proud
nombril — navel

savate — old shoe
présumé — alleged
sellette — stool of repentance
semelle — sole
garde du corps — guardsman
affronter — to match, to fight

FAITES DES PHRASES ORALES ET ÉCRITES
AVEC LES EXPRESSIONS SUIVANTES

faire bon ménage — faire place nette — travailler à la pige — prendre une bonne cuite — avoir du plomb dans l'aile — ne plus tenir en place — se prendre pour le nombril du monde — avoir une araignée au plafond — traîner la savate

INDEX
EXPRESSIONS FRANÇAISES

L'index a été conçu de façon à vous permettre de trouver rapidement les expressions que vous recherchez. Chaque expression est suivie de deux chiffres qui renvoient au numéro de l'expression (chiffre entre parenthèses) et à la page. Exemple: **Passer comme une lettre à la poste (19)302.** Cela signifie que vous la trouverez à la page **302** et qu'il s'agit de l'expression **19.** Le dernier chiffre de la séquence renvoie toujours à la page où se trouve l'expression.

A

B

D

être à son compte (19)284
être assis entre deux chaises (19)140
être au bout de son fil (17)236
être au bout de son fuseau (17)236
être au bout du fil (01)88
être au fait de (15)197
être aux abois (20)80
être aux anges (11)266
être aux petits soins pour (08)121
être aux trousses de (11)76
être bien mal emmanché (18)134
être bien mis (18)83
être bien portant (16)98
être criblé de dettes (14)188
être d'accord avec (18)26
être dans la lune (13)119
être dans la manche de quelqu'un (12)89
être dans la peau d'un personnage (20)266
être dans le coup (04)268
être dans l'embarras (05)43
être dans le pétrin (05)43
être dans le vent (18)71
être dans tous ses états (13)266
être d'attaque (18)224
être de bon ton de (14)212
être de mèche avec (17)200
être de mise de (09)259
être de moitié avec (03)166
être des nôtres (10)58
être de trop (14)197
être du côté du manche (18)182
être du même avis que (09)61
être d'un commerce agréable (13)299
être du ressort de (11)92
être en beauté (13)176
être en brouille avec (16)227
être en butte à (01)100
être en droit de (14)194
être en instance de (14)143
être en maudit contre (19)200
être en mauvaise posture pour (05)304
être en mesure de (18)68
être en panne (04)58
être en passe de (19)71
être en perte de vitesse (15)164
être en quête de (08)82
être en règle (03)283
être en reste (20)116
être en rogne (07)220
être en rupture de ban avec (06)268
être en train (04)52
être en train de (19)26
être entre deux vins (03)142
être en voie de (19)74
être ferré sur (06)136
être fichu (01)142
être installé à demeure (10)184
être la bête noire de (05)172
être le dindon de la farce (01)55
être le portrait vivant de (12)212
être logé à la même enseigne (08)298
être mal élevé (13)242

être malvenu à (10)214
être mis à pied (06)139
être peu commode (10)127
être plus mal en point (13)218
être pompette (11)118
être pressé (08)160
être pris au dépourvu (14)287
être pris en chasse (10)205
être pris la main dans le sac (02)268
être rond (11)205
être sous les drapeaux (13)131
être sur la même longueur d'onde (05)307
être sur la paille (19)41, (14)68
être sur le dos de (05)139
être sur le point de (18)35
être sur les dents (16)293
être sur les épines (02)136
être sur le tas (02)185
être suspendu aux lèvres de (16)311
être tenu de répondre (14)284
être tiré à quatre épingles (03)40
être tout en eau (18)74
être tout feu tout flammes (07)79
être tout ouïe (13)308
être une forte tête (20)179
être un mordu de (10)202
être vieux jeu (13)302
et vous m'en direz des nouvelles! (05)58
eu égard à (20)134
éventer la mèche (11)308
expression qui fait image (17)146

F

faire acte de présence (07)241
faire à dessein (12)183
faire aller les langues (14)308
faire amende honorable (01)82
faire à sa guise (01)196
faire à sa tête (01)196
faire avaler des couleuvres (11)269
faire bande à part (01)193
faire bon ménage (10)310
faire bonne chère (09)40
faire boule de neige (17)197
faire cavalier seul (10)268
faire chaud au coeur (07)217
faire chou blanc (10)241
faire corps avec (02)247
faire couler beaucoup d'encre (06)298
faire couler de l'eau (15)203
faire damner (04)130
faire danser les écus (03)199
faire déborder le vase (14)236
faire de la peine à (16)35
faire de la réclame (19)83
faire de l'auto-stop (02)31
faire de l'esprit (07)106
faire de l'oeil à (17)155
faire des achats (10)37
faire des châteaux en Espagne (07)82

N

nature morte	(17)56
n'avoir aucun lendemain	(07)199
n'avoir cesse de répéter	(08)229
n'avoir que faire de	(19)86
n'avoir rien à cacher	(07)76
n'avoir rien à se mettre sous la dent	(17)116
n'avoir rien dans le corps	(18)206
n'avoir rien en propre	(04)100
ne coupez pas!	(11)259
ne faire que	(20)71
ne faire que rire	(06)214
ne faire qu'un avec	(07)259
ne le savoir que par ouï-dire	(10)298
ne manquez pas de me le faire savoir	(15)62
n'en déplaise à	(09)244
n'en pas faire d'autres	(13)257
n'en tenir qu'à	(15)242
ne pas arriver à la cheville de	(19)308
ne pas avoir de prise sur	(08)208
ne pas avoir froid aux yeux	(02)40
ne pas avoir son pareil	(05)106
ne pas avoir un sou vaillant	(08)256
ne pas en croire ses yeux	(06)115
ne pas en croire un traître mot	(11)251
ne pas en mener large	(01)151
ne pas en rester là	(11)227
ne pas être à la hauteur de	(08)244
ne pas être dans son assiette	(13)80
ne pas être de la compétence de	(07)127
ne pas être de taille	(11)221
ne pas être de tout repos	(05)268
ne pas être né d'hier	(12)230
ne pas faire grand cas de	(02)46
ne pas faire languir	(06)124
ne pas faire long feu	(13)107
ne pas faire vieux os	(12)101
ne pas laisser d'être serviable	(16)269
ne pas l'entendre de cette oreille	(09)298
ne pas le voler	(20)197
ne pas mâcher ses mots	(03)67
ne pas marcher	(17)14
ne pas perdre des yeux	(09)292
ne pas pouvoir sentir quelqu'un	(02)145
ne pas prendre	(13)305
ne pas quitter d'une semelle	(14)311
ne pas reculer d'une semelle	(20)230
ne pas remuer le petit doigt	(14)299
ne pas savoir à quel saint se vouer	(08)250
ne pas savoir au juste	(18)38
ne pas savoir par quel bout prendre quelqu'un	(12)254
ne pas savoir sur quel pied danser	(05)130
ne pas se fouler la rate	(05)154
ne pas s'en tenir à	(14)242
ne pas se sentir de joie	(14)155
ne pas tarder à	(10)115
ne pas tenir en place	(03)286
ne pas tirer à conséquence	(07)280
ne pas tourner rond	(20)65

ne pas vouloir en démordre	(15)230
ne pas y aller avec le dos de la cuiller	(20)137
ne pas y aller de main morte	(14)140
ne pas y aller par quatre chemins	(12)77
ne pas y pouvoir grand-chose	(20)113
ne plus avoir sa tête à soi	(19)218
ne plus en pouvoir	(01)274
ne plus être dans le coup	(19)254
ne plus remettre les pieds chez	(04)298
ne plus tenir de nos jours	(07)181
ne plus tenir en place	(02)310
ne quittez pas l'écoute	(10)145
ne savoir où donner de la tête	(12)86
né sous une bonne étoile	(07)136
ne tenir qu'à un cheveu	(12)224
n'être plus en état de	(19)188
nettoyage en règle	(04)289
nid à rats	(06)166
n'importe qui	(09)34
nommer les choses par leur nom	(08)166
n'y avoir rien à l'épreuve de	(13)152
n'y pas regarder de si près	(15)74
n'y voir goutte	(19)53

O

observer bouche bée	(07)115
oeufs à la coque	(10)166
offrir prise à	(04)274
on a eu vite fait de dire que	(02)274
on aura tout vu!	(09)172
on eut vite fait de dire que	(02)274
on n'en sortirait plus!	(20)188
on ne sait jamais quelle mouche la pique	(14)269
on ne sait jamais quelle mouche le pique	(14)269
on se l'arrache	(20)161
ordre du jour	(17)179
où bon il vous semblera	(13)59
ouï dire	(09)220
ouvrir la marche	(13)224

P

panier percé	(05)124
par ailleurs	(08)64
paraître à la barre	(14)224
par contre	(18)23
par-dessus le marché	(19)14
par égard pour	(02)112
par endroits	(10)157
par hasard	(08)58
par la force des choses	(15)224
par la voie des airs	(14)245
par le fait que	(06)121
parler du nez	(06)106
parler en termes crus	(19)137

R

Q

se mettre en tête de	(14)230	se rincer le gosier	(12)152
se mettre le doigt dans l'oeil	(08)94	se rincer l'oeil	(14)134
se mettre les pieds dans les plats	(06)55	serrer une question de près	(01)97
se mettre martel en tête	(10)307	se saigner aux quatre veines	(03)151
se mettre sur son quant à soi	(01)247	se sentir mal en train	(09)283
se mettre sur son trente et un	(20)77	se serrer la main	(13)44
se mettre tout le monde à dos	(10)133	se servir de	(05)22
se monter la tête	(11)68	se taper les cuisses d'aise	(15)275
se montrer bon prince	(16)305	se tenir à l'écart de	(09)118
se moquer des gens	(11)155	se tenir au garde-à-vous	(04)277
se moquer du monde	(11)155	se terminer en queue de poisson	(04)214
se mouiller la luette	(02)97	se tirer d'affaire	(12)29
s'en donner à coeur joie	(11)47	se tirer d'un mauvais pas	(15)248
s'en faire accroire	(18)59	se tromper d'adresse	(13)29
s'en laver les mains	(07)43	se tromper de numéro	(01)223
s'en lécher les babines	(16)275	se tromper de porte	(13)29
s'en moquer comme de l'an		se vendre comme des petits pains	
quarante	(18)194	chauds	(08)190
s'en mordre les doigts	(16)53	si bien que	(12)161
se noyer dans un verre d'eau	(18)173	si je ne m'abuse	(14)248
s'en payer	(08)145	si le coeur vous en dit	(12)47
s'en prendre à	(03)34	s'inscrire en faux	(17)137
s'en rapporter à	(18)155	soigner	(13)35
sens unique	(10)40	soigner aux petits oignons	(09)247
s'entendre avec	(05)115	sonner le glas de	(14)158
s'entendre comme chien et chat	(12)278	sortir de ses gonds	(07)109
s'entendre comme larrons en foire	(19)221	sortir en coup de vent	(02)250
s'entendre une fois pour toutes	(03)49	sortir en trombe	(07)112
s'en tenir à	(09)64	sortir le chat du sac	(08)118
s'en tenir au strict nécessaire	(19)212	sortir quelqu'un d'un mauvais pas	(17)254
s'en tenir aux faits	(05)262	soulever un tollé général	(09)289
sentir l'ail	(08)112	sous le coup de	(12)116
sentir la moutarde monter au nez	(18)311	sous l'égide de	(02)277
sentir l'intrigue à plein nez	(07)196	sous peu	(17)38
s'en tirer à bon compte	(05)277	sous le signe de	(20)254
s'en tirer très bien	(17)206	sous les verrous	(16)146
s'en vouloir de ne pas	(03)271	sous peine de	(17)110
se passer de	(18)14	sous tous les rapports	(19)29
se payer la tête de	(11)140	suer sang et eau	(07)85
se payer une pinte de bon sang	(04)97	sous pli séparé	(06)103
se piquer de	(16)86	suite au prochain numéro	(07)286
se prêter à la discussion	(07)271	suite et fin	(01)283
se porter comme un charme	(14)98	suivre comme des moutons de	
se porter garant de	(04)304	Panurge	(20)305
se prendre aux cheveux	(17)89	suivre la filière	(09)136
se prendre pour	(19)224	suivre une fausse piste	(04)103
se prendre pour le nombril du		sujet à caution	(01)124
monde	(17)311	sur ce	(14)44
se rapporter à	(09)115	sur ces entrefaites	(05)46
se regarder comme des chiens de		sur la pointe des pieds	(06)37
faïence	(13)254	sur ses vieux jours	(11)247
se remettre à flot	(17)152	s'y connaître en	(02)34
se remettre au beau	(08)85	s'y faire la main	(17)278
se remettre en selle	(20)299	s'y mettre	(04)109
se rendre à l'évidence	(10)136	s'y prendre à deux fois	(11)280
se rendre compte que	(11)28	système de broche à foin	(05)205
se répandre comme une traînée			
de poudre	(06)277		
se répandre en invectives	(01)295		
se répandre en un long discours	(01)295		
se réveiller de mauvais poil	(13)248		
se rincer la dalle	(12)152		

T

U

INDEX
ENGLISH
TRANSLATIONS

The index has been designed in a way to find quickly the expressions you are looking for. Each expression is followed by two numbers which refer to the number of the expression (in parenthesis) and the page. For example: **Game of hocus-pocus (11)149.** This means that you will find it on page **149** and that it is expression **11.** The last number of the sequence always refers to the page where you will find the expression.

A

a bird in the hand is worth two
   in the bush (09)253
a bitter pill (20)68
able to (18)68
abominable trick (11)289
about (02)58
above (10)211
abroad (05)37
abstain (to) from meat (19)65
abuse (to) (08)304
accept (to) the evidence (10)136
accompany (to) to one's last resting
   place (12)137
according to me (03)31
according to you (03)31
accrued interest (12)284
accuse (to) (04)124, (05)139, (11)170, (19)305
ace driver (19)260
achieve (to) one's ends (04)148
acquaint (to) with (11)61
acquire (to) the knack of
   something (17)278
act (to) alone (10)268
act (to) a part (12)56
act (to) fairly and above-board (02)64
act (to) in a state of agitation (15)251
act (to) in collusion (15)101
act (to) in such a way as (20)32, (14)65
acts of violence (08)175
act (to) too quickly (02)178
actuated by (01)187
act (to) upon (11)202
add (to) fuel to the fire (02)223
adjourn (to) a meeting (18)152
adjust (to) (12)110
admission ticket (01)310
adrift (02)157
advance (to) slowly (14)110
advance (to) stealthily (14)110
adventurer (15)131
advertise (to) (19)83, (07)178
advisedly (19)95
a few minutes ago (01)16
afford (to) (14)32
a first-rate cook (08)40
after (08)232
after all (05)49, (11)53, (07)64
after the event (02)202
after the French manner (04)208
agenda (17)179
a good many (01)112
a good way (09)94
agree (to) once and for all (03)49
agree (to) upon (19)44
agree (to) upon it between you (02)175
agree (to) with (18)26, (09)61, (02)94, (05)115, (10)310
a hard nut to crack (15)104

a hungry man will not listen to
   reason (11)284
aim (to) at with a gun (09)238
aim (to) at with a rifle (09)238
aimlessly (03)178
a large number of (01)112
a little bird told me (17)299
all day long (01)202
all hell is let loose (05)223
all of a sudden (17)287
allow (to) (20)158
all right, go ahead! (07)235
all rights reserved (10)118
All Souls' Day (12)221
all the fuss (13)197
all the more because (19)32
all the same (01)58
all things considered (11)53, (01)94
all told (05)49
almost (14)305
almost do (to) something (15)38
along (03)22
a long time ago (04)19
a long way (09)94
always make (to) mistakes (13)257
a man who has lost his reputation (02)238
a matter of plain common sense (01)76
among familiar faces (02)253
a name never heard of (08)280
an average of (14)218
and also (12)218
and even (14)113
and there are heaps more I could
   mention (15)188
and what is more (19)14
and what more? (16)44
an excellent bargain (07)103
an excellent cook (08)40
an indefinable something (04)280
announce (to) the end of (14)158
answer (to) for (09)73
anticipate (to) one's income (02)82
anybody and everybody (16)89
anyhow (10)169, (20)173
anyone (09)34
apologize (to) (13)38, (01)82
appear (to) (04)67, (05)295
appear (to) at the bar (14)224
appear (to before the court (14)224
appear (to) reluctant (01)40
approaches of the bridge (09)142
a prey to (19)113
April Fools' Day (17)98
a real sport (14)122
a real nice (05)142
aren't we having fun! (09)199
are you serious? (14)20
argue (to) (14)164
armed robbery (05)280
arm in arm (07)37
arrange (to) a way out of
   difficulty (07)124

be (to) all attention (13)308
be (to) all at sea (05)130
be (to) all ears (13)308
be (to) all the rage (08)49
be (to) always dreaming (09)133
be (to) always on the move (12)233,
(03)286
be (to) a miser (05)241
be (to) an expert in (02)34
be (to) angry for not (03)271
be (to) an integral part of (02)247
be (to) anxious (11)38
be (to) anxious that (18)29
bear (to) a grudge against (19)35
be (to) a real clown (06)307
bearer of bad news (13)269
bear-garden (03)97
bearing the stamp of (14)203
bear (to) the expense of (11)64
be (to) as fit as a fiddle (14)98
be (to) ashamed of (13)158
be (to) a slack kind of fellow (07)268
be (to) assigned to every kind
of work (09)223
be (to) as thick as thieves (19)221
be (to) a stickler for principles (03)268
beat (to) about the bush (10)82
be (to) at death's door (01)235
beat (to) hollow (08)100
be (to) at its height (01)79
be (to) at loggerheads (14)266
be (to) a tough customer (10)127
beat (to) the air (08)139
be (to) at the end of one's
resources (17)236
beat (to) up (06)247
be (to) at work (02)85
be (to) badly brought up (13)242
be (to) balked (13)290
be (to) becoming (13)62
be (to) beside oneself with joy (14)155
be (to) bored (20)149
be (to) be broken (17)14
be (to) bursting with plans (13)233
be (to) called plain . . . (08)220
be (to) called to obedience (16)113
be (to) called to order (16)113
be (to) careful (02)37
be (to) caught off one's guard (14)287
be (to) caught red-handed (02)268
because of (06)121
be (to) chased (10)205
be (to) cheated (03)79, (06)205, (15)260
be (to) clearing up (09)271
be (to) clearing up again (08)85
be (to) clever with one's fingers (07)40
become (to) (12)65
become (to) addicted to drink (14)296
become (to) a mess (12)281
become (to) a riot (12)281
become (to) easily proud (09)190
be (to) consistent (19)107

be (to) conspicuous by one's
absence (06)238
be (to) convenient to (14)212, (09)259
be (to) cramped for room (08)136
be (to) crazy about (17)47, (10)202
be (to) crest-fallen (11)233
be (to) out for (09)82
be (to) damaged (12)305
be (to) day-dreaming (13)119
be (to) depressed (11)233
be (to) destined for (20)275
be (to) disgusted with (06)241
be (to) dismissed (06)139
be (to) done in (16)293
be (to) done with (14)137
be (to) down at heel (11)311
be (to) down in the dumps (20)53
be (to) dumbfounded (14)71
be (to) easily moved to tears (17)302
be (to) easy-going (16)305
be (to) easy to get on with (13)299
be (to) entirely mistaken (08)94
be (to) equal to (05)70
be (to) exhausted (05)91, (17)236,
(01)274, (07)283
be (to) exposed to (01)100
be (to) fed up (01)274
be (to) fed up with (20)149, (13)230,
(18)236, (06)241
be (to) fidgety (12)233, (03)286
be (to) finicky (18)254
be (to) flighty (17)227
be (to) fond of (17)47
be (to) fooled (01)55
be (to) forced to answer (14)284
before daylight (05)52
beforehand (09)97
before long (18)131, (01)163
be (to) free of sea-sickness (01)250
be (to) full of energy (04)175
be (to) full of the devil (04)175
be (to) fussy (15)71
be (to) game (18)224
begin (to) (04)109
begin (to) with the cake (18)272
be (to) had (15)260
be (to) half-crazy (19)218
be (to) hand in glove with (17)200,
(07)259
be (to) hanging by a hair (12)224
be (to) hard pressed (20)80
be (to) hard to deal with (10)127
be (to) hard up (16)203
be (to) harmed (12)305
be (to) head over ears in debt (14)188
be (to) highly delighted (11)266
behind close doors (06)61
behind the scenes (13)182
be (to) home-sick (12)50
be (to) hot-headed (18)251
be (to) hungry (02)184
be (to) ill-advised of someone to (10)214

C

D

E

G

gain (to) ground (12)257
game of hocus-pocus (11)149
gape (to) at something (07)115
general delivery (06)220
genuine (13)140
get (to) along with (05)115, (10)310
get (to) angry (18)251
get (to) a rise of (11)140
get (to) a sunstroke (07)31
get (to) back to the point (03)52
get (to) back to the subject (03)52
get (to) better (15)299
get (to) drunk (12)311
get (to) even with (10)43
get (to) excited (11)68, (20)101
get (to) fatter (13)173
get (to) hauled over the coals (04)70
get (to) into the prison van (18)167
get (to) involved in a bad
   business (10)247
get (to) it in the neck (15)218
get (to) it off one's chest (02)124
get (to) off (07)52
get (to) out of a scrape (15)248
get (to) out of difficulty (12)(14)29
get (to) out of trouble (15)248
get (to) over it (07)130
get (to) poor press coverage (03)163
get (to) ready to do something (11)131
get (to) rid of (14)278
get (to) someone out of a scrape (17)254
get (to) stuck (04)58
get (to) the better of (18)140
get (to) to the heart of the matter (07)91
get (to) up on the wrong side of
   the bed (09)106
get (to) upset (01)277
get (to) used to (04)88
get (to) wind of (11)293
get (to) worked up (11)68
gilt-edged (12)164
give (to) a flat refusal (01)109
give (to) a free hand (02)67
give (to) a forced laugh (11)22, (10)250
give (to) a hand (20)56
give (to) a hand for (04)274
give (to) a hand to (04)274
give (to) a helping hand to (09)274
give (to) a lot of trouble to (08)79
give (to) a poor welcome (15)194
give (to) a rough handling (06)247
give (to) a sickly smile (11)22
give (to) away (14)278
give (to) explanations to (16)302
give (to) fair play to (15)212
give (to) full powers (02)67
give (to) less consideration (18)308
give (to) oneself airs (01)247
give (to) oneself importance (13)209
give (to) oneself out for (14)131
give (to) some guarantees (03)85
give (to) someone more liberty (11)214
give (to) someone the slip (10)85
give (to) something to eat (13)35
give the devil his due (01)139
give (to) the green light to (20)158
give (to) the possibility to (16)74
give (to) tit for tat (10)43, (07)46, (05)118
give (to) up (02)172
give (to) way to anger (20)215
glance (to) at (16)38
gloat (to) over (07)226
go (to) ahead (03)184
go (to) along a street (09)235
go (to) a long way back (18)128
go (to) around in circles (06)289
go (to) as far as (06)88
go (to) astray (02)22
go (to) at a good pace (06)73
go (to) at a snail's pace (02)169
go (to) at full speed (10)139
go (to) at full tilt (10)139
go (to) at it hard (14)140
go away! (20)83, (02)142
go (to) away (10)142
go (to) back again to (15)227
go (to) bad (10)223
go (to) beyond the limits (12)176, (14)236
go (to) briskly (12)272
God forbid that (13)104
go (to) every which way (17)296
go (to) farther (11)227
go (to) in for cycling (10)187
go (to) in slow motion (04)232
go (to) naturally (09)181
good! (09)13
good catch (09)211
good riddance! (05)94
good source of revenue (08)199
good things are packed in small
   parcels (07)265
go (to) off one's rocker (19)155
go (to) an all fours (13)125
go (to) on ahead (12)299
go (to) on a spree (12)269
go (to) on strike (16)59
go (to) on very slowly (17)140
goose pimples (01)49
go (to) quietly along (05)112
go (to) out of one's mind (20)278
go (to) out to sea (12)185
go (to) over well (20)185
go (to) shopping (09)37
go (to) slowly (05)151, (04)232
go (to) sour (10)223
go (to) straight ahead (13)17
go (to) through a first experience (18)290
go (to) through it (13)74
go (to) through the usual channels (09)136
go (to) through very easily (19)302
go (to) to (06)88
go (to) to and fro (16)164

H

in return	(17)107
in return for which	(10)217
in safe custody	(16)146
in self-defense	(16)128
in short	(13)164
inside	(10)232
in single file	(12)71
insist (to) that	(18)29
in some way	(15)182
in spite of	(04)142
in succession	(10)235
interfere (to)	(20)170
interrupt (to) abruptly	(16)122
interrupt (to) someone	(19)80
intervene (to) irrelevantly	(04)244
in that case	(01)190, (13)221
in the capacity of	(03)100, (18)113
in the face of	(16)83
in the flesh	(09)184
in the foreground	(14)191
in the full sense of the word	(12)191
in the heart of	(10)232
in the height of	(10)46
in the know	(17)20
in the likeness of	(16)257
in the long run	(01)25
in the lurch	(15)233
in the manner of	(02)163
in the meanwhile	(05)46
in the neighbourhood	(06)52
in the open air	(13)191
in the prime of life	(06)265
in the proportion as	(01)43
in the seventh heaven	(08)130
in the thick of	(10)106
in the twinkling of an eye	(08)37
in the world	(02)220
intimidate (to)	(19)146
into the bargain	(19)14
in trouble	(07)19
in truth	(14)113
investigate (to)	(13)65
in view of	(07)148
in your opinion	(03)31
iron (to) a little	(07)187
I said it for fun	(18)17
I said it jokingly	(18)17
I shall do no such thing!	(11)157
is it possible?	(10)91, (15)113
is that all!	(02)226
it amounts to the same thing	(09)127
it comes to the same thing	(07)175
it does not concern me any longer	(09)16
it does not express my idea	(07)208
it does not make sense	(01)265
it goes sour	(18)101
it goes without saying	(13)14
it happens that	(20)218
I think so	(06)13
it is a gift!	(17)149
it is a grim situation	(05)235
it is all idle talk	(06)292

it is a mild weather	(16)152
it is as good as done	(08)295
it is as good as ready money	(11)101
it is . . . below zero	(18)191
it is better to stay	(03)193
it is beyond all belief	(15)155
it is bitterly cold	(03)19
it is blowing great guns	(17)41
it is damp	(16)176
it is disappointing	(13)95
it is done	(08)178
it is essential that	(08)235
it is exactly that!	(08)187
it is fair play	(20)251
it is fated that	(17)305
it is getting late	(07)13
it is gusting	(17)41
it is high time to	(11)187
it is important	(11)239
it is junk	(16)167
it is lamentable	(03)106
it is labour lost	(01)106
it is no longer possible to	(02)115
it is not convenient to	(05)229
it is not difficult to do	(08)115
it is not my cup of tea	(15)209
it is not necessary to	(12)173
it is not possible	(05)274
it is not proper to	(05)229
it is no trifle	(11)239
it is not that urgent	(18)62
it is not true!	(06)163
it is not up to much	(13)95
it is not worth while	(06)25
it is of no importance	(01)13
it is 100 to 1 against your guessing it	(16)188
it is 1000 to 1 against your guessing it	(16)188
it is out of the ordinary	(18)119
it is pitiful	(03)106
it is quite different for	(03)220
it is raining cats and dogs	(01)34, (16)161
it is really cheap!	(17)149
it is sultry	(16)176
it is then that	(13)239
it is the same either way	(05)187
it is the same thing	(17)170
it is time lost	(01)106
it is trumpery	(16)167
it is understood	(13)14, (20)20
it is unmatchable!	(05)193
it looks like rain	(11)272
it makes no sense	(07)151
it matters little	(01)13
it must come to that point	(14)185
it's always the same	(17)308
it's in the bag	(08)295
it's like that	(15)23
it's not difficult	(05)127
it's simply killing	(15)86
it was a bad thing that	(15)215

349

it was easy to say that (02)274
it was lucky for him to (04)259
it was lucky for us to (04)259
it will not go that way (08)169
it would be endless! (20)188, (06)196
I won't give much for (20)200
I won't pay much for (20)200

J

Jack-of-all-trades (18)257
jailbird (07)55
jilt (to) (09)103
join (to) in (10)121
join (to) us (10)58
joke (to) (15)137
jump (to) out of bed (17)173
just (14)92
just the same (01)58
just try it (06)19

K

keep (to) a close watch on (20)233
keep (to) aloof from (09)118
keep (to) cool (02)43
keep (to) informed (06)28
keep (to) in suspense (19)164
keep (to) listening (08)142
keep (to) one's head (02)43
keep (to) out of the way (09)118
keep (to) someone on
  tenter-hooks (11)89
keep (to) the score (15)56
keep (to) to the left (08)151
keep (to) to one's own clique (01)193
keep (to) up to date (06)28, (18)53
kick (to) one's heels (08)157
kick (to) oneself about it (16)53
kick (to) up a fuss (11)56
kid (to) (15)137
kill (to) someone by inches (11)89
knock (to) about the world (20)155
know (to) all the tricks (01)226
know (to) everything (13)152
know (to) how to get admiration (11)286
know (to) how to go about (14)29
know (to) intimately (09)124
know (to) only by hearsay (10)298
know (to) very well (09)124
know (to) what metal one is
  made of (11)245
know (to) what one is in for (18)266
know (to) what to do (07)253

L

Labour Day (18)98
lack (to) (14)62
lack (to) energy (05)166
lash (to) out at someone (04)124
last hope (17)188
late (11)136
later (17)38
latest fashion (11)128
latest style (11)128
laugh (to) heartily (17)128
laugh (to) in one's sleeve (01)259
laugh (to) up one's sleeve (15)65, (01)259
launch (to) a ship (19)239
launch (to) into abuse (01)295
launch (to) into a long speech (01)295
lay (to) down the law (14)77
lay (to) hands down on (14)272
lay (to) the blame on (11)170
lay (to) the table (13)86
lead (to) a dog's life (15)92
lead (to) by the nose (04)79
lead (to) the way (03)184
lead (to) to believe (01)136
lean times (19)230
leave (to) (10)85
leave (to) high and dry (03)244
leave (to) in a mess (17)239
leave (to) in a whirlwind (02)250
leave me in peace! (20)83
leave (to) no stone unturned (14)41
leave (to) out (03)160
leave (to) quickly (15)134
leave (to) someone a clear field (12)41
leave (to) undone (17)239
lend (to) a hand (06)40
lend (to) a helping hand to (06)253
lend (to) an ear (04)118
lend (to) itself to discussion (07)271
lend (to) without hope (08)292
lend (to) without security (08)292
let (to) down (15)296
let (to) go one's hold (09)241
let it go (20)167
let (to) know (08)118
let (to) onself be commanded (05)160
let (to) onself be ruled (05)160
let (to) someone go (03)223
let (to) someone off something (02)160
let (to) someone whistle for his
  money (02)166
let (to) the cat out of the bag (11)308
let us accept it (20)167
levy (to) a duty on (19)251
lie (to) through one's teeth (15)290
lift (to) one's elbow (02)244
lightly (15)95
like (02)163
like a new penny (15)158
like (to) very much (17)47, (19)152
limit (to) onself to the facts (05)262
limp (to) along (16)206
line (to) up (12)17
list (to) (08)184
listen (to) to reason (20)35

N

name	(19)185
namely	(06)70
naturally	(01)292
nearly	(14)305
neat as a pin	(04)292
need (to) a lot of coaxing	(03)58
need (to) a lot of persuading	(01)40
next to	(04)22
never!	(09)121
never-failing	(03)136
never mind that!	(17)245
never, never!	(01)127
nevertheless	(04)142
New Year's Eve	(19)182
nice haul	(09)211
nickle-and-dime savings	(09)280
nipt (to) in the bud	(13)143
no admittance	(02)232
no fighting here!	(01)217
no kidding?	(14)20
no matter who	(09)34
no mistake about it!	(18)245
no need to	(12)173
nonsense!	(09)157
no one missing	(04)169
no posting	(08)19
no sooner said than done	(16)251
not a soul!	(18)179
note (to)	(01)115
not exceeding	(17)95
not expensive	(10)22
nothing can be done about it	(12)98
no thoroughfare	(07)163
not in the least	(18)20
not serious	(19)296
not so fast	(04)202
not so soon	(18)131
not such a fool!	(13)245
not that silly!	(13)245
not to be able anymore to	(19)188
not to be afraid	(02)40
not to be born yesterday	(12)230
not to be cut out for	(11)221
bot to be easy	(05)268
not to beat about the bush	(12)77
not to believe a word of it	(11)251
not to believe one's eyes	(06)115
not to be long in	(10)115
not to be particular	(15)74
not to be reliable	(05)268
not to be satisfied with	(14)242
not to be too strict	(17)215
not to be up to a task	(08)244
not to care about what people say	(04)46
not to care a straw about it	(18)194
not to come off unscathed	(15)302
not to delay to	(10)115
not to eat to one's fill	(19)197
not to exaggerate	(10)256

not to give an inch	(20)230
not to give up	(04)283
not to have a bit of food	(17)116
not to have a red cent	(08)256
not to have one's equal	(05)106
not to have the gift of gab	(05)244
not to hold a candle to	(19)308
not to keep on tenter-hooks	(06)124
not to keep still	(02)310
not to know exactly	(18)38
not to know how to manage with someone	(12)254
not to know what to do	(12)86, (06)289
not to know where to begin	(12)86
not to know which way to turn	(08)250
not to last long	(07)199
not to let go an idea	(15)230
not to let out of one's sight	(09)292
not to lift a finger for	(14)299
not to like that	(12)266
not to live long	(12)101
not to make head or tail of it	(01)157
not to make old bones	(12)101
not to mince one's words	(03)67, (08)274
not to exceed	(19)86
not to pussy foot around	(14)140
not to run smoothly	(20)65
not to spare oneself	(01)253
not too well	(16)20
not to see things in that light	(09)298
not to set foot again in	(04)298
not to stop repeating	(08)229
not to stop there	(11)227
not to succeed	(05)286
not to understand at all	(19)53
not to work	(17)14, (13)305
not very observant	(02)181
not very practising	(02)181
nowadays	(12)23, (20)95
now and henceforth	(07)70

O

obey (to) without a word	(13)71
oblige (to)	(14)128
oddly enough	(03)130
of course	(20)20, (01)292
of course not!	(05)199
offer (to) something as a token of esteem	(08)103
of my own	(01)130
of sterling quality	(13)140
of good omen	(14)170
of his own invention	(01)130
of poor quality	(07)184
of what use?	(15)20
old curiosity shop	(09)52
old wives' remedy	(02)298
old wives' tales	(04)286
on a level with	(15)236
on all sides	(13)236

T

TABLE DES MATIÈRES
TABLE OF CONTENTS

Achevé d'imprimer sur les presses de l'imprimerie Gagné
à Louiseville (Québec)
pour le compte des éditions Asticou

draps   Défense d'afficher   À qui de droit   Deu

mot   Être à la page   Pas le moins du monde   À

ausse route   Cuire à point   Bon marché   Rire

e   Faire l'école buissonnière   À qui le dites-vou

ux   À portée de main   À tort et à travers   À t

oix au chapitre   Bon gré, mal gré   Chem

d'hui en huit   L'échapper belle   En venir aux n

t de   Faute de   Froncer les sourcils   Hausser

aleine   Marcher de long en large   Mettre au

ffaire   Se tromper de numéro   Savoir s'y prendr

orts   Se creuser la cervelle   Faire de l'auto-stop

si bon compte   Attraper un coup de soleil   À tu

voix basse   Pleuvoir à verse   Avoir les moyen

Faire à sa guise   Entendre raison   Prendre gard

r la pointe des pieds   Bras dessus, bras dessou

Tenir tête   En avoir le coeur net   Jeter un cou

r l'oreille   Ne pas avoir froid aux yeux   Être

Fils à papa   Être dans la fleur de l'âge   Mettr

voir des doigts de fée   Un cordon bleu   Faire b

n épingle du jeu   Laisser le champ libre   Frapp

emuer ciel et terre   Coucher à la belle étoile   Pr

ur la paille   Garder son sang-froid   Graisse

la mouche   Être dans le pétrin   S'en laver les m

ut des doigts   Rendre la pareille   Prendre au d

t de champ   Faire grand cas de   Rebrouss

son fusil d'épaule   S'en donner à coeur joie

re la navette entre   Mettre en garde   Avoir la g

mal au coeur   Donner la chair de poule   De p

d'assaut   Redorer son blason   Faire fureur

Comme si de rien n'était   Venir à bout de   De g

es tours   Pousser un soupir   Avoir le diable

à partie   Revenir à ses moutons   Un marcha

rendre en grippe   Se faire du mauvais sang

yeux   Manger de la vache enragée   Avoir la m

nordre les doigts   Avoir le coeur gros   N'y v

u noir   Le dindon de la farce   Filer à l'anglais